U0217223

『十三五』国家重点出版物出版规划项目

中国中药资源大典

湖北卷

8

黄璐琦 / 总主编
黄　晓　王　平　艾中柱 / 主　编

北京科学技术出版社

图书在版编目（CIP）数据

中国中药资源大典. 湖北卷. 8 / 黄晓, 王平, 艾中柱主编. -- 北京 : 北京科学技术出版社, 2024. 6.

ISBN 978-7-5714-4053-4

Ⅰ. R281.4

中国国家版本馆CIP数据核字第202455HL00号

责任编辑：吕　慧　刘雪怡　吴　丹　李兆弟　侍　伟

责任校对：贾　荣

图文制作：樊润琴

责任印制：李　茗

出 版 人：曾庆宇

出版发行：北京科学技术出版社

社　　址：北京西直门南大街16号

邮政编码：100035

电　　话：0086-10-66135495（总编室）　0086-10-66113227（发行部）

网　　址：www.bkydw.cn

印　　刷：北京博海升彩色印刷有限公司

开　　本：889 mm × 1 194 mm　1/16

字　　数：1 125千字

印　　张：50.75

版　　次：2024年6月第1版

印　　次：2024年6月第1次印刷

审 图 号：GS京（2023）1758号

ISBN 978-7-5714-4053-4

定　　价：490.00元

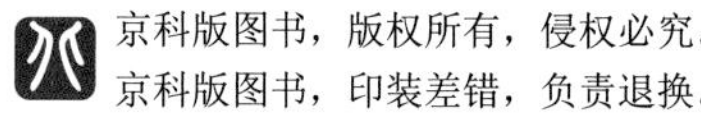

《中国中药资源大典·湖北卷》

编写委员会

李方涛　李世洋　李兴伟　李兴娇　李利荣　李宏焘　李建芝　李秋怡

李晓东　李海波　李乾富　李梓豪　李德凤　李德平　杨　建　杨　瑞

杨万宏　杨小宙　杨卫民　杨玉莹　杨光明　杨红兵　杨明荣　杨欣霜

杨学芳　杨振中　杨焰明　肖　光　肖　帆　肖　浪　肖权衡　肖惟丹

吴　丹　吴　迪　吴　勇　吴　涛　吴亚立　吴自勇　吴志德　吴和珍

吴洪来　吴海新　何　博　何文建　何江城　余　坤　余　艳　余亚心

邹远锦　邹志威　汪　婧　汪　静　汪文杰　汪乐原　张　宇　张　红

张　芳　张　明　张　沫　张　星　张　俊　张　格　张　健　张　银

张　翔　张　磊　张才士　张子良　张华良　张旭荣　张志君　张松保

张国利　张明高　张南方　张美娅　张晓勇　张梦林　张景景　张颖柔

陈　乐　陈　泉　陈　俊　陈　峰　陈　途　陈　锐　陈从量　陈秀梅

陈茂华　陈国健　陈泽璇　陈宗政　陈顺俭　陈家春　陈智国　陈霖林

范　钊　范又良　范海洲　林良生　林祖武　明　晶　季光琼　周　艳

周　密　周　晶　周卫忠　周兴明　周丽华　周建国　周重建　周根群

周瑞忠　周新星　周啟兵　庞聪雅　郑宗敬　赵　云　赵　晖　赵　翔

赵　鹏　赵东瑞　赵君宇　赵昌礼　郝欲平　胡　文　胡　红　胡天云

胡文华　胡志刚　胡建华　胡敦全　胡嫦娥　柯　源　柯美仓　柏仲华

柳卫东　柳成盟　钟　艳　郜邦鹏　姜在铎　姜荣才　洪祥云　姚　奇

秦　思　袁　杰　耿维东　聂　晶　夏千明　夏斌斌　晏　哲　钱　特

徐　雷　徐卫权　徐友滨　徐华丽　徐拂然　徐昌恕　徐泽鹤　徐德耀

高志平　郭丹丹　郭文华　唐　鼎　涂育明　谈发明　黄　莉　黄　晓

黄　楚　黄必胜　黄发慧　黄智洪　曹百惠　戚倩倩　龚　玲　龚　颜

龚绪毅　康四和　梁明华　寇章丽　彭　宇　彭义平　彭建波　彭荣越

彭宣文　彭家庆　葛关平　董　喜　董小阳　韩永界　韩劲松　森　林

喻　剑　喻　涛　喻志华　喻雄华　程　志　程月明　程淑琴　答国政

舒　勇　舒佳惠　舒朝辉　童志军　曾凡奇　游秋云　蒯梦婷　雷　普

雷大勇　雷志红　雷梦玉　詹建平　詹爱明　蔡志江　蔡宏涛　蔡洪容

蔡清萍　蔡朝晖　裴光明　廖　敏　谭卫民　谭文勇　谭洪波　熊　睿

熊小燕　熊兴军　熊志恒　熊林波　熊国飞　熊德琴　黎　曙　黎钟强
潘云霞　薛　辉　魏　敏　魏继雄

品种审定委员会（按姓氏笔画排序）

王志平　刘合刚　杨红兵　吴和珍　汪乐原　黄　晓　森　林　潘宏林

审稿委员（按姓氏笔画排序）

王　平　艾中柱　刘合刚　李建强　李晓东　肖　凌　吴和珍　余　坤
汪乐原　张　燕　陈林霖　陈科力　陈家春　苟君波　袁德培　聂　晶
徐　雷　黄　晓　黄必胜　康四和　詹亚华　廖朝林

《中国中药资源大典·湖北卷 8》

编写委员会

主　　编　黄　晓　王　平　艾中柱

副 主 编　袁　杰　杨红兵　张美娅　刘国玲

《中国中药资源大典·湖北卷》

编辑委员会

黄序

湖北省位于我国中部，地处亚热带季风气候区，位于第二级阶梯向第三级阶梯的过渡地带，温暖湿润的气候和复杂多样的地貌类型孕育了丰富的中药资源。

中药资源是中医药事业和中药产业发展的重要物质基础，是国家重要的战略性资源。湖北省作为第四次全国中药资源普查的试点省区之一，于 2011 年 12 月启动中药资源普查工作，历时 11 年，完成了 103 个县（自治县、市、区、林区）的中药资源普查工作，摸清了湖北省中药资源情况。《中国中药资源大典·湖北卷》由湖北省卫生健康委员会、湖北省中医药管理局组织编写，以普查获取的数据资料为基础，凝聚了全体普查“伙计”的共同心血与智慧，以较全面地展现了湖北省中药资源现状，具有重要的学术价值。

我曾多次与湖北省的“伙计们”一起跋山涉水开展中药资源调查，其间有许多新发现和新认识，如在蕲春县仙人台发现了失传已久的“九牛草”[*Artemisia stolonifera* (Maxim.) Komar.]。“伙计们”的专业精神令人感动，该书付梓之际，欣然为序。

中国工程院院士

中国中医科学院院长

第四次全国中药资源普查技术指导专家组组长

2024 年 3 月

前言

湖北省地处我国中部，属于典型的亚热带季风气候区。全省地势大致为东、西、北三面环山，中间低平，略呈向南敞开的不完整盆地。湖北省西部的武陵山区、秦巴山区为我国第二级阶梯山地地区，海拔落差大，小气候明显；东南部属于我国第三级阶梯，日照充足，降水丰富，环境适宜。多样的地理环境与气候特征孕育了湖北省丰富的中药资源，湖北省历来被称为“华中药库”，为我国中药生产的重要基地。

2011 年，在第四次全国中药资源普查试点工作启动之际，湖北省系统梳理本省在中药资源普查队伍、产业规模、政策支持等方面的优势，向全国中药资源普查办公室提交试点申请，获得批准，并于 2011 年 12 月 18 日正式启动普查工作。湖北省历时 11 年，分 6 批完成了全省 103 个县（自治县、市、区、林区）的野外普查工作。为进一步梳理普查成果，促进成果转化应用，湖北省于 2019 年 7 月 29 日启动《中国中药资源大典·湖北卷》的编写工作。

《中国中药资源大典·湖北卷》分为上、中、下三篇，共 10 册。上篇主要介绍湖北省的地理环境和气候特征、第四次中药资源普查实施情况、中药资源概况、中药资源开发利用情况、中药资源发展规划简介，以及湖北省新种、新记录种。中篇介绍湖北省道地、大宗药材，每种药材包括来源、原植物形态、野生资源、栽培资源、采收加工、药材性状、功能主治、用法用量、附注 9 项内容。下篇主要按照《中国植物志》的分类方法，以科、属为主线，分类介绍湖北省植物类中药资源，以便于读者了解湖北省植物类中药资源的种类、分布及应用现状等。

湖北省第四次中药资源普查共普查到植物类中药资源 4 834 种，其中具有药用历史的植物类中药资源 4 346 种。《中国中药资源大典 · 湖北卷》共收载植物类中药资源 3 298 种。普查过程中，发现新属 1 个、新种 17 个，重新采集模式标本 4 个，发现新分布记录科 2 个、新分布记录属 6 个。

《中国中药资源大典 · 湖北卷》目前收载的主要为植物类中药资源，动物类中药资源、矿物类中药资源和部分暂未收载的植物类中药资源将在补编中收载。

《中国中药资源大典 · 湖北卷》的编写工作由湖北省卫生健康委员会、湖北省中医药管理局组织，湖北省中药资源普查办公室、湖北中医药大学普查工作专班承担。本书是参与湖北省中药资源普查工作的全体同志智慧的结晶，在编写过程中得到了全国中药资源普查办公室和湖北省相关部门的大力支持，全省各普查单位、相关高校及科研院所的无私帮助，有关专家的悉心指导。在此，对所有领导、专家学者、普查队员等的辛勤付出表示诚挚的谢意和崇高的敬意！

本书可能存在不足之处，敬请读者不吝指正，以期后续完善和提高。

编　者

2024 年 2 月

凡例

（1）本书共10册，分为上、中、下篇。上篇综述了湖北省的地理环境和气候特征、第四次中药资源普查实施情况、中药资源概况、中药资源开发利用情况、中药资源发展规划及新种、新记录种；中篇论述了121种湖北省道地、大宗药材；下篇共收录植物类中药资源3 298种。

（2）本书下篇主要介绍各中药资源，以中药资源名为条目名，下设药材名、形态特征、生境分布、资源情况、采收加工、功能主治及附注等，其中资源情况、采收加工、附注为非必要项，资料不详者项目从略。各项目编写原则简述如下。

1）条目名。该项记述中药资源物种及其科属的中文名、拉丁学名。其中菌类、苔藓类的名称主要参考《中华本草》，蕨类、裸子植物、被子植物的名称主要参考《中国植物志》。

2）药材名。该项记述中药资源的药材名。凡《中华人民共和国药典》等法定标准收载者，原则上采用法定药材名；法定标准未收载者，主要参考《中华本草》《全国中草药名鉴》《中国中药资源志要》。

3）形态特征。该项简要描述中药资源的形态特征，突出鉴别特征。主要参考《中国植物志》，并结合普查实际所获取的信息进行描述。

4）生境分布。该项记述中药资源在湖北省的生存环境与分布区域。生存环境主要源于普查实际获取的生境信息，并参考相关志书的描述。分布区域主要介绍中药资源的分布情况，源于植物标本采集地。

5）资源情况。该项记述中药资源的蕴藏量情况，用丰富、较丰富、一般、较少、稀少来表示；并用“野生”或“栽培”记述药材的主要来源。

6）采收加工。该项记述药材的采收时间与加工方法。

7）功能主治。该项主要记述药材的功能和主治。

8）附注。该项记载中药资源最新的分类学地位与接受名的变动情况；记载《中华人民共和国药典》与地方标准收载的物种学名；描述物种其他医药相关用途，以及本草、地方志书中的相关记载情况等。

（3）附录。以名录形式收载中篇、下篇没有收载的湖北药用植物资源。

目录

被子植物

伞形科 Umbelliferae 羊角芹属 *Aegopodium*

巴东羊角芹 *Aegopodium henryi* Diels

|药 材 名|

巴东羊角芹。

|形态特征|

直立草本，高 45 ~ 100 cm。茎圆柱形，有条纹，近光滑，上部稍有分枝。基生叶有长柄，柄的下部有膜质的叶鞘；叶片阔三角形，长约 14 cm，三出 2 ~ 3 回羽状分裂，末回裂片披针形，基部近截形至楔形，先端长渐尖或尾状尖，边缘有不规则的锯齿；最上部的茎生叶 1 回羽状分裂，叶柄鞘状。复伞形花序顶生或侧生，花序梗长 6 ~ 20 cm；无总苞片和小总苞片；伞幅 8 ~ 18，长 2.5 ~ 4.5 cm，粗糙；小伞形花序有多数小花，花梗不等长；萼齿退化；花瓣白色，倒卵形，先端有内折的小舌片；花柱基圆锥形，花柱向下反折。果实长圆状卵形或长卵形，长 3 ~ 3.5 mm，宽 1.5 ~ 2 mm，主棱纤细；分生果横剖面近圆形；胚乳腹面平直；心皮柄先端 2 浅裂。花果期 6 ~ 8 月。

|生境分布|

生于海拔 500 ~ 1 650 m 的山坡。湖北有分布。

| 采收加工 | **茎叶**：播种或移植第 3 年后进行采摘，一般在 5 月中下旬直立茎长 25 ~ 30 cm 时割下柔嫩茎叶，晒干。

| 功能主治 | 清热利湿，止血，降血压。用于感冒发热，呕吐腹泻，尿路感染，崩漏，带下，高血压。

伞形科 Umbelliferae 莳萝属 *Anethum*

莳萝 *Anethum graveolens* L.

| 药 材 名 | 莳萝子、莳萝苗。

| 形态特征 | 一年生草本，稀为二年生。高 60 ~ 120 cm，全株无毛，有强烈香味。茎单一，直立，圆柱形，光滑，有纵长细条纹，直径 0.5 ~ 1.5 cm。基生叶有柄，叶柄长 4 ~ 6 cm，基部有宽阔叶鞘，边缘膜质；叶片宽卵形，3 ~ 4 回羽状全裂，末回裂片丝状，长 4 ~ 20 mm，宽不及 0.5 mm；茎上部叶较小，分裂次数少，无叶柄，仅有叶鞘。复伞形花序常呈二叉分枝，伞形花序直径 5 ~ 15 cm；伞辐 10 ~ 25，稍不等长；无总苞片；小伞形花序有花 15 ~ 25；无小总苞片；花瓣黄色，中脉常呈褐色，长圆形或近方形，小舌片钝，近长方形，内曲；花柱短，先直后弯；萼齿不显；花柱基圆锥形至垫状。分生果卵状椭圆形，

长 3 ~ 5 mm，宽 2 ~ 2.5 mm，成熟时褐色，背部扁压状，背棱细但明显凸起，侧棱狭翅状，灰白色；每棱槽内有油管 1，合生面有油管 2；胚乳腹面平直。花期 5 ~ 8 月，果期 7 ~ 9 月。

| 生境分布 | 生于田边、草丛、荒地、路旁等。分布于湖北神农架等。

| 采收加工 | **莳萝子：**夏、秋季果实成熟时采收，去净杂质，晒干。

莳萝苗：春末至夏初采收，晒干。

| 功能主治 | **莳萝子：**温脾开胃，散寒暖肝，理气止痛。用于腹中冷痛，胁肋胀满，呕逆食少，寒疝。

莳萝苗：行气利膈，降逆止呕，化痰止咳。用于胸胁痞满，脘腹胀痛，呕吐呃逆，咳嗽，咯痰。

伞形科 Umbelliferae 当归属 *Angelica*

东当归 *Angelica acutiloba* (Sieb. et Zucc.) Kitag.

| 药 材 名 | 东当归。

| 形态特征 | 多年生草本。根长 10 ~ 25 cm，直径 1 ~ 2.5 cm，有多数支根，似马尾状，外表皮黄褐色至棕褐色，气味浓香。茎充实，高 30 ~ 100 cm，绿色，常带紫色，无毛，有细沟纹。叶一至二回三出羽状分裂，膜质，上表面亮绿色，脉上有疏毛，下表面苍白色，末回裂片披针形至卵状披针形，3 裂，长 2 ~ 9 cm，宽 1 ~ 3 cm，无柄或有短柄，先端渐尖至急尖，基部楔形或截形，边缘有尖锐锯齿；叶柄长 10 ~ 30 cm，基部膨大成管状的叶鞘，叶鞘边缘膜质；茎顶部的叶简化成长圆形的叶鞘。复伞形花序，花序梗、伞辐、花梗均无毛或有疏毛，花序梗长 5 ~ 20 cm；总苞片 1 至数个或无，线状披针形

或线形，长 1 ~ 2 cm；小总苞片 5 ~ 8，线状披针形或线形，无毛，长 5 ~ 15 mm，常比花长；小伞花序有花约 30；花白色；萼齿不明显；花瓣倒卵形至长圆形；子房无毛，花柱长为花柱基的 3 倍。果实狭长圆形，略扁压，长 4 ~ 5 mm，宽 1 ~ 1.5 mm，背棱线状，尖锐，侧棱狭翅状，较背棱宽，较果体狭，棱槽内有油管 3 ~ 4，合生面有油管 4 ~ 8。花期 7 ~ 8 月，果期 8 ~ 9 月。

| 生境分布 | 湖北有分布。

| 采收加工 | **根：**秋季采挖，去除须根、茎叶和杂质，微火熏，晒干。

| 功能主治 | 补血活血，调经止痛，润燥滑肠。用于血虚证，月经不调，血虚经闭，腹痛，便秘。

伞形科 Umbelliferae 当归属 *Angelica*

重齿当归 *Angelica biserrata* (Shan & C. Q. Yuan) C. Q. Yuan & Shan

| 药 材 名 | 重齿当归。

| 形态特征 | 多年生高大草本。根类圆柱形，棕褐色，长 15 cm，直径 1 ~ 2.5 cm，有特殊香气。茎高 1 ~ 2 m，直径 1.5 cm，中空，常带紫色，光滑或稍有浅纵沟纹，上部有短糙毛。叶 2 回三出羽状全裂，宽卵形，长 20 ~ 30（~ 40）cm，宽 15 ~ 25 cm；茎生叶叶柄长 30 ~ 50 cm，基部膨大成长 5 ~ 7 cm 的长管状、半抱茎的厚膜质叶鞘，开展，背面无毛或稍被短柔毛，末回裂片膜质，卵圆形至长椭圆形，长 5.5 ~ 18 cm，宽 3 ~ 6.5 cm，先端渐尖，基部楔形，边缘有不整齐的尖锯齿或重锯齿，齿端有内曲的短尖头，顶生的末回裂片多 3 深裂，基部常沿叶轴下延成翅状，侧生的末回裂片具短柄或

无柄，两面沿叶脉及边缘有短柔毛。花序托叶逐渐简化成囊状膨大的叶鞘，无毛，偶被疏短毛。复伞形花序顶生和侧生，花序梗长 5 ~ 16（~ 20）cm，密被短糙毛；总苞片 1，长钻形，有缘毛，早落；小总苞片 5 ~ 10，阔披针形，比花梗短，先端有长尖，背面及边缘被短毛；花白色；无萼齿；花瓣倒卵形，先端内凹，花柱基扁圆盘状。果实椭圆形，长 6 ~ 8 mm，宽 3 ~ 5 mm，侧翅与果体等宽或略狭，背棱线形，隆起，棱槽间有油管（1 ~）2 ~ 3，合生面有油管 2 ~ 4（~ 6）。花期 8 ~ 9 月，果期 9 ~ 10 月。

| 生境分布 | 分布于湖北恩施、巴东等地。

| 采收加工 | **根：**春初苗刚发芽或秋末茎叶枯萎时采挖，除去须根和泥沙，烘至半干，堆置 2 ~ 3 天，发软后再烘至全干。

| 功能主治 | 祛风胜湿，散寒止痛。用于头痛，齿痛，痈疡等。

伞形科 Umbelliferae 当归属 *Angelica*

白芷 *Angelica dahurica* (Fisch. ex Hoffm.) Benth. et Hook. f. ex Franch. et Sav.

| 药 材 名 | 白芷。

| 形态特征 | 多年生高大草本。高 1 ~ 2.5 m。根圆柱形，有分枝，直径 3 ~ 5 cm，外表皮黄褐色至褐色，有浓烈气味。茎基部直径 2 ~ 5 cm，有时可达 7 ~ 8 cm，通常带紫色，中空，有纵长沟纹。基生叶 1 回羽状分裂，有长柄，叶柄下部有管状抱茎、边缘膜质的叶鞘；茎上部叶 2 ~ 3 回羽状分裂，叶片为卵形至三角形，长 15 ~ 30 cm，宽 10 ~ 25 cm，叶柄长至 15 cm，下部为囊状膨大的膜质叶鞘，无毛，稀有毛，常带紫色，末回裂片长圆形、卵形或线状披针形，多无柄，长 2.5 ~ 7 cm，宽 1 ~ 2.5 cm，急尖，边缘有不规则的白色软骨质粗锯齿，具短尖头，基部两侧常不等大，沿叶轴下延成翅状；花序

下方的叶简化成无叶、显著膨大的囊状叶鞘，外面无毛。复伞形花序顶生或侧生，直径 10 ~ 30 cm，花序梗长 5 ~ 20 cm，花序梗、伞幅和花梗均有短糙毛；伞幅 18 ~ 40，中央主伞有时伞幅多至 70；总苞片通常缺或 1 ~ 2，成长卵形膨大的鞘；小总苞片 5 ~ 10 余，线状披针形，膜质；花白色；萼齿无；花瓣倒卵形，先端内曲成凹头状；子房无毛或有短毛，花柱比短圆锥状的花柱基长 2 倍。果实长圆形至卵圆形，黄棕色，有时带紫色，长 4 ~ 7 mm，宽 4 ~ 6 mm，无毛，背棱扁，厚而钝圆，近海绵质，远较棱槽宽，侧棱翅状，较果体狭；棱槽中有油管 1，合生面有油管 2。花期 7 ~ 8 月，果期 8 ~ 9 月。

| 生境分布 | 生于海拔 600 m 以下的林下、林缘、溪旁、灌丛及山谷草地。湖北各地均有分布。湖北黄梅、浠水等有栽培。

| 采收加工 | **根：**夏、秋季间叶黄时采挖，除去须根和泥沙，晒干或低温干燥。

| 功能主治 | 解表散寒，祛风止痛，宣通鼻窍，燥湿止带，消肿排脓。用于感冒头痛，眉棱骨痛，鼻塞流涕，鼻鼽，鼻渊，牙痛，带下，疮疡肿痛。

伞形科 Umbelliferae 当归属 *Angelica*

杭白芷 *Angelica dahurica* (Fisch. ex Hoffm.) Benth. et Hook. f. ex Franch. et Sav. cv. Hangbaizhi

| 药材名 |

杭白芷。

| 形态特征 |

多年生草本，高 1 ~ 2 m。根圆锥形，具 4 棱。茎直径 4 ~ 7 cm，茎、叶鞘均为黄绿色。叶互生；茎下部叶大，叶柄长，基部鞘状抱茎，2 ~ 3 回羽状分裂，深裂或全裂，最终裂片阔卵形至卵形或长椭圆形，先端尖，边缘密生尖锐重锯齿，基部下延成柄，无毛或脉上有毛；茎中部叶小；茎上部叶几仅存卵形囊状的叶鞘。小总苞片长约 5 mm，通常比小伞梗短；复伞形花序密生短柔毛；花萼缺如；花瓣黄绿色；雄蕊 5，花丝比花瓣长 1.5 ~ 2 倍；花柱基部绿黄色或黄色。双悬果被疏毛。花期 5 ~ 6 月，果期 7 ~ 9 月。

| 生境分布 |

湖北有栽培。

| 采收加工 |

根：夏、秋季间种植的杭白芷于翌年 7 ~ 9 月间茎叶黄时采挖，除去须根及泥沙，晒干或低温干燥。春季种植的杭白芷于当年 10 月采挖，洗净，晒干或微火烘干。

| **功能主治** | 祛风，散湿，排脓，生肌止痛。用于感冒头痛，鼻渊，齿痛，带下，便血痔漏，皮肤瘙痒。

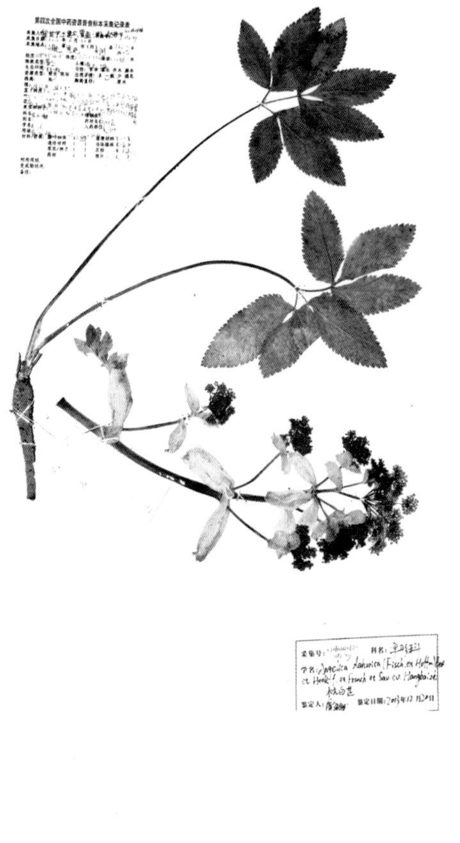

伞形科 Umbelliferae 当归属 *Angelica*

紫花前胡 *Angelica decursiva* (Miq.) Franch. et Sav.

| 药 材 名 | 前胡。

| 形态特征 | 多年生草本。根圆锥状，有少数分枝，直径 1 ~ 2 cm，棕黄色至棕褐色，有强烈气味。茎高 1 ~ 2 m，直立，单一，中空，光滑，常为紫色，无毛，有纵沟纹。根出叶、茎生叶有长柄，柄长 13 ~ 36 cm，基部膨大成圆形的紫色叶鞘，抱茎，外面无毛；叶片三角形至卵圆形，坚纸质，长 10 ~ 25 cm，1 回 3 全裂或 1 ~ 2 回羽状分裂，第 1 回裂片的小叶柄翅状延长，侧方裂片和先端裂片的基部联合，沿叶轴呈翅状延长，翅边缘有锯齿，末回裂片卵形或长圆状披针形，长 5 ~ 15 cm，宽 2 ~ 5 cm，先端锐尖，边缘有白色软骨质锯齿，齿端有尖头，表面深绿色，背面绿白色，主脉常带紫色，

表面脉上有短糙毛，背面脉上无毛；茎上部叶逐渐简化成囊状、膨大的紫色叶鞘。复伞形花序顶生和侧生，花序梗长 3 ~ 8 cm，有柔毛；伞幅 10 ~ 22，长 2 ~ 4 cm；总苞片 1 ~ 3，卵圆形，阔鞘状，宿存，反折，紫色；小总苞片 3 ~ 8，线形至披针形，绿色或紫色，无毛；伞幅及花梗有毛；花深紫色；萼齿明显，线状锥形或三角状锥形；花瓣倒卵形或椭圆状披针形，先端通常不内折成凹头状；花药暗紫色。果实长圆形至卵状圆形，长 4 ~ 7 mm，宽 3 ~ 5 mm，无毛，背棱线形隆起，尖锐，侧棱有较厚的狭翅，与果体近等宽，棱槽内有油管 1 ~ 3，合生面有油管 4 ~ 6；胚乳腹面稍凹入。花期 8 ~ 9 月，果期 9 ~ 11 月。

| 生境分布 | 生于山坡林缘、溪沟边或杂木林灌丛中。湖北有分布。

| 采收加工 | **根：**冬季至翌年春季茎叶枯萎或未抽花茎时采挖，除去须根，晒干。

| 功能主治 | 疏散风热，降气化痰。用于外感风热，肺热痰郁，咳喘痰多，痰黄黏稠，呃逆食少，胸膈满闷。

伞形科 Umbelliferae 当归属 *Angelica*

疏叶当归 *Angelica laxifoliata* Diels

| 药 材 名 | 疏叶当归。

| 形态特征 | 多年生草本植物。根为圆柱形，单根或稍分枝，长 7 ~ 18 cm，基部厚 1 ~ 2 cm，灰黄色，稍香。茎高 30 ~ 90 cm，有时可达 150 cm，直径 4 ~ 7 mm，绿色或略带紫色，光滑无毛。基生叶及茎生叶均为 2 回三出式羽状分裂，叶片长 12 ~ 17 cm，宽 10 ~ 12 cm，有排列较疏远的小叶片 3 ~ 4 对；叶柄长 5 ~ 10 cm，下叶柄长约 30 cm，叶鞘长 4 ~ 7 cm，伸展，半抱茎，边缘膜质；茎先端叶简化成长管状的膜质鞘，光滑无毛，末回裂片披针形至宽披针形，膜状，长 2.5 ~ 4 cm，宽 1 ~ 2 cm，基部钝圆形至楔形，无柄，顶部渐尖，边缘有细锯齿，齿端短尖，背面呈粉绿色，网状静脉细而

明显，两侧光滑无毛，或有时静脉上有微毛。复合伞形花序顶生，直径 5 ~ 7（~ 10）cm，花序梗和伞形辐条带细肋，肋上短柔毛，伞形辐条 30 ~ 50，长 2.5 ~ 4 cm，果期可达 9 cm，总苞片 3 ~ 9，披针形，略带紫色，具缘毛，小伞形花序带花 10 ~ 35，小总苞片 6 ~ 10，长披针形，具缘毛，无萼齿，花瓣白色，倒心形，底部逐渐变细，顶部向内折叠，样式底部平坦，略微突出。果实椭圆形，长 4 ~ 6 mm，宽 3 ~ 5 mm，黄白色，边缘常为紫色或紫红色，无毛，后缘和中缘线形，稍隆起，侧缘具翅，膜厚，比果体宽，棱槽内有油管 1，合生面有油管 2。花期 7 ~ 9 月，果期 8 ~ 10 月。

| 生境分布 | 生于 2 300 ~ 3 000 m 的山地草丛中。湖北有分布。

| 采收加工 | **根：**夏、秋季采挖，去其茎叶，洗净，晒干。

| 功能主治 | 祛风胜湿，通络止痛。用于风寒湿痹，腰膝酸痛，头痛，疮痛，跌打伤痛。

伞形科 Umbelliferae 当归属 *Angelica*

拐芹 *Angelica polymorpha* Maxim.

| 药 材 名 | 拐芹。

| 形态特征 | 多年生草本，高 0.5 ~ 1.5 m。根圆锥形，直径达 0.8 cm，外皮灰棕色，有少数须根。茎单一，细长，中空，有浅沟纹，光滑无毛或有稀疏的短糙毛，节处常为紫色。叶 2 ~ 3 回三出羽状分裂，叶片卵形至三角状卵形，长 15 ~ 30 cm，宽 15 ~ 25 cm；茎上部无叶或有带小叶、略膨大的叶鞘，叶鞘薄膜质，常带紫色；第 1 回和第 2 回裂片有长叶柄，小叶柄通常膝曲或弧形弯曲，末回裂片有短柄或近无柄，卵形或菱状长圆形，纸质，长 3 ~ 5 cm，宽 2.5 ~ 3.5 cm，3 裂，两侧裂片又多为不等的 2 深裂，基部截形至心形，先端具长尖，边缘有粗锯齿、大小不等的重锯齿或缺刻状深裂，齿端有锐尖头，

两面脉上疏被短糙毛或下表面无毛。复伞形花序直径 4 ~ 10 cm，花序梗、伞幅和花梗密生短糙毛；伞幅 11 ~ 20，长 1.5 ~ 3 cm，开展，上举；总苞片 1 ~ 3 或无，狭披针形，有缘毛；小苞片 7 ~ 10，狭线形，紫色，有缘毛；萼齿退化，少为细小的三角状锥形；花瓣匙形至倒卵形，白色，无毛，渐尖，先端内曲；花柱短，常反卷。果实长圆形至近长方形，基部凹入，长 6 ~ 7 mm，宽 3 ~ 5 mm，背棱短翅状，侧棱膨大成膜质的翅，与果体等宽或略宽于果体，棱槽内有油管 1，合生面有油管 2，油管狭细。花期 8 ~ 9 月，果期 9 ~ 10 月。

| 生境分布 | 生于山沟、沟塘边、溪流旁、杂木林下、灌丛及阴湿草丛中。湖北有分布。

| 采收加工 | **根茎：**夏、秋季间开花前采挖，洗净，晒干或鲜用。

| 功能主治 | 发表祛风，温中散寒，理气止痛。用于风寒表证，风湿痹痛，脘腹、胸胁疼痛，跌打损伤。

伞形科 Umbelliferae 当归属 *Angelica*

毛当归 *Angelica pubescens* Maxim.

| 药 材 名 | 毛当归。

| 形态特征 | 多年生高大草本。根类圆柱形，棕褐色，长 15 cm，直径 1 ~ 2.5 cm，有特殊香气。茎高 1 ~ 2 m，直径 1.5 cm，中空，常带紫色，光滑或稍有浅纵沟纹，上部有短糙毛。叶 2 回三出羽状全裂，宽卵形，长 20 ~ 30（~ 40）cm，宽 15 ~ 25 cm；茎生叶叶柄长 30 ~ 50 cm，基部膨大成长 5 ~ 7 cm 的长管状、半抱茎的厚膜质叶鞘，开展，背面无毛或稍被短柔毛，末回裂片膜质，卵圆形至长椭圆形，长 5.5 ~ 18 cm，宽 3 ~ 6.5 cm，先端渐尖，基部楔形，边缘有不整齐的尖锯齿或重锯齿，齿端有内曲的短尖头，顶生的末回裂片多 3 深裂，基部常沿叶轴下延成翅状，侧生的末回裂片具短柄或无柄，两面沿

叶脉及边缘有短柔毛。花序托叶逐渐简化成囊状膨大的叶鞘，无毛，偶被疏短毛。复伞形花序顶生和侧生，花序梗长 5 ~ 16（~ 20）cm，密被短糙毛；总苞片 1，长钻形，有缘毛，早落；伞幅 10 ~ 22，长 1.5 ~ 5 cm，密被短糙毛；伞形花序的花多在 35 以下；小总苞片 5 ~ 10，阔披针形，比花梗短，先端有长尖，背面及边缘被短毛；花白色；无萼齿；花瓣倒卵形，先端内凹，花柱基扁圆盘状。果实椭圆形，长 6 ~ 8 mm，宽 3 ~ 5 mm，侧翅与果体等宽或略狭于果体，背棱线形，隆起，棱槽间有油管（1 ~ ）2 ~ 3，合生面有油管 2 ~ 4（~ 6）。花期 8 ~ 9 月，果期 9 ~ 10 月。

| 生境分布 | 生于山谷沟边、山坡林下草丛中或山坡路旁。湖北有分布。

| 采收加工 | **根**：春初苗刚发芽或秋末茎叶枯萎时采挖，除去须根及泥沙，烘至半干，堆置 2 ~ 3 天，发软后再烘至全干。

| 功能主治 | 祛风除湿，通痹止痛。

伞形科 Umbelliferae 当归属 *Angelica*

重齿毛当归 *Angelica pubescens* Maxim. f. *biserrata* Shan et Yuan

| 药 材 名 | 重齿毛当归。

| 形态特征 | 多年生高大草本。茎直立，粗壮，中空，常带紫色，有纵沟纹，上部有短糙毛。叶 2 回三出羽状全裂，叶片宽卵形；茎生叶叶柄

基部膨大成兜状叶鞘，鞘背面无毛或稍被短柔毛，边缘有不整齐的尖锯齿或重锯齿，齿端有内曲的短尖头；顶生小叶片 3 裂，边缘常带软骨质。复伞形花序顶生或侧生，花序梗密被短糙毛；总苞片 1，长钻形，有缘毛，常早落；伞幅 10 ~ 25，密被短糙毛；伞形花序有花 17 ~ 28（ ~ 36）；小总苞片 5 ~ 10，阔披针形；花白色，无萼齿；花瓣倒卵形，先端内凹。果实椭圆形，侧翅与果体等宽或略狭，背棱线形，隆起。花期 8 ~ 9 月，果期 9 ~ 10 月。

| 生境分布 | 生于山坡阴湿的灌丛林下。分布于湖北恩施、宜昌等。湖北巴东、长阳及宜昌等有栽培。

| 采收加工 | **根**：一般定植 2 年即可收获，于霜降后割去地上茎叶挖取根部。鲜重齿毛当归水分多，质脆易断，采收时要避免挖伤根部。挖出后抖去泥土，切去芦头摊晾，待水分稍干后堆放于炕房内，用柴火熏炕并经常检查翻动，熏炕至六七成干时，堆放回潮，抖掉灰土，然后将独活理顺，扎成小捆，再入炕房，根头朝下用文火炕至全干即成。

| 功能主治 | 祛风除湿，通痹止痛。用于风寒湿痹，腰膝疼痛，少阴伏风头痛。

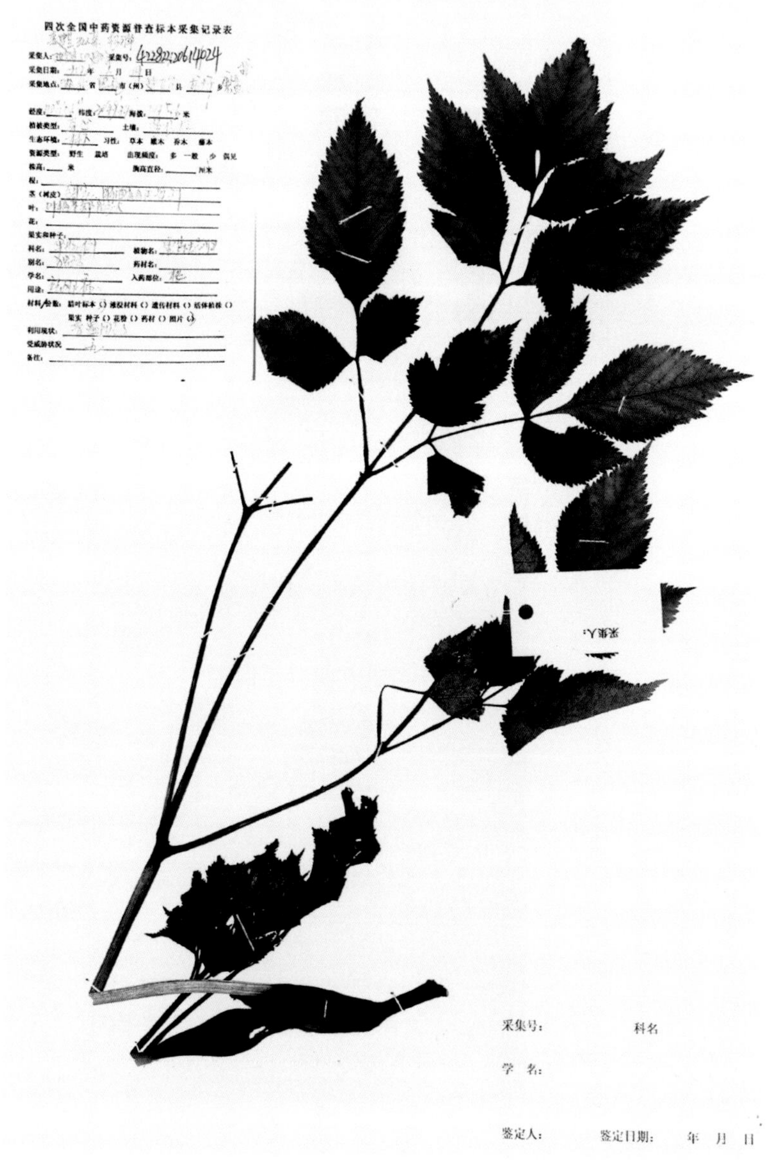

伞形科 Umbelliferae 当归属 *Angelica*

当归 *Angelica sinensis* (Oliv.) Diels

| 药材名 | 当归。

| 形态特征 | 多年生草本。高 0.4 ~ 1 m。根圆柱状，分枝，有多数肉质须根，黄棕色，有浓郁香气。茎直立，绿白色或带紫色，有纵深沟纹，光滑无毛。叶三出式 2 ~ 3 回羽状分裂，叶柄长 3 ~ 11 cm，基部膨大成管状的薄膜质鞘，紫色或绿色，基生叶及茎下部叶为卵形，长 8 ~ 18 cm，宽 15 ~ 20 cm，小叶片 3 对，下部的 1 对小叶柄长 0.5 ~ 1.5 cm，近先端的 1 对无柄，末回裂片卵形或卵状披针形，长 1 ~ 2 cm，宽 5 ~ 15 mm，2 ~ 3 浅裂，边缘有缺刻状锯齿，齿端有尖头；叶下表面及边缘被稀疏的乳头状白色细毛；茎上部叶简化成囊状的鞘和羽状分裂的叶片。复伞形花序，花序梗长 4 ~ 7 cm，密被细

柔毛；伞幅 9 ～ 30；总苞片 2，线形，或无；小伞形花序有花 13 ～ 36；小总苞片 2 ～ 4，线形；花白色，花梗密被细柔毛；萼齿 5，卵形；花瓣长卵形，先端狭尖，内折；花柱短，花柱基圆锥形。果实椭圆形至卵形，长 4 ～ 6 mm，宽 3 ～ 4 mm，背棱线形，隆起，侧棱成宽而薄的翅，与果体等宽或略宽，翅边缘淡紫色，棱槽内有油管 1，合生面油管 2。花期 6 ～ 7 月，果期 7 ～ 9 月。

| 生境分布 | 生于海拔 1 500 ～ 3 000 m。分布于湖北兴山、罗田、鹤峰、神农架等。湖北兴山、鹤峰、巴东等有栽培。

| 采收加工 | **根**：秋季末采挖，除去须根和泥沙，待水分稍蒸发后，捆成小把，上棚，用烟火慢慢熏干。

| 功能主治 | 补血活血，调经止痛，润肠通便。用于血虚萎黄，眩晕心悸，月经不调，闭经，痛经，虚寒腹痛，风湿痹痛，跌扑损伤，痈疽疮疡，肠燥便秘。

伞形科 Umbelliferae 当归属 *Angelica*

秦岭当归 *Angelica tsinlingensis* K. T. Fu

| 药材名 |

秦岭当归。

| 形态特征 |

多年生草本。高 0.4 ~ 1 m。茎直立，带紫色，有明显的纵直槽纹，光滑无毛。叶 2 ~ 3 回单数羽状分裂；叶柄长 3 ~ 11 cm，基部叶鞘膨大；叶片卵形；小叶 3 对，近叶柄的 1 对小叶柄长 0.5 ~ 1.5 cm，近先端的 1 对无柄，呈 1 ~ 2 回分裂，裂片边缘有缺刻。复伞形花序顶生，伞梗 10 ~ 14，长短不等，基部有 2 线状总苞片或缺如；小总苞片 2 ~ 4，线形；小伞形花序有花 12 ~ 36，小伞梗长 0.3 ~ 1.5 cm，密被细柔毛；萼齿 5，细卵形；花瓣 5，白色，呈长卵形，先端狭尖，略向内折，无毛；雄蕊 5，花丝向内弯；子房下位，花柱短，花柱基部圆锥形。双悬果椭圆形，长 4 ~ 6 mm，宽 3 ~ 4 mm，成熟后易从合生面分开；分果有果棱 5，背棱线形隆起，侧棱发展成宽而薄的翅，翅边缘淡紫色；横切面背部扁平，每棱槽中有油管 1，接合面有油管 2。花期 6 ~ 7 月。果期 8 ~ 9 月。

| 生境分布 |

生长于海拔 1 200 ~ 2 300 m 的山谷疏林下

及山坡灌丛中。湖北有分布。

| **采收加工** | **根:** 秋末采挖,除去茎叶及泥沙,放通风处阴干数日,捆成小把,用微火慢慢烘干。

| **功能主治** | 补血活血,调经止痛。用于血虚,血滞,跌打损伤,风湿痹阻。

伞形科 Umbelliferae 峨参属 *Anthriscus*

峨参 *Anthriscus sylvestris* (L.) Hoffm.

| 药 材 名 | 峨参。

| 形态特征 | 二年生或多年生草本。茎较粗壮，高 0.6 ~ 1.5 m，多分枝，近无毛或下部有细柔毛。基生叶有长柄，柄长 5 ~ 20 cm，基部有长约 4 cm、宽约 1 cm 的鞘；叶片卵形，2 回羽状分裂，长 10 ~ 30 cm，一回羽片有长柄，卵形至宽卵形，长 4 ~ 12 cm，宽 2 ~ 8 cm，有二回羽片 3 ~ 4 对，二回羽片有短柄，卵状披针形，长 2 ~ 6 cm，宽 1.5 ~ 4 cm，羽状全裂或深裂，末回裂片卵形或椭圆状卵形，有粗锯齿，长 1 ~ 3 cm，宽 0.5 ~ 1.5 cm。背面疏生柔毛；茎上部叶有短柄或无柄，基部呈鞘状，有时边缘有毛。复伞形花序直径 2.5 ~ 8 cm，伞辐 4 ~ 15，不等长；小总苞片 5 ~ 8，卵形至披针形，

先端尖锐，反折，边缘有睫毛或近无毛；花白色，通常带绿色或黄色；花柱比花柱基长 2 倍。果实长卵形至线状长圆形，长 5 ~ 10 mm，宽 1 ~ 1.5 mm，光滑或疏生小瘤点，先端渐狭成喙状，合生面明显收缩；果柄先端常有 1 环白色小刚毛；分生果横剖面近圆形，油管不明显，胚乳有深槽。花果期 4 ~ 5 月。

| 生境分布 | 湖北有分布。

| 采收加工 | **根：**春、秋季采挖，剪去须尾，刮去外皮，用沸水烫后，晒干或微火炕干。

| 功能主治 | 益气健脾，活血止痛。用于脾腹虚胀，乏力食少，肺虚咳嗽，体虚自汗，老人夜尿频数，气虚水肿，劳伤腰痛，头痛，痛经，跌打瘀肿。

伞形科 Umbelliferae 芹属 *Apium*

旱芹 *Apium graveolens* L.

| 药 材 名 | 旱芹。

| 形态特征 | 二年生或多年生草本，高 15 ~ 150 cm，有强烈香气。根圆锥形，支根多数，褐色。茎直立，光滑，有少数分枝，有棱角和直槽。根出叶有柄，叶柄长 2 ~ 26 cm，基部略扩大成膜质叶鞘；叶片长圆形至倒卵形，长 7 ~ 18 cm，宽 3.5 ~ 8 cm，通常 3 裂达中部或 3 全裂，裂片近菱形，边缘有圆锯齿或锯齿，叶脉在两面隆起；较上部的茎生叶有短柄，叶片阔三角形，通常分裂为 3 小叶，小叶倒卵形，中部以上边缘疏生钝锯齿以至缺刻。复伞形花序顶生或与叶对生，花序梗长短不一，有时缺少，通常无总苞片和小总苞片；伞幅 3 ~ 16，细弱，长 0.5 ~ 2.5 cm；小伞形花序有花 7 ~ 29，花梗长

1 ～ 1.5 mm；萼齿小或不明显；花瓣白色或黄绿色，圆卵形，长约 1 mm，宽 0.8 mm，先端有内折的小舌片；花丝与花瓣等长或稍长于花瓣，花药卵圆形，长约 0.4 mm；花柱基扁压，花柱幼时极短，成熟时长约 0.2 mm，向外反曲。分生果圆形或长椭圆形，长约 1.5 mm，宽 1.5 ～ 2 mm，果棱尖锐，合生面略收缩；每棱槽内有油管 1，合生面有油管 2；胚乳腹面平直。花期 4 ～ 7 月。

| 生境分布 | 湖北有栽培。

| 采收加工 | **带根全草**：4 ～ 7 月采收，洗净泥土，晒干或鲜用。

| 功能主治 | 平肝清热，祛风利湿。用于高血压，眩晕头痛，面红目赤，血淋，痈肿。

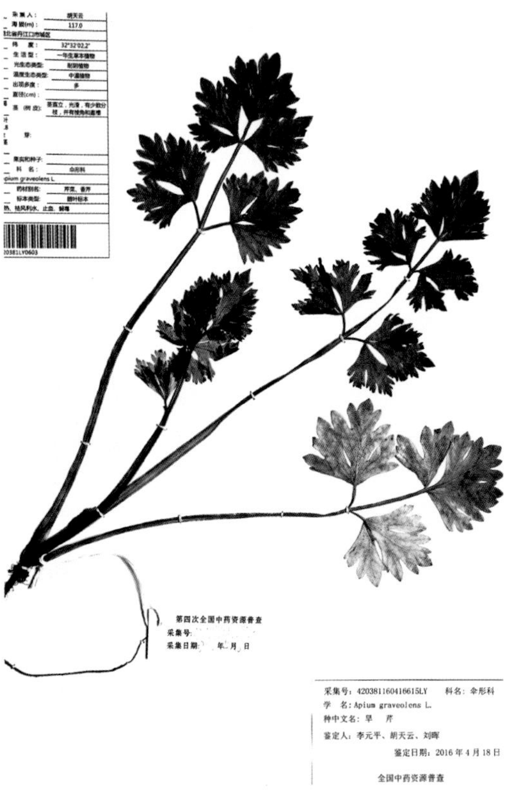

伞形科 Umbelliferae 芹属 *Apium*

细叶旱芹 *Apium leptophyllum* (Pers.) F. Muell. ex Benth.

| 药 材 名 | 细叶旱芹。

| 形态特征 | 一年生草本，高 25 ～ 45 cm。茎多分枝，光滑。根出叶有柄，柄长 2 ～ 5（～ 11）cm，基部边缘略扩大成膜质叶鞘；叶片长圆形至长圆状卵形，长 2 ～ 10 cm，宽 2 ～ 8 cm，3 ～ 4 回羽状多裂，裂片线形至丝状；茎生叶通常三出羽状多裂，裂片线形，长 10 ～ 15 mm。复伞形花序顶生或腋生，通常无梗或少有短梗，无总苞片和小总苞片；花梗不等长；无萼齿；花瓣白色、绿白色或略带粉红色，卵圆形，长约 0.8 mm，宽 0.6 mm，先端内折，有中脉 1；花丝短于花瓣，稀与花瓣等长，花药近圆形，长约 0.1 mm；花柱基扁压，花柱极短。果实圆心形或圆卵形，长 1.5 ～ 2 mm，宽 1.5 ～

2 mm，分生果有 5 棱，棱圆钝；胚乳腹面平直；每棱槽内有油管 1，合生面有油管 2；心皮柄先端 2 浅裂。花期 5 月，果期 6 ~ 7 月。

| 生境分布 | 生于杂草地及水沟边。湖北有分布。

| 采收加工 | **带根全草：**开花后地上部分未变黄时割取，洗净泥土，晒干或鲜用。

| 功能主治 | 祛风利湿，平肝，清热。用于头晕脑涨，小便淋痛，尿血，崩中带下。

伞形科 Umbelliferae 柴胡属 *Bupleurum*

线叶柴胡 *Bupleurum angustissimum* (Franch.) Kitag.

| 药 材 名 | 三岛柴胡。

| 形态特征 | 多年生草本。高 15 ~ 80 cm。根细圆锥形，表面红棕色，长可达 14 cm，根颈部有残留的丛生叶鞘，呈毛刷状。单茎或 2 至数茎丛生；茎细圆，有纵槽纹，自下部 1/3 处呈二歧式分枝，小枝向外开展，光滑。茎下部叶通常无柄，线形，长呈 6 ~ 18 cm，宽 8 ~ 10 mm，基部与先端均狭窄，尖锐，质地较硬，乳绿色，叶脉 3 ~ 5，边缘卷曲；茎上部叶较短。伞形花序多数，直径 1.5 ~ 2 cm；总苞通常缺乏或仅 1，钻形，长 2 ~ 3 mm；伞辐 5 ~ 7，不等长，长 1.5 ~ 3 cm；小伞形花序直径约 5 mm；小总苞片 5，线状披针形，先端尖锐，3 脉，比果柄长，长约 2.5 mm；花瓣黄色；花梗长约 1 mm。

果实椭圆形，长约 2 mm，宽约 1 mm，果棱显著，线形。

| **生境分布** | 生于干燥山坡及多石质干旱坡地。湖北有分布。

| **功能主治** | 和解退热，疏肝解郁，升举阳气。

伞形科 Umbelliferae 柴胡属 *Bupleurum*

金黄柴胡 *Bupleurum aureum* Fisch

| 药 材 名 |

金黄柴胡。

| 形态特征 |

多年生草本。有匍匐根茎，棕色。茎 1 ~ 3，高 50 ~ 120 cm，有细槽纹，浅黄绿色，有时带淡紫色，光滑，有光泽。叶大型，表面鲜绿色，背面带粉绿色白霜；茎下部叶有长柄；叶片广卵形、近圆形或长倒卵形，长 4 ~ 6.5 cm，宽 3 ~ 5 cm，先端圆或钝尖，9 ~ 11 脉；茎中部以上叶为叶柄短以至无柄的穿茎叶，叶片呈大提琴状，长 12 ~ 20 cm，宽 3 ~ 5.5 cm，基部耳形抱茎，先端钝尖，9 ~ 13 脉；顶部叶渐变小，由穿茎过渡到心形而抱茎，淡绿色至黄色，卵圆形或心形。顶生花序直径可达 10 cm，侧生的直径 3 ~ 5，总苞片 3 ~ 5，不等大，卵形、三角形以至近圆形，长 6 ~ 28 mm，宽 3 ~ 16 mm；伞辐 6 ~ 10，不等长，1.5 ~ 8 cm；小总苞片 5，稀为 6 ~ 7，等大，质薄，金黄色，广卵形或椭圆形，长 5 ~ 12 mm，宽 7 ~ 9 mm，5 ~ 9 脉，侧脉网状清晰，大多超过小伞。小伞形花序有花 15 ~ 20；花梗长 1.5 ~ 3 mm；花瓣黄色，中脉细，色稍深，小舌片大，长方形；花柱

基浅黄色，扁盘形，大于子房直径 1 倍以上，花柱较长。果实长圆形至椭圆形，深褐色，长 4 ~ 6 mm，宽 2.5 ~ 3 mm，棱突出显著，每棱槽内有油管 3，合生面有油管 4。花期 7 ~ 8 月，果期 8 ~ 9 月。

| **生境分布** | 生于海拔 1 000 ~ 1 900 m 的林间空地、山地阴坡灌丛中及沟谷、河岸等。湖北有分布。

| **采收加工** | **根**：播后 2 ~ 3 年采挖，割去茎干，晒干，捆成小捆。

| **功能主治** | 和解退热，升提中气，疏肝解郁。用于寒热往来，胸满胁痛，口苦耳聋，头痛目眩，疟疾，下痢脱肛，月经不调，子宫脱垂。

伞形科 Umbelliferae 柴胡属 *Bupleurum*

北柴胡 *Bupleurum chinense* DC.

| 药 材 名 | 北柴胡。

| 形态特征 | 多年生草本，高 50 ~ 85 cm。主根较粗大，棕褐色，质坚硬。茎单一或数个，表面有细纵槽纹，实心，上部多回分枝，微作“之”字

形曲折。基生叶倒披针形或狭椭圆形，先端渐尖，基部收缩成柄，早枯落；茎中部叶倒披针形或广线状披针形，先端渐尖或急尖，有短芒尖头，基部收缩成叶鞘抱茎，脉 7 ~ 9，叶表面鲜绿色，背面淡绿色，常有白霜；茎顶部叶同形，但更小。复伞形花序较多，呈疏松圆锥状；伞幅 3 ~ 8，纤细，不等长；小总苞片 5，披针形，3 脉，向叶背凸出；小伞有花 5 ~ 10；花瓣鲜黄色，上部向内折，中肋隆起，小舌片矩圆形，先端 2 浅裂；花柱基深黄色，宽于子房。双悬果广椭圆形，棕色，两侧略扁，棱狭翼状，淡棕色，每棱槽油管常 3，合生面 4。

| 生境分布 | 生于向阳山坡路边、水岸旁或草丛中。分布于湖北房县。湖北房县有栽培。

| 采收加工 | **根**：春、秋季均可采挖，抖净泥土，晒干。

| 功能主治 | 疏散退热，疏肝解郁，升举阳气。用于感冒发热，寒热往来，胸胁胀痛，月经不调，子宫脱垂，脱肛。

伞形科 Umbelliferae 柴胡属 *Bupleurum*

多伞北柴胡 *Bupleurum chinense* DC. f. *chiliosciadium* (H. Wolff) Shan & Y. Li

| 药材名 | 多伞北柴胡。

| 形态特征 | 多年生草本。高 50 ~ 85 cm。主根坚硬，较粗大，棕褐色。茎表面有细纵槽纹，实心。基生叶倒披针形或狭椭圆形，长 4 ~ 7 cm，宽 6 ~ 8 mm，先端渐尖，基部收缩成柄，早枯落；茎中部叶倒披针形或狭椭圆形，先端渐尖或急尖，有短芒尖头，基部收缩成叶鞘抱茎，叶表面鲜绿色，背面淡绿色，常有白霜；茎顶部叶同形，但更小。复伞形花序很多，花序梗细，常水平伸出，形成疏松的圆锥状；总苞片 2 ~ 3 或无，总花苞甚小，狭披针形，花瓣鲜黄色，上部向内折，中肋隆起，小舌片矩圆形，先端 2 浅裂；花柱基深黄色，宽于子房。果实广椭圆形，棕色。花期 9 月，果期 10 月。

｜生境分布｜ 湖北有分布。

｜采收加工｜ **根：**一般在种植 2 年后采挖，除去茎叶，洗净泥土，晒干。

｜功能主治｜ 解表退热，疏肝解郁，升举阳气。用于寒热往来，感冒发热，月经不调，内脏下垂。

伞形科 Umbelliferae 柴胡属 *Bupleurum*

贵州柴胡 *Bupleurum kweichowense* Shan

| 药 材 名 | 贵州柴胡。

| 形态特征 | 多年生草本。根细，木质化。茎高 20 ~ 40 cm，直立，圆形，有细纵纹，带紫色，茎上部及节间紫色尤为显著，不分枝或在上部有 1 ~ 2 分枝。基生叶很多，质软，狭匙形至披针形，基部收缩成长柄；茎下部叶和中部叶排成 2 列，长椭圆状披针形，长 7 ~ 12 cm，宽 1 ~ 1.5 cm，先端钝尖，基部略变窄抱茎，叶缘、叶尖、叶基常带紫色，脉 7 ~ 9，向叶背凸出显著，中脉粗，叶缘较厚，有微波；茎上部叶渐短而小，长椭圆形，长 1 ~ 4 cm，宽 5 ~ 10 mm，具 11 ~ 13 脉。复伞形花序顶生或腋生；伞幅 5 ~ 6，顶生的小伞形花序常再生出 1 伞形花序，伞幅粗，不等长，长 1.5 ~ 2.5 cm；总苞片 1 或早落，

卵圆形或广卵圆形，长 1 ~ 1.5 cm，宽 3 ~ 7 mm，先端尖锐，有小突尖头，具 7 ~ 9 脉，下部带紫色；小总苞片 5，倒卵形至倒广卵形，长 4 ~ 5 mm，宽 2.2 ~ 3 mm，具 5 ~ 7 脉，先端多圆钝，有小突尖，基部楔形，上部和边缘常带紫色，与果时小伞形花序等长或较之略短；小伞形花序有花 10 ~ 14。果实卵形或椭圆形，长 3.5 ~ 4.5 mm，宽 2.5 ~ 2.7 mm，褐色，棱粗，淡褐色，棱槽内有油管 4 ~ 5，很少 3，合生面有油管 4 ~ 6，多为 4。花期 8 ~ 9 月，果期 9 ~ 10 月。

| 生境分布 | 生于海拔 2 100 m 左右的山坡草地及多岩石山坡上。湖北有分布。

| 采收加工 | **根：**春、秋季均可采挖，抖净泥土，晒干。

| 功能主治 | 解表退热，疏肝解郁，升举阳气。用于感冒发热，寒热往来，胸胁胀痛，月经不调，子宫脱垂，脱肛等。

伞形科 Umbelliferae 柴胡属 *Bupleurum*

空心柴胡 *Bupleurum longicaule* Wall. ex DC. var. *franchetii* de Boiss.

| 药 材 名 | 空心柴胡。

| 形态特征 | 多年生草本。茎高 50 ~ 100 cm，通常单生，挺直，中空；嫩枝常带紫色，节间长，叶稀少。下部基生叶狭长圆状披针形，长 10 ~ 19 cm，宽 7 ~ 15 mm，先端尖，下部稍窄抱茎，无明显的柄，具 9 ~ 13 脉；中部基生叶狭长椭圆形，具 13 ~ 17 脉；花序托叶狭卵形至卵形，先端急尖或圆，基部无耳。花总苞片 1 ~ 2，不等大或早落；小伞形花序直径 8 ~ 15 mm，有花 8 ~ 15。果实长 3 ~ 3.5 mm，宽 2 ~ 2.2 mm，有浅棕色狭翼。

| 生境分布 | 生于海拔 1 400 ~ 3 100 m 的山坡草地上。湖北有分布。

| 采收加工 | **全草或根**：7 ~ 8 月花盛开时采收，干燥。

| 功能主治 | **全草**：清肝利胆。

根：同“柴胡”。

伞形科 Umbelliferae 柴胡属 *Bupleurum*

大叶柴胡 *Bupleurum longiradiarum* Turcz.

| 药 材 名 | 大叶柴胡。

| 形态特征 | 多年生高大草本。高 80 ~ 150 cm，根茎弯曲，长 3 ~ 9 cm，直径 3 ~ 8 mm，质坚，黄棕色，密生的环节上多须根。茎 2 ~ 3 或单生，有粗槽纹，多分枝。叶大型，稍稀疏，表面鲜绿色，背面带粉蓝绿色，基生叶广卵形至椭圆形或披针形，先端急尖或渐尖，下部楔形或广楔形，并收缩成宽扁有翼的长叶柄，至基部又扩大成叶鞘抱茎，叶片长 8 ~ 17 cm，宽 2.5 ~ 5（~ 8）cm，9 ~ 11 脉；叶柄常带紫色，长 8 ~ 12 cm；茎中部叶无柄，茎上部叶渐小。伞形花序宽大，伞辐 3 ~ 9，长 5 ~ 35 mm；总苞 1 ~ 5，披针形，长 2 ~ 10 mm，宽 1 ~ 2 mm，小伞形花序有花 5 ~ 16，花深黄色，直径 1.2 ~ 1.6 mm，

花瓣扁圆形，舌片基部较阔，不成隆起状，长几达花瓣的一半，先端有 2 裂，裂口呈三角形；花柱黄色，特肥厚，直径超过子房，花柱很长。果实暗褐色，被白粉，长圆状椭圆形，长 4 ~ 7 mm，宽 2 ~ 2.5 mm；分生果横剖面近圆形，每棱槽内有油管 3 ~ 4，合生面有油管 4 ~ 6。花期 8 ~ 9 月，果期 9 ~ 10 月。

| 生境分布 | 生于海拔 500 ~ 990 m 的山坡、林下阴湿处和溪谷草丛中。湖北有分布。

| 采收加工 | **根及根茎：**春、秋季均可采挖，抖净泥土，割去茎干，晒干，捆成小捆。

| 功能主治 | 疏散退热，疏肝，升阳。用于感冒发热，寒热往来，疟疾，胸胁胀痛，月经不调，脱肛，阴挺。

伞形科 Umbelliferae 柴胡属 *Bupleurum*

紫花大叶柴胡 *Bupleurum longiradiatum* Turcz. var. *porphyranthum* Shan et Y. Li

|药材名| 紫花大叶柴胡。

|形态特征| 高大草本。高 80 ~ 150 cm。根茎弯曲，长 3 ~ 9 cm，直径 3 ~ 8 mm，质坚，黄棕色，密生的环节上多须根。茎 2 ~ 3 或单生，有粗槽纹，多分枝。叶大型，稍稀疏，表面鲜绿色，背面带粉蓝绿色，基生叶广卵形至椭圆形或披针形，先端急尖或渐尖，下部楔形或广楔形，并收缩成宽扁有翼的长叶柄，至基部又扩大成叶鞘抱茎，叶片长 8 ~ 17 cm，宽 2.5 ~ 5（~ 8）cm，9 ~ 11 脉；叶柄常带紫色，长 8 ~ 12 cm；茎中部叶无柄，卵形或狭卵形，7 ~ 9 脉；茎上部叶渐小，卵形或广披针形，9 ~ 11 脉，先端渐尖，基部心形，抱茎。伞形花序宽大，多数，伞辐 3 ~ 9，通常 4 ~ 6 不等长，长 5 ~ 35 mm；

总苞 1 ~ 5，开展，黄绿色，不等大，披针形，长 2 ~ 10 mm，宽 1 ~ 2 mm，3 ~ 7 脉；小总苞片 5 ~ 6，等大，广披针形或倒卵形，长 2 ~ 5 mm，宽 0.7 ~ 1.5 mm，先端尖锐，3 ~ 5 脉；小伞形花序有花 5 ~ 16，花深黄色，直径 1.2 ~ 1.6 mm，花梗粗，长短不等，花时长 2 ~ 5 mm，果时长 6 ~ 10 mm；花瓣扁圆形，先端内折，舌片基部较阔，不成隆起状，长几达花瓣的一半，先端有 2 裂，裂口呈三角形；花柱黄色，很长，特肥厚，直径超过子房。果实暗褐色，被白粉，长圆状椭圆形，长 4 ~ 7 mm，宽 2 ~ 2.5 mm；分生果横剖面近圆形，每棱槽内有油管 3 ~ 4，合生面有油管 4 ~ 6。花期 8 ~ 9 月，果期 9 ~ 10 月。

| 生境分布 | 生于海拔 800 ~ 1 500 m 的山沟阴湿地、山坡丛林下及阴草地。湖北有分布。

| 采收加工 | **根及根茎：**一般在 2 年后采挖，扎成小把，晾干。

| 功能主治 | 解表退热，疏肝解郁，升举阳气。用于感冒发热，寒热往来，疟疾，胸胁胀痛，月经不调，脱肛，阴挺。

伞形科 Umbelliferae 柴胡属 *Bupleurum*

竹叶柴胡 *Bupleurum marginatum* Wall. ex DC.

| 药 材 名 | 竹叶防风。

| 形态特征 | 多年生高大草本。根木质化，直根发达，外皮深红棕色，纺锤形，有细纵皱纹及稀疏的小横突起，长 10 ~ 15 cm，直径 5 ~ 8 mm，根的先端常有一段红棕色的地下茎，木质化，长 2 ~ 10 cm，有时扭曲缩短与根较难区分。茎高 50 ~ 120 cm，绿色，硬挺，基部常木质化，带紫棕色，茎上有淡绿色的粗条纹，实心。叶鲜绿色，背面绿白色，革质或近革质，叶缘软骨质，较宽，白色，下部叶与中部叶同形，长披针形或线形，长 10 ~ 16 cm，宽 6 ~ 14 mm，先端急尖或渐尖，有硬尖头，长达 1 mm，基部微收缩抱茎，9 ~ 13 脉，向叶背显著突出，淡绿白色；茎上部叶同形，但逐渐缩小，7 ~ 15

脉。复伞形花序很多，顶生花序往往短于侧生花序；直径 1.5 ~ 4 cm；伞辐 3 ~ 4（ ~ 7），不等长，长 1 ~ 3 cm；总苞片 2 ~ 5，很小，不等大，披针形或小如鳞片，长 1 ~ 4 mm，宽 0.2 ~ 1 mm，1 ~ 5 脉；小伞形花序直径 4 ~ 9 mm；小总苞片 5，披针形，短于花梗，长 1.5 ~ 2.5 mm，宽 0.5 ~ 1 mm，先端渐尖，有小突尖头，基部不收缩，1 ~ 3 脉，有白色膜质边缘，小伞形花序有花（6 ~ ）8 ~ 10（ ~ 12），直径 1.2 ~ 1.6 mm；花瓣浅黄色，先端反折处较平而不凸起，小舌片较大，方形；花梗长 2 ~ 4.5 mm，较粗，花柱基厚盘状，宽于子房。果实长圆形，长 3.5 ~ 4.5 mm，宽 1.8 ~ 2.2 mm，棕褐色，棱狭翼状；每棱槽中有油管 3，合生面有油管 4。花期 6 ~ 9 月，果期 9 ~ 11 月。

| 生境分布 | 生于海拔 750 ~ 2 300 m 的山坡草地或林下。湖北有栽培。

| 采收加工 | 春、秋季均可采挖，洗净，晒干。

| 功能主治 | 解表，祛风，胜湿。用于感冒，风寒湿痹，痈肿疮疡，破伤风。

伞形科 Umbelliferae 柴胡属 *Bupleurum*

狭叶柴胡 *Bupleurum scorzonerifolium* Willd.

| 药 材 名 | 狭叶柴胡。

| 形态特征 | 多年生草本，高 30 ~ 60 cm。主根发达，圆锥形，支根稀少，深红棕色，表面略皱缩，质疏松而脆。茎单一或数分枝，基部密覆红色叶基残留纤维。叶细线形，长 6 ~ 16 cm，宽 2 ~ 7 mm，先端长渐尖，基部稍变窄抱茎，质厚，稍硬挺，常对折或内卷，具 3 ~ 7 脉，向叶背凸出，两脉间有隐约平行的细脉，叶缘白色，骨质；茎上部叶小，同形。总苞片 1 ~ 4，极细小，针形，具 1 ~ 3 脉，有时紧贴伞幅，常早落；小伞形花序直径 4 ~ 6 mm，小总苞片 5，紧贴小伞，线状披针形，细而尖锐，等长或略长于花时小伞形花序；小伞形花序有花（6 ~ ）9 ~ 11（ ~ 15），花梗长 1 ~ 1.5 mm；花瓣黄

色，舌片几与花瓣的对半等长，先端 2 浅裂，花柱基厚垫状，宽于子房，深黄色，柱头向两侧弯曲；子房主棱明显，表面常有白霜。果实广椭圆形，长 2.5 mm，宽 2 mm，深褐色，棱浅褐色，粗钝凸出，每棱槽内有油管 5 ~ 6，合生面有油管 4 ~ 6。花期 7 ~ 8 月，果期 8 ~ 9 月。

| 生境分布 | 生于干燥草原、向阳山坡及灌木林缘。湖北有分布。

| 采收加工 | **根茎：**春、秋季采挖，除去茎叶及泥沙，洗净，润透，切厚片，干燥。

| 功能主治 | 解表退热，疏肝解郁，升举阳气，截疟。用于表证发热，少阳证，肝郁气滞，气虚下陷，脏器脱垂。

伞形科 Umbelliferae 柴胡属 *Bupleurum*

小柴胡 *Bupleurum tenue* Buch.-Ham. ex D. Don

| 药材名 | 小柴胡。

| 形态特征 | 多年生草本。高 20 ~ 80 cm。根细瘦，木质化，淡土黄色，入土很浅。茎基部近木质化，带紫褐色，下部往往大量分枝成丛生状，很少单生，分枝细而质坚，斜升展开，再分生小枝。叶小，长圆状披针形或线形，长 3 ~ 8 cm，宽 4 ~ 8 mm，先端钝或圆，有小突尖头，基部略收缩抱茎，无柄，7 ~ 9 脉，沿小脉边缘和末端均有棕黄色的油脂积聚。花瓣近圆形，上端内折，小舌片近长方形，每小伞形花序通常有发育果 3，其余多不发育。果实广卵圆形或椭圆形，长约 2.5 mm，宽约 1.5 mm，棕色，棱粗而显著，淡黄色；分生果横切面五角形，棱呈三角形；每棱槽有油管 1，合生面有油管 2；胚

乳腹面平坦。花果期 9 ~ 10 月。

| 生境分布 | 生于海拔 3 000 ~ 3 100 m 的山顶或山坡草丛中。湖北有分布。

| 采收加工 | **全草或根：**采挖全草或带根全草，洗净，鲜用或晒干，切段。

| 功能主治 | 和解少阳，疏肝解郁，升阳举陷。用于发热感冒，胸胁胀满，心烦喜呕，食欲不振，口苦咽干，视力模糊，伤寒疟疾，黄疸等。

伞形科 Umbelliferae 积雪草属 *Centella*

积雪草 *Centella asiatica* (L.) Urban

| 药材名 | 积雪草。

| 形态特征 | 多年生草本。茎匍匐，细长，节上生根。叶片膜质至草质，圆形、肾形或马蹄形，长 1 ~ 2.8 cm，宽 1.5 ~ 5 cm，边缘有钝锯齿，基部阔心形，两面无毛或在背面脉上疏生柔毛；掌状脉 5 ~ 7，在两面隆起，脉上部分叉；叶柄长 1.5 ~ 27 cm，无毛或上部有柔毛，基部叶鞘透明，膜质。伞形花序梗 2 ~ 4，聚生于叶腋，长 0.2 ~ 1.5 cm，有或无毛；苞片通常 2，很少 3，卵形，膜质，长 3 ~ 4 mm，宽 2.1 ~ 3 mm；每一伞形花序有花 3 ~ 4，聚集成头状，花无梗或有长 1 mm 的短梗；花瓣卵形，紫红色或乳白色，膜质，长 1.2 ~ 1.5 mm，宽 1.1 ~ 1.2 mm；花柱长约 0.6 mm；花丝短于花瓣，与

花柱等长。果实两侧扁压，圆球形，基部心形至平截形，长 2.1 ~ 3 mm，宽 2.2 ~ 3.6 mm，每侧有纵棱数条，棱间有明显的小横脉，网状，表面有毛或平滑。花果期 4 ~ 10 月。

| 生境分布 | 生于阴湿的草地或水沟边。湖北有分布。

| 采收加工 | **全草：**夏、秋季采收，除去泥沙等杂质，晒干或鲜用。

| 功能主治 | 清热利湿，解毒消肿，活血利尿。用于湿热黄疸，中暑腹泻，石淋，血淋，痈肿疮毒，跌打损伤。

伞形科 Umbelliferae 细叶芹属 *Chaerophyllum*

细叶芹 *Chaerophyllum villosum* Wall. ex DC.

| 药 材 名 | 细叶芹。

| 形态特征 | 一年生草本，高 70 ~ 120 cm。茎通常有外折的长硬毛。基生叶早落或久存；较下部的茎生叶阔卵形，长 10 ~ 20 cm，宽 5 ~ 10 cm，三出羽状分裂，1 回羽片阔三角状披针形，长 2.5 ~ 7 cm，宽 1.5 ~ 4 cm，末回裂片卵形，细小，边缘有 3 ~ 4 细齿，两面疏生粗毛，有时表面无毛；叶柄长 2.5 ~ 7 cm，基部有鞘，鞘常有毛，叶脉 5 ~ 11；花序托叶成三出 2 ~ 3 回羽状分裂，叶柄呈鞘状。复伞形花序顶生或腋生，总苞片通常无；伞幅 2 ~ 5，长 1.5 ~ 3.5 cm；小总苞片 2 ~ 6，线形，长 1.5 ~ 4 mm，宽 1 ~ 1.5 mm，具 1 脉，边缘疏生睫毛；小伞形花序有花 9 ~ 13，其中雄花 4 ~ 8，花梗长

1 ~ 2 mm，花瓣白色、淡黄色或淡蓝紫色，倒卵形，先端有内折的小舌片，花丝与花瓣等长，花药卵形；两性花 3 ~ 7，花瓣的大小、形状同雄花，花柱短于花柱基。双悬果线状长圆形，长 7 ~ 9 mm，宽 1.5 ~ 2.5 mm，先端渐尖成喙状，果棱 5，钝，表面无毛；果柄长 3 ~ 6 mm。花果期 7 ~ 9 月。

| **生境分布** | 生于海拔 2 100 ~ 2 800 m 的山涧林下及路旁草地。湖北有分布。

| **采收加工** | **全草**：开花后地上部分未变黄时割取，洗净，鲜用。

| **功能主治** | 消炎止痛，舒筋通络。用于关节疼痛。

伞形科 Umbelliferae 明党参属 *Changium*

明党参 *Changium smyrnioides* Wolff

| 药材名 | 明党参。

| 形态特征 | 多年生草本，高 50 ~ 100 cm。茎直立，圆柱形，表面被白色粉末，有分枝，枝疏散而开展，侧枝通常互生，侧枝上的小枝互生或对生。基生叶少数至多数，有长柄，柄长 3 ~ 15 cm；叶片三出 2 ~ 3 回羽状全裂，1 回羽片广卵形，长 4 ~ 10 cm，柄长 2 ~ 5 cm，2 回羽片卵形或长圆状卵形，长 2 ~ 4 cm，柄长 1 ~ 2 cm，3 回羽片卵形或卵圆形，长 1 ~ 2 cm，基部截形或近楔形，边缘 3 裂或羽状缺刻，末回裂片长圆状披针形；茎上部叶缩小成鳞片状或鞘状。复伞形花序顶生或侧生；总苞片无或 1 ~ 3，长 2.5 ~ 10 cm，开展；小总苞片少数，长 4 ~ 6 mm，先端渐尖；小伞形花序有花 8 ~ 20，花蕾

时略呈淡紫红色，开放后呈白色，顶生的伞形花序几乎全孕，侧生的伞形花序多数不育；萼齿小，长约 0.2 mm；花瓣长圆形或卵状披针形，长 1.5 ~ 2 mm，宽 1 ~ 1.2 mm，先端渐尖而内折；花丝长约 3 mm，花药卵圆形，长约 1 mm；花柱基隆起，花柱幼时直立，果实成熟时向外反曲。果实圆卵形至卵状长圆形，长 2 ~ 3 mm，果棱不明显；胚乳腹面深凹，油管多数。花期 4 月。

| 生境分布 | 生于山地土壤肥厚的地方或山坡岩石缝隙中。湖北有分布。

| 采收加工 | **根**：4 ~ 5 月采挖，除去须根，洗净，置沸水中煮至无白心，取出，刮去外皮，漂洗，干燥。

| 功能主治 | 润肺化痰，养阴和胃，解毒。用于痰火咳嗽喘逆，头晕，呕吐，目眩，带下，疔毒疮疡。

伞形科 Umbelliferae 川明参属 *Chuanminshen*

川明参 *Chuanminshen violaceum* Sheh et Shan

| 药 材 名 | 川明参。

| 形态特征 | 多年生草本，高 30 ~ 50 cm。茎直立，单一或数个，圆柱形，多分枝，有纵长细条纹轻微凸起，基部带紫红色。基生叶多数，呈莲座状，叶片阔三角状卵形，长 6 ~ 20 cm，三出 2 ~ 3 回羽状分裂，1 回羽片长卵形，下部羽片长卵形，具长柄，柄向上渐短至无，2 回羽片 1 ~ 2 对，具短柄或无柄，卵形，末回裂片卵形或长卵形，不规则的 2 ~ 3 裂或呈锯齿状分裂，长 2 ~ 3 cm；叶柄长 6 ~ 18 cm，基部有宽叶鞘抱茎，带紫色。复伞形花序多分枝，花序梗粗壮，伞形花序直径 3 ~ 10 cm，无总苞片或仅有 1 ~ 2，线形，薄膜质；小总苞片无或有 1 ~ 3，线形；花瓣长椭圆形，小舌片细长内曲，暗

紫红色、浅紫色或白色，中脉显著；萼齿显著，狭长三角形或线形；花柱长，向下弯曲。分生果卵形或长卵形，暗褐色，背腹扁压，背棱和中棱线形凸起，侧棱稍宽且增厚；棱槽内有油管 2 ~ 3，合生面有油管 4 ~ 6；胚乳腹面平直。花期 4 ~ 5 月，果期 5 ~ 6 月。

| 生境分布 | 生于山坡草丛中或沟边、林缘路旁。分布于湖北宜昌。

| 采收加工 | **根：**移栽后于翌年 4 月上旬采挖，抖去泥沙，剪去残留叶柄，用竹刀刮去粗皮，置沸水中煮透，经浸漂、冷却、熏硫后，用细绳或竹篾将根穿成串，晾干。

| 功能主治 | 润肺化痰，和中养胃。用于肺燥咳嗽，咳痰不爽，病后体虚，食少口干。

伞形科 Umbelliferae 蛇床属 *Cnidium*

蛇床 *Cnidium monnieri* (L.) Cuss.

| 药 材 名 |

蛇床。

| 形态特征 |

一年生草本，高 10 ~ 60 cm。根圆锥状，较细长。茎直立或斜上，多分枝，中空，表面具深条棱，粗糙。下部叶具短柄，叶鞘短宽，边缘膜质，上部叶柄全部呈鞘状；叶片卵形至三角状卵形，长 3 ~ 8 cm，宽 2 ~ 5 cm，2 ~ 3 回三出羽状全裂，羽片卵形至卵状披针形，长 1 ~ 3 cm，宽 0.5 ~ 1 cm，先端常略呈尾状，末回裂片线形至线状披针形，长 3 ~ 10 mm，宽 1 ~ 1.5 mm，具小尖头，边缘及脉上粗糙。复伞形花序直径 2 ~ 3 cm；总苞片 6 ~ 10，线形至线状披针形，长约 5 mm，边缘膜质，具细睫毛；伞幅 8 ~ 20，不等长，长 0.5 ~ 2 cm，棱上粗糙；小总苞片多数，线形，长 3 ~ 5 mm，边缘具细睫毛；小伞形花序具花 15 ~ 20，无萼齿；花瓣白色，先端具内折的小舌片；花柱基略隆起，花柱长 1 ~ 1.5 mm，向下反曲。分生果长圆状，长 1.5 ~ 3 mm，宽 1 ~ 2 mm，横剖面近五角形，主棱 5，均扩大成翅；每棱槽内有油管 1，合生面有油管 2；胚乳腹面平直。花期 4 ~ 7 月，果期 6 ~ 10 月。

| 生境分布 | 生于田边、路旁、草地及河边湿地。湖北有分布。

| 采收加工 | **成熟果实：**夏、秋季果实成熟时采收，除去杂质，晒干。

| 功能主治 | 温肾补阳，燥湿杀虫，祛风止痒。用于男子阳痿，阴囊湿痒，女子宫寒不孕，寒湿带下，阴痒肿痛，风湿痹痛，湿疮疥癣。

伞形科 Umbelliferae 高山芹属 *Coelopleurum*

高山芹 *Coelopleurum saxatile* (Turcz.) Drude

| 药 材 名 | 高山芹。

| 形态特征 | 根圆柱形，褐色，直径约 2 cm，上部有横皱纹。茎单生，高 60 ~ 80 cm，上部稀疏分枝，疏被短毛，苍绿色，常带紫色，中空，有浅沟纹。上部茎生叶及下部茎生叶有长柄，花期枯萎，中部茎生叶有短柄，叶柄下半部具宽阔叶鞘，边缘薄膜质，叶为 2 ~ 3 回三出式分裂，末回裂片菱状卵形或斜卵形，长至 7 cm，宽至 4 cm，有柄或无，基部楔形或近圆形，先端渐尖，边缘密生粗大的近缺刻状单齿或重锯齿，两面无毛，上部叶简化为阔鞘，先端 2 回三出式分裂。主伞的复伞形花序直径达 9 cm；通常无总苞片，伞辐 20 ~ 27，有较密的短毛，长 3 ~ 4.5 cm，斜上；小伞形花序直径达 2 cm，有花

20 ~ 30；小总苞片 7 ~ 8，长锥形，通常远比花梗长，边缘有短毛；花梗被短糙毛；萼齿不明显；花瓣白色，倒卵形；花柱基扁平。果实分生果椭圆形，长 4 ~ 5 mm，宽 2 ~ 3 mm，果棱为较厚的三角形翅状，侧棱翅较宽；棱槽内有油管 1，合生面有油管 2；胚乳腹面微凹。花期 7 ~ 8 月，果期 8 ~ 9 月。

| **生境分布** | 生于海拔 1 900 m 以上的高山带。湖北有分布。

| **采收加工** | **根**：夏、秋季采挖，去除泥土杂质，晒干。

| **功能主治** | 理气健胃。用于腹胀食少，消化不良。

伞形科 Umbelliferae 山芎属 *Conioselinum*

山芎 *Conioselinum chinense* (L.) Britton, Sterns et Poggenburg

| 药 材 名 | 山芎。

| 形态特征 | 根棕褐色，多分叉。茎直立，上部分枝，圆柱形，具细条纹。基生叶未见。茎生叶具柄，柄长约 5 cm，基部扩大成叶鞘；叶片卵形至三角状卵形，长 15 ~ 20 cm，宽 10 ~ 15 cm，2 回羽状全裂，一回裂片卵形，长 1 ~ 3 cm，宽 0.5 ~ 2 cm，羽状深裂，末回裂片线形，长 3 ~ 5 mm，宽 1 ~ 3 mm。复伞形花序顶生和侧生；总苞片 1 ~ 2，线形，长 1 ~ 1.5 cm，边缘狭膜质。伞辐 10 ~ 13，略不等长，长 2 ~ 3 cm，略粗糙；小总苞片 5 ~ 8，线形，长 0.5 ~ 1 cm；萼齿不明显；花柱基圆垫状，花柱 2，后期向下反曲。分生果长圆形，长 5 mm，宽 4 mm，背腹扁压，背棱狭翅状，侧棱扩大成膜质薄翅；

油管细小，每棱槽有油管 1，合生面有油管 4；胚乳腹面平直。果期 10 月。

| 生境分布 | 生于山溪边。湖北有分布。

| 采收加工 | **根茎：**栽后第 2 年的小满至芒种采收，炕干，除净泥沙和须根。

| 功能主治 | 活血行气，祛风止痛。用于跌打损伤，月经不调，闭经等。

伞形科 Umbelliferae 芫荽属 *Coriandrum*

芫荽 *Coriandrum sativum* L.

| 药材名 | 芫荽。

| 形态特征 | 一年生或二年生、有强烈气味的草本，高 20 ~ 100 cm。根纺锤形，细长，有多数纤细的支根。茎圆柱形，直立，多分枝，有条纹，通常光滑。根出叶有柄，柄长 2 ~ 8 cm；叶片 1 或 2 回羽状全裂，羽片广卵形或扇形半裂，长 1 ~ 2 cm，宽 1 ~ 1.5 cm，边缘有钝锯齿、缺刻或深裂，上部的茎生叶 3 回至多回羽状分裂，末回裂片狭线形，长 5 ~ 10 mm，宽 0.5 ~ 1 mm，先端钝，全缘。伞形花序顶生或与叶对生，花序梗长 2 ~ 8 cm；伞幅 3 ~ 7，长 1 ~ 2.5 cm；小总苞片 2 ~ 5，线形，全缘；小伞形花序有孕花 3 ~ 9，花白色或带淡紫色；萼齿通常大小不等，小的卵状三角形，大的长卵形；花瓣倒卵形，

长 1 ~ 1.2 mm，宽约 1 mm，先端有内凹的小舌片，辐射瓣长 2 ~ 3.5 mm，宽 1 ~ 2 mm，通常全缘，有 3 ~ 5 脉；花丝长 1 ~ 2 mm，花药卵形，长约 0.7 mm；花柱幼时直立，果实成熟时向外反曲。果实圆球形，背面主棱及相邻的次棱明显；胚乳腹面内凹；油管不明显，或有 1 油管位于次棱的下方。花果期 4 ~ 11 月。

| **生境分布** | 湖北有栽培。

| **采收加工** | **全草**：春、夏季可采收，切段，晒干。

成熟果实：夏季采摘，除去杂质，晒干。

| **功能主治** | 发表透疹，健胃。

全草：用于麻疹不透，感冒无汗。

成熟果实：用于消化不良，食欲不振。

伞形科 Umbelliferae 鸭儿芹属 *Cryptotaenia*

鸭儿芹 *Cryptotaenia japonica* Hassk.

| 药材名 | 鸭儿芹。

| 形态特征 | 多年生草本，高 20 ~ 100 cm。主根短，侧根多数，细长。茎直立，光滑，有分枝，表面有时略带淡紫色。基生叶或上部叶有柄，叶柄长 5 ~ 20 cm，叶鞘边缘膜质；叶片三角形至广卵形，长 2 ~ 14 cm，宽 3 ~ 17 cm，通常为 3 小叶；中间小叶片呈菱状倒卵形或心形，长 2 ~ 14 cm，宽 1.5 ~ 10 cm，先端短尖，基部楔形；两侧小叶片斜倒卵形至长卵形，长 1.5 ~ 13 cm，宽 1 ~ 7 cm，近无柄，所有的小叶片边缘有不规则的尖锐重锯齿，表面绿色，背面淡绿色，两面叶脉隆起，最上部的茎生叶近无柄，小叶片呈卵状披针形至窄披针形，边缘有锯齿。复伞形花序呈圆锥状，花序梗不等长；总苞片

1，呈线形或钻形，长 4 ~ 10 mm，宽 0.5 ~ 1.5 mm；伞幅 2 ~ 3，不等长，长 5 ~ 35 mm；小总苞片 1 ~ 3，长 2 ~ 3 mm，宽不超过 1 mm；小伞形花序有花 2 ~ 4；花梗极不等长；萼齿细小，呈三角形；花瓣白色，倒卵形，长 1 ~ 1.2 mm，宽约 1 mm，先端有内折的小舌片；花丝短于花瓣，花药卵圆形，长约 0.3 mm；花柱基圆锥形，花柱短，直立。分生果线状长圆形，长 4 ~ 6 mm，宽 2 ~ 2.5 mm，合生面略收缩；胚乳腹面近平直；每棱槽内有油管 1 ~ 3，合生面有油管 4。花期 4 ~ 5 月，果期 6 ~ 10 月。

| 生境分布 | 生于海拔 200 ~ 2 400 m 的山地、山沟及林下较阴湿的地区。湖北有分布。

| 采收加工 | **全草**：夏、秋季采收，洗净，晒干。

| 功能主治 | 祛风止咳，利湿解毒，活血化瘀。用于感冒咳嗽，肺痈，淋痛，疝气，月经不调，跌打肿痛；外用于皮肤瘙痒。

伞形科 Umbelliferae 胡萝卜属 *Daucus*

野胡萝卜 *Daucus carota* L.

| 药材名 | 野胡萝卜。

| 形态特征 | 二年生草本，高 15 ~ 120 cm。茎单生，全体有白色粗硬毛。基生叶薄膜质，长圆形，2 ~ 3 回羽状全裂，末回裂片线形或披针形，长 2 ~ 15 mm，宽 0.5 ~ 4 mm，先端尖锐，有小尖头，光滑或有糙硬毛；叶柄长 3 ~ 12 cm；茎生叶近无柄，有叶鞘，末回裂片小或细长。复伞形花序，花序梗长 10 ~ 55 cm，有糙硬毛；总苞片多数，呈叶状，羽状分裂，少有不裂的，裂片线形，长 3 ~ 30 mm；伞幅多数，长 2 ~ 7.5 cm，结果时外缘的伞幅向内弯曲；小总苞片 5 ~ 7，线形，不分裂或 2 ~ 3 裂，边缘膜质，具纤毛；花通常白色，有时带淡红色；花梗不等长，长 3 ~ 10 mm。果实圆卵形，长 3 ~ 4 mm，

宽 2 mm，棱上有白色刺毛。花期 5 ~ 7 月。

| **生境分布** | 生于山坡路旁、旷野或田间。湖北有分布。

| **采收加工** | **成熟果实：**秋季果实成熟时割取果枝，晒干，打下果实，除去杂质。

| **功能主治** | 杀虫消积。用于蛔虫病，蛲虫病，绦虫病，虫积腹痛，疳积。

伞形科 Umbelliferae 胡萝卜属 *Daucus*

胡萝卜 *Daucus carota* L. var. *sativa* Hoffm.

| 药材名 | 胡萝卜。

| 形态特征 | 一年生或二年生草本。根粗壮，长圆锥形，呈橙红色或黄色。茎直立，高 60 ～ 90 cm，多分枝。叶具长柄，二至三回羽状复叶，裂片线形或披针形，先端尖锐，有小尖头；叶柄基部扩大成叶鞘。复伞形花序，花序梗长 10 ～ 55 cm，有糙硬毛；总苞片多数，呈叶状，羽状分裂，裂片线形；伞幅多数，结果时外缘的伞幅向内弯曲；小总苞片 5 ～ 7，不分裂或 2 ～ 3 裂；花通常白色，有时带淡红色；花梗不等长。果实圆卵形，棱上有白色刺毛。花期 4 月。

| 生境分布 | 湖北有栽培。

| **采收加工** | **根**：冬季采挖，除去茎叶、须根，洗净。

| **功能主治** | 健脾化滞。用于消化不良，久痢，咳嗽。

伞形科 Umbelliferae 马蹄芹属 *Dickinsia*

马蹄芹 *Dickinsia hydrocotyloides* Franch.

| 药 材 名 |

马蹄芹。

| 形态特征 |

须根细长。茎直立，高 20 ~ 46 cm，无节，光滑。基生叶圆形或肾形，长 2 ~ 5 cm，宽 5 ~ 11 cm，先端稍凹入，基部深心形，边缘有圆锯齿，圆锯齿的先端常微凹，很少有小尖头，齿缘或齿间有时疏生不明显的小刺毛，无毛或在脉上被短粗伏毛。总苞片 2，着生于茎的先端，叶状，对生，长 2 ~ 3 cm，宽 5 ~ 6 cm，无柄；花序梗生于 2 叶状苞片之间，不等长，通常两侧的花序梗较短，中间的花序梗与总苞片近等长或稍超出总苞片；伞形花序有花，花梗幼时软弱，果实成熟时粗壮，长 0.6 ~ 1.1 cm，花梗基部有阔线形或披针形的小总苞片；花瓣白色或草绿色，卵形，长 1.2 ~ 1.4 mm，宽 1 ~ 1.1 mm；花柱短，长约 0.3 mm，向外反曲。果实背腹扁压，近四棱形，背面有主棱 5，边缘扩展成翅状。花果期 4 ~ 10 月。

| 生境分布 |

生于海拔 1 500 ~ 3 100 m 的阴湿林下或水沟边。湖北有分布。

| 采收加工 | **带根全草：**夏、秋季间采收，洗净，晒干或鲜用。

| 功能主治 | 祛风清热，燥湿止痒。用于感冒，头痛，麻疹，斑疹，湿疹，皮肤瘙痒。

伞形科 Umbelliferae 茴香属 *Foeniculum*

茴香 *Foeniculum vulgare* Mill.

| 药材名 |

茴香。

| 形态特征 |

多年生草本，高 40 ~ 200 cm，全株表面有粉霜，无毛，具强烈香气。茎直立，光滑，灰绿色或苍白色，有分枝。三至四回羽状复叶，最终小叶片线形，长 4 ~ 40 mm，宽约 0.5 mm；叶柄长约 14 cm，基部成鞘状抱茎。复伞形花序顶生；总花梗长 4 ~ 25 cm，总苞片和小苞片均缺；伞幅 8 ~ 20 个，不等长；花小，黄色；无萼齿；花瓣 45，宽卵形，上部向内卷曲，微凹；雄蕊 5，长于花瓣；子房下位，2 室，花柱 2。双悬果长圆形，有隆起的棱 5，花期 6 ~ 7 月，果期 9 ~ 10 月。

| 生境分布 |

生于海拔 300 ~ 1 700 m 的山坡、沟谷草丛中。湖北有分布。

| 采收加工 |

成熟**果实**：9 ~ 10 月果实成熟时割取全株，晒干，打下果实，除去杂质。

| 功能主治 | 温肾散寒，和胃理气。用于寒疝，少腹冷痛，肾虚腰痛，胃痛，呕吐，干、湿脚气。

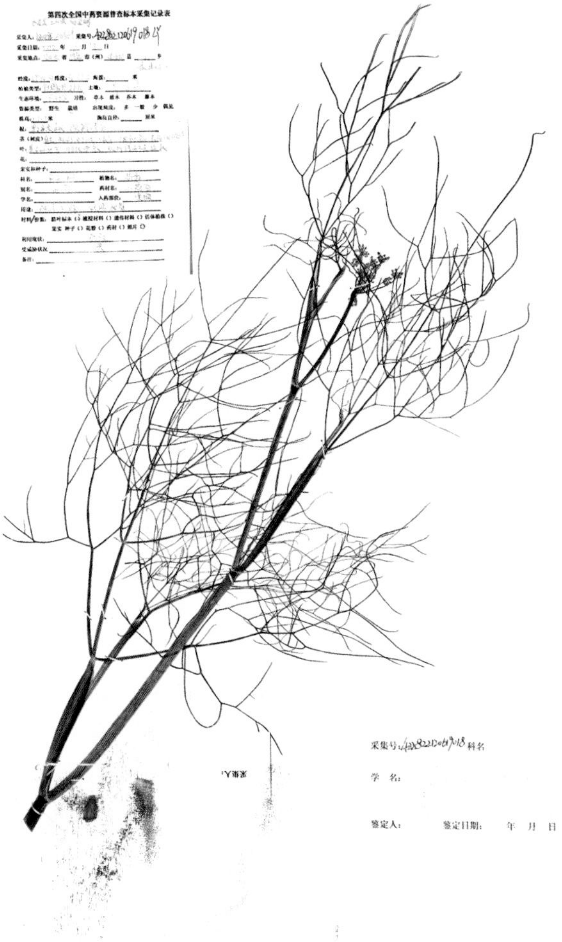

伞形科 Umbelliferae 珊瑚菜属 *Glehnia*

珊瑚菜 *Glehnia littoralis* Fr. Schmidt ex Miq.

| 药 材 名 | 珊瑚菜。

| 形态特征 | 多年生草本。根细长，呈圆柱形，表面黄白色。茎露出地面部分较短，分枝，地下部分伸长。叶多数基生，质厚，有长柄，叶柄长 5 ~ 15 cm；叶片呈圆卵形至长圆状卵形，三出式分裂至三出式 2 回羽状分裂，末回裂片倒卵形至卵圆形，长 1 ~ 6 cm，宽 0.8 ~ 3.5 cm，先端圆形至锐尖，基部楔形至截形，边缘有缺刻状锯齿，齿边缘为白色软骨质；叶柄和叶脉上有细微的硬毛；茎生叶与基生叶相似，叶柄基部逐渐膨大成鞘状。复伞形花序顶生，密生浓密的长柔毛，直径 3 ~ 6 cm；花序梗有时分枝，长 2 ~ 6 cm；伞幅 8 ~ 16，不等长，无总苞片；小总苞数片，线状披针形，边缘及背部密被柔毛；小伞

形花序有 15 ~ 20 花；花白色；萼齿 5，卵状披针形，长 0.5 ~ 1 mm，被柔毛；花瓣白色或带堇色；花柱基短圆锥形。果实近圆球形或倒广卵形，长 6 ~ 13 mm，宽 6 ~ 10 mm，具绒毛，果棱有木栓质翅；分生果实的横剖面呈半圆形。花果期 6 ~ 8 月。

| 生境分布 | 生于肥沃疏松的砂壤土中。湖北有分布。

| 采收加工 | **根**：种植当年，叶枯黄时采挖，去掉茎叶，洗净泥土，晴天上午以尾对齐捆成小把，将尾部放入沸水锅内转 3 圈，再放入锅内烫煮，至根中部能捏去皮时捞出，放入冷水中，剥去外皮，晒干。

| 功能主治 | 养阴清肺，祛痰止咳。用于肺热咳嗽，虚痨久咳，热病伤津，咽干口渴。

伞形科 Umbelliferae 独活属 *Heracleum*

白亮独活 *Heracleum candicans* Wall. ex DC.

| 药 材 名 |

白亮独活。

| 形态特征 |

多年生草本，高达 1 m，被白色柔毛或绒毛。根圆柱形，下部分枝。茎直立，圆筒形，中空、有棱槽，上部多分枝。茎下部叶的叶柄长 10 ~ 15 cm，叶片轮廓为宽卵形或长椭圆形，长 26 ~ 30 cm，羽状分裂，末回裂片长卵形，长 5 ~ 7 cm，呈不规则羽状浅裂，裂片先端钝圆，下表面密被灰白色软毛或绒毛；茎上部叶有宽展的叶鞘。复伞形花序顶生或侧生，花序梗长 15 ~ 30 cm，有柔毛；总苞片 1 ~ 3，线形；伞幅 17 ~ 23，不等长，长 3 ~ 7 cm，具有白色柔毛；小总苞片少数，线形，长约 4 mm；每小伞形花序有花约 25，花白色；花瓣二型；萼齿线形细小；花柱基短圆锥形。果实倒卵形，背部极扁平，长 5 ~ 6 mm，未成熟时被柔毛，成熟时光滑；分生果的棱槽中各具 1 油管，其长为分生果的 2/3，合生面有油管 2；胚乳腹面平直。花期 5 ~ 6 月，果期 9 ~ 10 月。

| 生境分布 |

生于海拔 2 000 ~ 3 100 m 的山坡林下及路

旁。湖北有分布。

| **采收加工** | **根**：4 ~ 10 月采挖，除去茎及杂质，晒干。

| **功能主治** | 散风止咳，除湿止痛。用于感冒，咳嗽，头痛，牙痛，风湿痹痛，麻风，风湿疹。

伞形科 Umbelliferae 独活属 *Heracleum*

短毛独活 *Heracleum moellendorffii* Hance

| 药 材 名 |

短毛独活。

| 形态特征 |

多年生草本。高 1 ~ 2 m。根圆锥形，粗大，多分歧，灰棕色。茎直立，有棱槽，上部开展分枝。叶有柄，长 10 ~ 30 cm；叶片广卵形，薄膜质，三出式分裂，裂片广卵形至圆形、心形、不规则的 3 ~ 5 裂，长 10 ~ 20 cm，宽 7 ~ 18 cm，裂片边缘具粗大的锯齿，尖锐至长尖，小叶柄长 3 ~ 8 cm；茎上部叶有显著宽展的叶鞘。复伞形花序顶生和侧生，花序梗长 4 ~ 15 cm；总苞片少数，线状披针形；伞幅 12 ~ 30，不等长；小总苞片 5 ~ 10，披针形；花梗细长，长 4 ~ 20 mm；萼齿不显著；花瓣白色，二型；花柱基短圆锥形，花柱叉开。分生果圆状倒卵形，先端凹陷，背部扁平，直径约 8 mm，有稀疏的柔毛或近光滑，背棱和中棱线状凸起，侧棱宽阔；每棱槽内有油管 1，合生面有油管 2，棒形，其长度为分生果的一半。胚乳腹面平直。花期 7 月，果期 8 ~ 10 月。

| 生境分布 |

生于阴暗山沟旁、林缘或草甸。湖北有分布。

| 采收加工 | **根**：春、秋季采挖，除去茎叶及须根，洗净泥土，晒干，切片。

| 功能主治 | 祛风除湿，发表散寒。用于风寒感冒，头痛，风湿痹痛，腰腿酸痛。

伞形科 Umbelliferae 独活属 *Heracleum*

永宁独活 *Heracleum yungningense* Hand.-Mazz.

| 药 材 名 |

永宁独活。

| 形态特征 |

多年生草本，根长圆锥形，棕黄色至浅褐色。茎圆筒形，中空有纵沟纹，表面有稀疏粗毛。叶片长椭圆形，2 ~ 3 回羽状分裂，长 15 ~ 10 cm，宽 6 ~ 8 cm，上表面绿色，有粗毛，下表面灰绿色；末回裂片椭圆形，长 8 ~ 8.5 cm，边缘有不整齐的锯齿；茎上部叶与基生叶相似，略小。复伞形花序顶生和侧生，花序梗长 16 ~ 27 cm，被白色粗毛；总苞片少数，线形，长 0.8 ~ 1 cm，宽约 1 mm，有粗毛；伞幅 17 ~ 30，不等长，长 3 ~ 8.5 cm；小总苞片少数，线形，长约 4 mm。每小伞形花序有花 25 ~ 30；萼齿三角形；花瓣白色，二型，花柱基短圆锥形，花柱 2，较短。果实椭圆形，长 5 ~ 6 mm，宽约 5 mm，光滑，背部每棱槽内有油管 1，棒状，棕色，长等于或略超过分生果的一半，合生面有油管 2。花期 7 ~ 8 月，果期 9 ~ 10 月。

| 生境分布 |

生于海拔 2 700 m 左右的山坡灌丛下或溪谷

旁草丛中。湖北有分布。

| 采收加工 | **根：**春初苗刚发芽或秋末茎叶枯萎时采挖，除去须根，阴干或烘干。

| 功能主治 | 祛寒温经止痛，舒筋活络。用于风寒湿痹，腰膝酸痛，四肢痉挛。

伞形科 Umbelliferae 天胡荽属 *Hydrocotyle*

中华天胡荽 *Hydrocotyle chinensis* (Dunn) Craib

| 药 材 名 | 大铜钱菜。

| 形态特征 | 多年生匍匐草本，直立部分高 8 ~ 37 cm，除托叶、苞片、花梗无毛外，余均被疏或密且反曲的柔毛，柔毛白色或紫色，有时在叶背具紫色疣基的毛，茎节着土后易生须根。叶片薄，圆肾形，长 2.5 ~ 7 cm，宽 3 ~ 8 cm，表面深绿色，背面淡绿色，掌状 5 ~ 7 浅裂；裂片阔卵形或近三角形，边缘有不规则的锐锯齿或钝齿，基部心形；叶柄长 4 ~ 23 cm；托叶膜质，卵圆形或阔卵形。伞形花序单生于节上，腋生或与叶对生，花序梗通常长于叶柄；小伞形花序有花 25 ~ 50，花梗长 2 ~ 7 mm；小总苞片膜质，卵状披针形，长 1.2 ~ 1.8 mm，先端尖，边缘有时略呈撕裂状。花在蕾期草绿色，

开放后白色；花瓣膜质，长 1 ~ 1.2 mm，先端短尖，有淡黄色至紫褐色的腺点。果实近圆形，基部心形或截形，两侧扁压，长 1.3 ~ 2 mm，宽 1.5 ~ 2.1 mm，侧面二棱明显隆起，表面平滑或折皱，黄色或紫红色。

| 生境分布 | 生于海拔 1 060 ~ 2 900 m 的河沟边及阴湿的路旁草地。湖北有分布。

| 采收加工 | **全草：**夏、秋季采收。

| 功能主治 | 理气止痛，利湿解毒。用于脘腹痛，肝炎，黄疸，小便不利，湿疹。

伞形科 Umbelliferae 天胡荽属 *Hydrocotyle*

裂叶天胡荽 *Hydrocotyle dielsiana* H. Wolff

| 药 材 名 | 裂叶天胡荽。

| 形态特征 | 细弱草本。茎直立或基部匍匐，高 15 ~ 30 cm，不分枝或有极短且不超出 6 cm 的侧枝，下部疏被柔毛或无毛，上部密被白色柔毛，节上生根。叶片长 2 ~ 4 cm，宽 4 ~ 8 cm，掌状 5 ~ 7 深裂，裂口近基部，中间裂片菱形、倒卵形至倒卵状披针形，长 1.5 ~ 3 cm；两侧裂片短于中间裂片，裂片下部全缘，楔形，中部较阔，上部边缘有 5 ~ 6 锯齿，锯齿直立或稍弯曲，两面疏被短粗伏毛；叶脉 7，自基部射出，紫黑色；叶柄长 2.5 ~ 7 cm；托叶膜质，全缘或 2 裂。花序梗丝状，单生于茎的先端，与叶对生或近腋生，长于叶柄，密生白色柔毛；小伞形花序有花 20 ~ 35，花较疏生；小总苞片长

1 ~ 1.2 mm，膜质；花瓣白色，长卵形，长约 1.2 mm，宽 0.7 mm，有 1 不明显的脉；花丝长 1.8 ~ 2.1 mm，花药卵圆形；花柱长 0.7 ~ 11 mm，果实成熟时向外反曲。果实近心状圆形，幼时淡紫色，成熟时棕色或棕褐色，长约 1.3 mm，宽约 2.1 mm，光滑，背棱及中棱明显凸起，合生面紧缩；果柄长 3 ~ 5 mm。花果期 7 月。

| 生境分布 | 生于海拔 1 200 m 的山坡路旁阴湿地。分布于湖北巴东。

| 功能主治 | **全草**：用于石淋，黄疸，肝炎，肾炎，肝火头痛，火眼，百日咳等。

伞形科 Umbelliferae 天胡荽属 *Hydrocotyle*

红马蹄草 *Hydrocotyle nepalensis* Hook.

| 药材名 | 红马蹄草。

| 形态特征 | 多年生草本，高 5 ~ 45 cm。茎匍匐，有斜上分枝，节上生根。叶片膜质至硬膜质，圆形或肾形，长 2 ~ 5 cm，宽 3.5 ~ 9 cm，边缘通常 5 ~ 7 浅裂，裂片有钝锯齿，基部心形，掌状脉 7 ~ 9，疏生短硬毛；叶柄长 4 ~ 27 cm，上部密被柔毛，下部无毛或有毛；托叶膜质，先端钝圆或浅裂，长 1 ~ 2 mm。伞形花序数个簇生于茎端叶腋，花序梗短于叶柄，长 0.5 ~ 2.5 cm，有柔毛；小伞形花序有花 20 ~ 60，常密集成球形的头状花序；花梗极短，长 0.5 ~ 1.5 mm，很少无柄，或长超过 2 mm，花梗基部有膜质、卵形或倒卵形的小总苞片；无萼齿；花瓣卵形，白色或乳白色，有时有紫红色斑点；花

柱幼时内卷，开放后向外反曲，基部隆起。果实长 1 ~ 1.2 mm，宽 1.5 ~ 1.8 mm，基部心形，两侧扁压，光滑或有紫色斑点，成熟后常呈黄褐色或紫黑色，中棱和背棱显著。花果期 5 ~ 11 月。

| 生境分布 | 生于海拔 350 ~ 2 080 m 的山坡、路旁、阴湿地、水沟和溪边草丛中。湖北有分布。

| 采收加工 | **全草**：夏、秋季采收，洗净，鲜用或晒干。

| 功能主治 | 清热利湿，化瘀止血，解毒。用于感冒，咳嗽咯血，痢疾，痛经，月经不调，跌打损伤，外伤出血，痈疮肿毒。

伞形科 Umbelliferae 天胡荽属 *Hydrocotyle*

柄花天胡荽 *Hydrocotyle podantha* Molk.

| 药 材 名 | 柄花天胡荽。

| 形态特征 | 多年生草本。茎基部匍匐，上部及分枝直立，高 15 ~ 37 cm，被柔毛。叶革质，肾圆形，长 1.5 ~ 3.5 cm，宽 3 ~ 6 cm，5 ~ 7 浅裂，裂片呈三角状，先端锐尖或钝，边缘有复锯齿，基部心形，两面均被短刺毛或有紫色疣基的毛；叶脉 7，自基部射出；叶柄长 1.5 ~ 15 cm；托叶膜质，全缘或 2 ~ 3 裂。花序梗细弱，多半单生于茎的先端，与叶对生，长 1 ~ 3.5 cm；茎梢叶腋常抽 0.7 ~ 2 cm 长的花序；小伞形花序有花多数，密集呈头状；花白色，无柄或具短柄，花瓣卵形，有黄色或紫红色腺点。果实心状圆形，长 1.1 ~ 1.2 mm，宽 1.7 ~ 2 mm，背棱及中棱在幼果时不明显，成熟后明显隆起，棕

黄色至紫红色。花果期 6 ～ 7 月。

| 生境分布 | 生于海拔 1 000 ～ 1 100 m 的山脚阴湿草地。湖北有分布。

| 功能主治 | **全草：**清热，利尿，消肿，解毒。用于黄疸，赤白痢疾，目翳，喉肿，痈疽疔疮，跌打瘀伤。

伞形科 Umbelliferae 天胡荽属 *Hydrocotyle*

天胡荽 *Hydrocotyle sibthorpioides* Lam.

| 药材名 | 天胡荽。

| 形态特征 | 多年生草本，有气味。茎细长而匍匐，节上生根。叶片膜质至草质，圆形或肾圆形，长 0.5 ~ 1.5 cm，宽 0.8 ~ 2.5 cm，基部心形，两耳有时相接，不分裂或 5 ~ 7 裂，裂片阔倒卵形，边缘有钝齿，表面光滑，背面脉上疏被粗伏毛，有时两面光滑或密被柔毛；叶柄长 0.7 ~ 9 cm，无毛或先端有毛；托叶略呈半圆形，薄膜质，全缘或稍有浅裂。伞形花序与叶对生，单生于节上；花序梗纤细，长

0.5 ~ 3.5 cm；小总苞片卵形至卵状披针形，长 1 ~ 1.5 mm，膜质，有黄色透明腺点，背部有 1 不明显的脉；小伞形花序有花 5 ~ 18，花无梗或有极短的梗，花瓣卵形，长约 1.2 mm，绿白色，有腺点；花丝与花瓣同长或稍超出，花药卵形；花柱长 0.6 ~ 1 mm。果实略呈心形，长 1 ~ 1.4 mm，宽 1.2 ~ 2 mm，两侧扁压，中棱在果实成熟时极为隆起，幼果时表面草黄色，成熟时有紫色斑点。花果期 4 ~ 9 月。

| 生境分布 | 生于海拔 475 ~ 3 000 m 的湿润的路旁、草地、河沟边及林下。湖北有分布。

| 资源情况 | 野生资源较丰富。药材主要来源于野生。

| 采收加工 | **全草：**7 ~ 10 月采收，洗净，鲜用或晒干。

| 功能主治 | 清热利湿，解毒消肿。用于黄疸，痢疾，水肿，淋证，目翳，喉肿，痈肿疮毒，带状疱疹，跌打损伤。

伞形科 Umbelliferae 天胡荽属 *Hydrocotyle*

破铜钱 *Hydrocotyle sibthorpioides* Lam. var. *batrachium* (Hance) Hand.-Mazz. ex Shan

| **药材名** | 天胡荽。

| **形态特征** | 本种与天胡荽的区别在于本种叶片较小，3 ~ 5 深裂几达基部，侧面裂片间有一侧或两侧仅裂达基部 1/3 处，裂片均呈楔形。

| **生境分布** | 生于潮湿的路旁、河沟边、草地、湖滩、溪谷及山地。湖北有分布。

| **资源情况** | 野生资源较丰富。药材主要来源于野生。

| **采收加工** | **全草**：7 ~ 10 月采收，洗净，鲜用或晒干。

| 功能主治 | 清热利湿，解毒消肿。用于黄疸，赤白痢，水肿，目翳，喉肿，痈疽疔疮，带状疱疹，跌打瘀伤。

伞形科 Umbelliferae 天胡荽属 *Hydrocotyle*

肾叶天胡荽 *Hydrocotyle wilfordi* Maxim.

| 药材名 | 毛叶天胡荽。

| 形态特征 | 多年生草本。茎直立或匍匐，高 15 ~ 45 cm，有分枝，节上生根。叶片膜质至草质，圆形或肾圆形，长 1.5 ~ 3.5 cm，宽 2 ~ 7 cm，边缘不明显 7 裂，裂片通常有 3 钝圆齿，基部心形或弯缺处开展成锐角，两面光滑或在背面脉上被极疏的短刺毛；叶柄长 3 ~ 19 cm，上部被柔毛，下部光滑或有疏毛，托叶膜质，圆形。花序梗纤细，单生于枝条上部，与叶对生，长过叶柄或等长；有时因嫩枝未延长，常有 2 ~ 3 花序簇生节上，小伞形花序有多数花；花无柄或有极短的柄，密集成头状；小总苞片膜质，细小，具紫色斑点；花瓣卵形，白色至淡黄色。果实长 1.2 ~ 1.8 mm，宽 1.5 ~ 2.1 mm，基部心形，

两侧扁压，中棱明显隆起，幼时草绿色，成熟时紫褐色或黄褐色，有紫色斑点。花果期 5 ～ 9 月。

| 生境分布 | 生于海拔 350 ～ 1 400 m 的阴湿山谷、田野、沟边、溪旁等。湖北有分布。

| 采收加工 | **全草**：夏、秋季采收，洗净，鲜用或晒干。

| 功能主治 | 清热解毒，利湿。用于赤白痢，黄疸，小便淋痛，疮肿，鼻炎，耳痛，口疮。

伞形科 Umbelliferae 天胡荽属 *Hydrocotyle*

鄂西天胡荽 *Hydrocotyle wilsonii* Diels ex H. Wolff

| 药 材 名 | 鄂西天胡荽。

| 形态特征 | 多年生匍匐草本，匍匐茎淡黄色，光滑无毛，节上着生须根，有残存膜质卵形的托叶。茎直立或基部平卧上升，细弱，不分枝，高 10 ~ 45 cm，密被短柔毛，有时下部无毛。叶片革质，圆肾形或心状肾形，长 2 ~ 4 cm，宽 3.5 ~ 7 cm，5 ~ 7 深裂；中间裂片宽卵形或倒卵形，中部与基部等阔或较阔，中部以上两边具 1 浅裂，先端短尖；两侧裂片倒卵形，有时在一侧或两侧再有 1 浅裂，最外裂片较中间裂片稍短；裂片边缘有复锯齿，两面均被粗伏毛；叶柄长 4 ~ 12 cm，被柔毛；托叶膜质，有紫色斑点。花序梗纤细，单生于茎的上部，与叶对生，长于叶柄；苞片膜质，细小，密生在花梗基部；

小伞形花序有多数花，花较疏生；花梗长 2 ~ 4.5 mm，光滑；花瓣卵形，膜质，有紫红色斑点；花柱幼时内卷，果实成熟时极向外反曲。果实幼时近圆球形，紫红色，成熟后紫黑色，长约 1.2 mm，宽 1.8 mm，中棱及背棱隆起，基部浅心形或平截形。花果期 7 ~ 8 月。

| 生境分布 | 生于海拔 1 250 ~ 1 780 m 的湿润草地和竹林下。分布于湖北巴东、建始。

| 采收加工 | **全草：** 夏、秋季采收，洗净，鲜用或晒干。

| 功能主治 | 清热利湿，解毒活血。用于湿热黄疸，痢疾，热淋，石淋，口疮，耳痈，跌打损伤。

伞形科 Umbelliferae 欧当归属 *Levisticum*

欧当归 *Levisticum officinale* Koch.

| 药 材 名 |

欧当归。

| 形态特征 |

多年生草本。全株有香气，高 1 ~ 2.5 m。根茎肥大，直径 4 ~ 5 cm，有多数支根，顶部有多数叶鞘残基。茎直立，光滑无毛，基部直径 3 ~ 4 cm，带紫红色，有光泽，中空，有纵沟纹。基生叶、茎下部叶 2 ~ 3 回羽状分裂，有长柄，叶柄基部膨大成长圆形，带紫红色的叶鞘；茎上部叶通常仅 1 回羽状分裂；叶片宽倒卵形至宽三角形；茎生叶叶柄较短，最上部的叶多简化成先端 3 裂的小叶片，末回裂片倒卵形至卵状菱形，近革质，长 4 ~ 11 cm，宽 2 ~ 7 cm，叶缘上部 2 ~ 3 裂，有少数不整齐的粗大锯齿，叶缘下部全缘，先端锐尖或有长尖，基部楔形。复伞形花序直径约 12 cm，伞辐 12 ~ 20；总苞片 7 ~ 11，小总苞片 8 ~ 12，均为宽披针形至线状披针形，先端长渐尖，反曲，边缘白色，膜质，有稀疏的短糙毛；小伞形花序近圆球形，花黄绿色，萼齿不明显，花瓣椭圆形，基部有短爪，先端略凹入；花柱基短圆锥状。分生果椭圆形，黄褐色，背部稍扁压，长 5 ~ 7 cm，宽 3 ~ 4 cm，侧棱和背棱呈阔翅状，背棱的

翅较侧棱的翅为宽；每棱槽内有油管 1，合生面有油管 2；胚乳腹面平或略凹入。花期 6 ~ 8 月，果期 8 ~ 9 月。

| 生境分布 | 湖北有分布。

| 采收加工 | **根：**春、秋季采挖，晒干或烘干。

| 功能主治 | 活血止痛，润肠通便，补血活血。用于月经不调，闭经，腹痛，血虚所致头晕、头痛、四肢麻木、失眠，肠燥便秘。

伞形科 Umbelliferae 岩风属 *Libanotis*

香芹 *Libanotis seseloides* (Fisch. et Mey.) Turcz.

| 药材名 |

邪蒿。

| 形态特征 |

多年生草本，高 30 ~ 120 cm。根茎细，有环纹，上端有枯鞘纤维；根圆柱状，末端渐细，通常有少数侧根，主根直径 0.5 ~ 1.5 cm，灰色或灰褐色，木质化，质坚实。茎直立或稍曲折，单一或自基部抽出 2 ~ 3 茎，粗壮，直径 0.3 ~ 1.2 cm，基部近圆柱形，下部以上有显著条棱，呈棱角状凸起，沟棱一般宽而深，宽窄深浅不一，分枝，上部分枝较多，下部光滑无毛或茎节处有短柔毛，髓部充实。基生叶有长柄，叶柄长 4 ~ 18 cm，基部有叶鞘，有时有短糙毛；叶片椭圆形或宽椭圆形，长 5 ~ 18 cm，宽 4 ~ 10 cm，3 回羽状全裂，一回羽片无柄，最下面的 1 对二回羽片紧靠叶轴，末回裂片线形或线状披针形，先端有小尖头，边缘反卷，中肋突出，长 3 ~ 15 mm，宽 1 ~ 4 mm，无毛或沿叶脉及边缘有短硬毛；茎生叶叶柄较短，顶部叶无柄，仅有叶鞘，叶片与基生叶相似，2 回羽状全裂，逐渐变短小。伞形花序多分枝，伞梗上端有短硬毛，复伞形花序直径 2 ~ 7 cm；总苞片通常无，偶 1 ~ 5，线

形或锥形，长 2 ~ 4 mm，宽 0.5 ~ 1 mm；伞幅 8 ~ 20，稍不等长，内侧和基部有粗硬毛；小伞形花序有 15 ~ 30 花，花梗短；小总苞片 8 ~ 14，线形或线状披针形，先端渐尖，与花梗等长或稍短，边缘有毛；萼齿明显，三角形或披针状锥形；花瓣白色，宽椭圆形，先端凹陷处小舌片内曲，背面中央有短毛；花柱基扁圆锥形，花柱长，开展，卷曲，子房密生短毛。分生果实卵形，背腹略扁压，长 2.5 ~ 3.5 mm，宽约 1.5 mm，5 棱显著，侧棱比背棱稍宽，有短毛；每棱槽内有油管 3 ~ 4，合生面有油管 6。花期 7 ~ 9 月，果期 8 ~ 10 月。

｜生境分布｜ 生于开阔的山坡、草地、林缘、灌丛中及草甸。湖北有分布。

｜采收加工｜ **根**：春、夏季未开花前采挖，除去茎叶，洗净，扎成束，晒干。

｜功能主治｜ 化浊，醒脾，通脉。用于湿阻痞满，胃呆食少，痢疾，疮肿。

伞形科 Umbelliferae 藁本属 *Ligusticum*

尖叶藁本 *Ligusticum acuminatum* Franch.

| 药材名 |

水藁本。

| 形态特征 |

多年生草本，高可达 2 m。根茎较发达，常为棕褐色。茎圆柱形，中空，具条纹，略带紫色。基生叶未见；茎上部叶具柄，柄长 5 ~ 7 cm；茎下部叶略扩大成鞘状；叶片纸质，宽三角状卵形，长约 15 cm，宽约 17 cm，3 回羽状全裂，第 1 回羽片三角状卵形，长 8 ~ 10 cm，宽 6 ~ 7 cm；第 2 回羽片长圆状披针形，长 3 ~ 5 cm，宽 1.5 ~ 2 cm，先端常延伸成尾尖状；末回羽片近卵形，长 5 ~ 15 mm，宽 5 ~ 10 mm，基部楔形，上部羽状分裂，裂齿具小尖头。复伞形花序具长梗，梗长可达 15 cm，先端密被糙毛；顶生伞形花序直径 4 cm，侧生伞形花序直径略小；总苞片 6，线形，长约 1 cm，常早落；伞幅 12 ~ 23，长 2 ~ 3 cm，排列紧密；小总苞片 6 ~ 10，线形，长约 5 mm。分生果背腹扁压，卵形，长约 3 mm，宽约 2 mm，背棱凸起或呈翅状，侧棱扩大成翅；每棱槽内有油管 2 ~ 3（~ 4），合生面有油管 6 ~ 8。花期 7 ~ 8 月，果期 9 ~ 10 月。

| 生境分布 | 生于海拔 1 500 ~ 3 100 m 的林下、草地和石崖缝内。湖北有分布。

| 采收加工 | **根及根茎：**秋季采挖，洗净，晒干或烘干。

| 功能主治 | 发散风寒，祛湿止痛。用于风寒感冒，头痛，风寒湿痹，脘腹痛，疝气。

伞形科 Umbelliferae 藁本属 *Ligusticum*

川芎 *Ligusticum chuanxiong* Hort.

| 药 材 名 |

川芎。

| 形态特征 |

多年生草本，高 40 ~ 60 cm。根茎发达，形成不规则的结节状拳形团块，具浓烈香气。茎直立，圆柱形，具纵条纹，上部多分枝，下部茎节膨大成盘状（苓子）。茎下部叶具柄，柄长 3 ~ 10 cm，基部扩大成鞘；叶片卵状三角形，长 12 ~ 15 cm，宽 10 ~ 15 cm，3 ~ 4 回三出羽状全裂，羽片 4 ~ 5 对，卵状披针形，长 6 ~ 7 cm，宽 5 ~ 6 cm，末回裂片线状披针形至长卵形，长 2 ~ 5 mm，宽 1 ~ 2 mm，具小尖头；茎上部叶逐渐简化。复伞形花序顶生或侧生；总苞片 3 ~ 6，线形，长 0.5 ~ 2.5 cm；伞幅 7 ~ 24，不等长，长 2 ~ 4 cm，内侧粗糙；小总苞片 4 ~ 8，线形，长 3 ~ 5 mm，粗糙；萼齿不发育；花瓣白色，倒卵形至心形，长 1.5 ~ 2 mm，先端具内折的小尖头；花柱基圆锥状，花柱 2，长 2 ~ 3 mm，向下反曲。幼果两侧扁压，长 2 ~ 3 mm，宽约 1 mm；背棱槽内有油管 1 ~ 5，侧棱槽内有油管 2 ~ 3，合生面有油管 6 ~ 8。花期 7 ~ 8 月，果期 9 ~ 10 月。

| 生境分布 | 湖北有分布。

| 采收加工 | **根茎：**栽后翌年 5 月下旬至 6 月上旬采挖，抖掉泥土，除去茎叶，炕干。

| 功能主治 | 活血祛瘀，行气开郁，祛风止痛。用于月经不调，经闭痛经，产后瘀滞腹痛，头痛眩晕，风寒湿痹，跌打损伤，痈疽疮疡。

伞形科 Umbelliferae 藁本属 *Ligusticum*

羽苞藁本 *Ligusticum daucoides* (Franch.) Franch.

| 药材名 | 旱前胡。

| 形态特征 | 多年生草本，高 20 ~ 50 cm。根颈密被纤维状枯萎叶鞘；根长可达 10 cm，直径 1.5 cm，常分叉。茎单生而具分枝，圆柱形，具纵沟纹。基生叶具长柄，柄长 8 ~ 18 cm；叶片长圆状卵形，长 8 ~ 20 cm，宽 4 ~ 5 cm，3 ~ 4 回羽状全裂，羽片 5 ~ 6 对，末回裂片线形，长 3 ~ 4 mm，宽 1 mm；茎生叶叶柄全部鞘状，叶片简化。复伞形花序直径 7 ~ 10 cm；总苞片少数，长 1.5 ~ 2.5 cm，叶状，早落；伞幅 14 ~ 23，粗糙，不等长，长 1.5 ~ 6 cm，果期向外反曲；小总苞片 8 ~ 10，长 1 ~ 2 cm，2 回羽状深裂；萼齿 1 ~ 2，长可达 2 mm；花瓣内面白色，外面常呈紫色，长卵形，长 2 mm，具内折

的小尖头；花丝白色，花药青黑色；花柱基隆起，花柱 2。分生果背腹扁压，长圆形，长 6 ~ 8 mm，宽 3 ~ 4 mm，背棱略凸起，侧棱扩大成宽 1 mm 的翅；背棱槽内有油管 1，侧棱槽内有油管 2 ~ 3，合生面有油管 4 ~ 6；胚乳腹面平直。花期 7 ~ 8 月，果期 9 ~ 10 月。

| **生境分布** | 生于海拔 2 500 ~ 3 100 m 的山坡草地。湖北有分布。

| **采收加工** | **根**：春、秋季采挖，除去茎叶，洗净，晒干。

| **功能主治** | 发表散风，祛湿止痛。用于感冒头痛，风湿痹痛，腰膝酸痛。

伞形科 Umbelliferae 藁本属 *Ligusticum*

藁本 *Ligusticum sinense* Oliv.

| 药 材 名 | 藁本。

| 形态特征 | 多年生草本。高达 1 m。根茎发达，具膨大的结节。茎直立，圆柱形，中空，具条纹，基生叶具长柄，柄长可达 20 cm；叶片宽三角形，长 10 ~ 15 cm，宽 15 ~ 18 cm，2 回三出式羽状全裂；第 1 回羽片长圆状卵形，长 6 ~ 10 cm，宽 5 ~ 7 cm，下部羽片具柄，柄长 3 ~ 5 cm，基部略扩大，小羽片卵形，长约 3 cm，宽约 2 cm，边缘齿状浅裂，具小尖头，顶生小羽片先端渐尖至尾状；茎中部叶较大，上部叶简化。复伞形花序顶生或侧生，果时直径 6 ~ 8 cm；总苞片 6 ~ 10，线形，长约 6 mm；伞幅 14 ~ 30，长达 5 cm，四棱形，粗糙；小总苞片 10，线形，长 3 ~ 4 mm；花白色，花梗粗糙；萼齿

不明显；花瓣倒卵形，先端微凹，具内折小尖头；花柱基隆起，花柱长，向下反曲。分生果幼嫩时宽卵形，稍两侧扁压，成熟时长圆状卵形，背腹扁压，长 4 mm，宽 2 ~ 2.5 mm，背棱突起，侧棱略扩大呈翅状；背棱槽内有油管 1 ~ 3，侧棱槽内有油管 3，合生面有油管 4 ~ 6；胚乳腹面平直。花期 8 ~ 9 月，果期 10 月。

| **生境分布** | 生于海拔 1 000 ~ 2 700 m 的林下、沟边草丛中。分布于湖北巴东、五峰、长阳、建始等。湖北巴东、建始有栽培。

| **采收加工** | **根及根茎**：一般于秋后地上部枯萎或早春萌芽前采收，刨出根茎，除去残叶，抖净泥土，晒干。

| **功能主治** | 祛风，散寒，除湿，止痛。用于风寒感冒，巅顶疼痛，风湿关节痹痛。

伞形科 Umbelliferae 白苞芹属 *Nothosmyrnium*

白苞芹 *Nothosmyrnium japonicum* Miq.

| 药 材 名 | 石防风。

| 形态特征 | 多年生草本，高 0.5 ~ 1.2 m。主根较短，长 3 ~ 4 cm，有较多的须状支根。茎直立，分枝，有纵纹。叶卵状长圆形，长 10 ~ 20 cm，宽 8 ~ 15 cm，2 回羽状分裂，1 回裂片有柄，长 2 ~ 5 cm，2 回裂片有或无柄，卵形至卵状长圆形，长 2 ~ 8 cm，宽 2 ~ 4 cm，先端尖锐，边缘有重锯齿，下面有疏柔毛；叶柄基部有鞘；茎上部叶逐渐变小，羽状分裂，有鞘。复伞形花序顶生和腋生，花序梗长 5 ~ 17 cm；总苞片 3 ~ 4，长 15 mm，宽 7 mm，披针形或卵形，先端长尖，有多脉，反折，边缘膜质；小总苞片 4 ~ 5，长 7 mm，宽 5 mm，广卵形或披针形，先端尖锐，淡黄色，多脉，反折，边缘

膜质；伞幅 7 ~ 15，弧形展开，长 1.5 ~ 8 cm；花白色，花柄线形，长 5 ~ 10 mm。果实球状卵形，基部略成心形，先端渐狭窄，长 2 ~ 3 mm，宽 1 ~ 2 mm，果棱线形；油管多数；分生果侧面扁平，横剖面圆形，略带五边形；胚乳腹面凹陷。花果期 9 ~ 10 月。

| 生境分布 | 生于山坡草地、林下、林缘及山坡林下阴湿草丛中或杂木林下。湖北有分布。

| 采收加工 | **根**：秋季采挖，洗净，晒干。

| 功能主治 | 散风清热，降气祛痰。用于感冒，咳嗽，痰喘，头风眩痛。

伞形科 Umbelliferae 白苞芹属 *Nothosmyrnium*

川白苞芹 *Nothosmyrnium japonicum* Miq. var. *sutchuensis* de Boiss.

| 药 材 名 | 川白苞芹。

| 形态特征 | 多年生草本。本种与白苞芹的区别在于本种叶裂片为披针形或披针状椭圆形，边缘有不规则的深裂齿。

| 生境分布 | 生于林下草丛中。湖北有分布。

| 采收加工 | **根：**秋季采挖，除去茎叶，洗净，晒干。

| 功能主治 | 止咳平喘，舒筋止痛。用于咳嗽，哮喘，筋骨痛，头痛。

伞形科 Umbelliferae 羌活属 *Notopterygium*

宽叶羌活 *Notopterygium forbesii* de Boiss.

| 药 材 名 | 羌活。

| 形态特征 | 多年生草本。高 80 ～ 180 cm。有发达的根茎，基部多残留叶鞘。茎直立，少分枝，圆柱形，中空，有纵直细条纹，带紫色。基生叶及茎下部叶有柄，柄长 1 ～ 22 cm，下部有抱茎的叶鞘；叶大，三出式二至三回羽状复叶，一回羽片 2 ～ 3 对，有短柄或几无柄，末回裂片无柄或有短柄，长圆状卵形至卵状披针形，长 3 ～ 8 cm，宽 1 ～ 3 cm，先端钝或渐尖，基部略带楔形，边缘有粗锯齿，脉上及叶缘有微毛；茎上部叶少数，叶片简化，仅有 3 小叶，叶鞘发达，膜质。复伞形花序顶生和腋生，直径 5 ～ 14 cm，花序梗长 5 ～ 25 cm；总苞片 1 ～ 3，线状披针形，长约 5 mm，早落；伞辐 10 ～ 17

（~ 23），长 3 ~ 12 cm；小伞形花序直径 1 ~ 3 cm，有多数花；小总苞片 4 ~ 5，线形，长 3 ~ 4 mm；花梗长 0.5 ~ 1 cm；萼齿卵状三角形；花瓣淡黄色，倒卵形，长 1 ~ 1.5 mm，先端渐尖或钝，内折；雄蕊的花丝内弯，花药椭圆形，黄色，长约 1 mm；花柱 2，短，花柱基隆起，略呈平压状。分生果近圆形，长 5 mm，宽 4 mm，背腹稍压扁，背棱、中棱及侧棱均扩展成翅，但发展不均匀，翅宽约 1 mm；油管明显，每棱槽有油管 3 ~ 4，合生面有油管 4；胚乳内凹。花期 7 月，果期 8 ~ 9 月。

| 生境分布 | 生于海拔 1 700 ~ 4 500 m 的林缘及灌丛中。湖北有分布。

| 采收加工 | **根茎和根**：人工栽培 3 ~ 4 年秋季倒苗后至早春萌芽前挖取，砍去芦头，切成长 10 ~ 13 cm 的短节，晒干或烘干。

| 功能主治 | 散表寒，祛风湿，利关节，止痛。用于外感风寒，头痛无汗，风寒湿痹，风水浮肿，疮疡肿毒。

伞形科 Umbelliferae 水芹属 *Oenanthe*

短辐水芹 *Oenanthe benghalensis* Benth. et Hook. f.

| 药 材 名 | 水芹菜。

| 形态特征 | 多年生草本。高 17 ~ 60 cm，全体无毛。有较多须根。茎自基部多分枝，有棱。叶片三角形，1 ~ 2 回羽状分裂，末回裂片卵形至菱状披针形，长 1.5 ~ 2 cm，宽约 0.5 cm，先端钝，边缘有钝齿。复伞形花序顶生和侧生，花序梗通常与叶对生，长 1 ~ 2 cm；无总苞片；伞辐 4 ~ 10，较短，长 0.5 ~ 1 cm，直立并开展；小总苞片披针形，多数，长 2 ~ 2.5 mm；小伞形花序有花 10 余，花梗长 1.5 ~ 2 mm；萼齿线状披针形，长 0.3 ~ 0.4 mm；花瓣白色，倒卵形，长 1 mm，宽不及 0.8 mm，先端有一内折的小舌片；花柱基圆锥形，花柱直立或两侧分开，长约 0.5 mm。果实椭圆形或筒状长圆形，长

2 ~ 3 mm，宽 1 ~ 1.5 mm，侧棱较背棱和中棱隆起，木栓质；分生果的横剖面半圆形；棱槽内有油管 1，合生面有油管 2。花期 5 月，果期 5 ~ 6 月。

| **生境分布** | 生于海拔 500 ~ 1 500 m 的山坡林下溪边、沟旁及水旱田中。湖北有分布。

| **采收加工** | 春、夏季采收，洗净，切段，鲜用或晒干。

| **功能主治** | 清热透疹，平肝安神。用于麻疹初期，肝阳上亢，失眠多梦。

伞形科 Umbelliferae 水芹属 *Oenanthe*

细叶水芹 *Oenanthe dielsii* var. *stenophylla* de Boiss.

| 药 材 名 | 细叶水芹。

| 形态特征 | 本变种与原变种的区别在于本种叶片有较多回的羽状分裂，末回裂片线形。花期 6 ~ 8 月，果期 8 ~ 10 月。

| **生境分布** | 生于海拔 1 500 ~ 2 000 m 的山谷杂木林下溪旁水边草丛中。湖北有分布。

| **功能主治** | 疏风清热，止痛，降血压。用于风热感冒，咳嗽，麻疹，胃痛，高血压。

伞形科 Umbelliferae 水芹属 *Oenanthe*

水芹 *Oenanthe javanica* (Bl.) DC

| 药材名 | 水芹。

| 形态特征 | 多年生草本，高 15 ~ 80 cm。全株无毛。茎直立或基部匍匐，节上生根。基生叶叶柄长达 10 cm，基部有叶鞘；叶片三角形或三角状卵形，1 ~ 2 回羽状分裂，末回裂片卵形或菱状披针形，长 2 ~ 5 cm，宽 1 ~ 2 cm，边缘有不整齐的尖齿或圆齿；茎上部叶无柄，叶较小。复伞形花序顶生；花序梗长达 16 cm；无总苞片；伞幅 6 ~ 16，长 1 ~ 3 cm；小总苞片 2 ~ 8，线形；小伞形花序有花 10 ~ 25；萼齿线状披针形；花瓣白色，倒卵形；花柱基圆锥形，花柱直立或叉形。每棱槽内有油管 1，合生面有油管 2。花期 6 ~ 7 月，果期 8 ~ 9 月。

| 生境分布 | 生于浅水低洼湿地或池沼、水沟中。湖北有分布。

| 采收加工 | **全草：**9 ~ 10 月采收，鲜用或晒干。

| 功能主治 | 清热解毒，利尿，止血。用于感冒，暴热烦渴，吐泻，浮肿，小便不利，淋痛，尿血，便血，吐血，衄血，崩漏，月经过多，目赤，咽痛，喉肿，口疮，牙疳，乳痈，痈疽，瘰疬，痄腮，带状疱疹，痔疮，跌打伤肿。

伞形科 Umbelliferae 水芹属 *Oenanthe*

线叶水芹 *Oenanthe linearis* Wall. ex DC.

| 药材名 |

线叶水芹。

| 形态特征 |

多年生草本，高 30 ~ 60 cm，光滑无毛。茎直立，上部分枝，下部节上生不定根。叶有柄，柄长 1 ~ 3 cm，基部有叶鞘，边缘薄膜质，叶片广卵形或长三角形，2 回羽状分裂，基部叶末回裂片卵形，长 1 cm，边缘分裂；茎上部叶末回裂片线形，长 5 ~ 8 cm，宽 2.5 ~ 3 cm，基部楔形，先端渐尖，全缘。复伞形花序顶生和腋生，花序梗长 2 ~ 10 cm，总苞片 1 或无，线形，长 0.5 ~ 0.8 cm；伞幅 6 ~ 12，不等长，长 0.5 ~ 2 cm；小总苞片少数，线形，长 2 ~ 3 mm；每小伞形花序有花 20 余，花梗长 2 ~ 5 mm；萼齿披针状卵形；花瓣白色，倒卵形，先端内折；花柱基圆锥形，较萼齿短，花柱直立，叉式分开，长不超过 1 mm。果实近四方状椭圆形或球形，长 2 mm，宽 1.5 mm，侧棱较中棱和背棱隆起，背棱线形；每棱槽内有油管 1，合生面有油管 2。花果期 5 ~ 10 月。

| **生境分布** | 生于海拔 1 350 ~ 2 800 m 的山坡杂木林下溪边潮湿地。湖北有分布。

| **功能主治** | **全草**：清热解毒，除湿。

伞形科 Umbelliferae 水芹属 *Oenanthe*

卵叶水芹 *Oenanthe rosthornii* Diels

| 药 材 名 | 卵叶水芹。

| 形态特征 | 多年生草本，高 50 ~ 70 cm，粗壮。茎下部匍匐，上部直立，有棱，被柔毛。叶片广三角形或卵形，长 7 ~ 15 cm，宽 8 ~ 12 cm，末回裂片菱状卵形或长圆形，长 3 ~ 5 cm，宽 1.5 ~ 2 cm，先端长渐尖，边缘有楔形齿和近突尖。复伞形花序顶生和侧生，花序梗长 16 ~ 20 cm；无总苞片；伞幅 10 ~ 24，不等长，长 2 ~ 6 cm，直立和开展；小总苞片披针形，6 ~ 12，长 4 ~ 6 mm；小伞形花序有花 30 余，花梗长 2 ~ 5 mm；萼齿披针形，长不超过 1 mm；花瓣白色，倒卵形，长 1 ~ 1.5 mm，宽 0.7 ~ 0.8 mm，先端有 1 内折的小舌片；花柱基圆锥形，花柱直立，长 1 ~ 1.5 mm。果实椭圆

形或长圆形，长 3 ~ 4 mm，宽约 2 mm，侧棱较背棱和中棱隆起，木栓质；分生果横剖面半圆形，每棱槽内有油管 1，合生面有油管 2。花期 8 ~ 9 月，果期 10 ~ 11 月。

| **生境分布** | 生于海拔 1 400 ~ 3 100 m 的山谷林下水沟旁草丛中。湖北有分布。

| **采收加工** | **全草**：夏、秋季采收，洗净，鲜用或晒干。

| **功能主治** | 补气益血，止血，利尿。用于气虚血亏，头目眩晕，水肿，外伤出血。

伞形科 Umbelliferae 山芹属 *Ostericum*

隔山香 *Ostericum citriodorum* (Hance) Yuan et Shan

| 药 材 名 | 隔山香。

| 形态特征 | 多年生草本。高 0.5 ~ 1.3 m，全株光滑无毛。根颈有残存的须状叶鞘；根近纺锤形，棕黄色，有数条支根。茎单生，圆柱形，直径 2 ~ 5 mm，上部分枝。基生叶及茎生叶均为 2 ~ 3 回羽状分裂，叶柄长 5 ~ 30 cm，基部略膨大成短三角形的鞘，稍抱茎，长 0.5 ~ 1.5 cm；叶片长圆状卵形至阔三角形，长 15 ~ 22 cm，宽 13 ~ 20 cm，末回裂片长圆状披针形至长披针形，长 3 ~ 6.5 cm，宽 0.4 ~ 2.5 cm，急尖，有小凸尖头，边缘及中脉干后波状皱曲，密生极细的齿，无柄或有短柄。复伞形花序，花序梗长 6 ~ 9 cm；总苞片 6 ~ 8，披针形，有多条纵纹，长约 4 mm；伞辐 5 ~ 12；小伞花序有花 10 余；小总

苞片 5 ~ 8，狭线形，反折，长 2 ~ 3 mm。花白色，萼齿明显，三角状卵形；花瓣倒卵形，先端内折；花柱基矮圆锥形，花柱叉开。果实椭圆形至广卵圆形，长 3 ~ 4 mm，宽 3 ~ 3.5 mm，金黄色；有光泽，表皮细胞凸出或颗粒状凸起，背棱有狭翅，侧棱有宽翅，宽于果体；棱槽中有油管 1 ~ 3，合生面有油管 2。花期 6 ~ 8 月，果期 8 ~ 10 月。

| 生境分布 | 生长于山坡灌木林下或林缘、草丛中。湖北有分布。

| 采收加工 | 秋后采挖根，去其茎叶，洗净，鲜用或晒干。夏、秋季采收全草，去除泥土和杂质，鲜用或晒干。

| 功能主治 | 疏风清热，祛痰止咳，消肿止痛。用于感冒，咳嗽，头痛，腹痛，痢疾，肝炎，风湿痹痛，疝气，月经不调，跌打伤肿，疮痈，毒蛇咬伤。

伞形科 Umbelliferae 山芹属 *Ostericum*

大齿山芹 *Ostericum grosseserratum* (Maxim.) Yuan et Shan

| 药 材 名 | 山水芹菜。

| 形态特征 | 多年草本。高达 1 m。根细长，圆锥状或纺锤形，单一或稍有分枝。茎直立，圆管状，有浅纵沟纹，上部开展，叉状分枝。除花序下稍有短糙毛外，其余部分均无毛。叶有柄，柄长 4 ~ 18 cm，基部有狭长而膨大的鞘，边缘白色，透明；叶片广三角形，薄膜质，2 ~ 3 回三出式分裂，第一回和第二回裂片有短柄，末回裂片无柄或下延成短柄，阔卵形至菱状卵形，长 2 ~ 5 cm，宽 1.5 ~ 3 cm，基部楔形，先端尖锐，长尖或尾尖状，中部以下常 2 深裂，边缘有粗大缺刻状锯齿，常裂至主脉的 1/2 ~ 2/3，齿端圆钝，有白色小突尖，上部叶有短柄，3 裂，小裂片披针形至长圆形，主脉上有稀疏的刚

毛，细脉不明显；最上部叶简化为带小叶的线状披针形叶鞘。复伞形花序直径2 ~ 10 cm，伞辐6 ~ 14，不等长，长1.5 ~ 3 cm，花序梗上部、伞辐及花梗的纵沟上有短糙毛；总苞片4 ~ 6，线状披针形，短于伞辐2 ~ 4倍；小总苞片5 ~ 10，钻形，长为花梗的一半；花白色；萼齿三角状卵形，锐尖，宿存；花瓣倒卵形，先端内折；花柱基圆垫状，花柱短，叉开。分生果广椭圆形，长4 ~ 6 mm，宽4 ~ 5.5 mm，基部凹入，背棱突出，尖锐，侧棱为薄翅状，与果体近等宽；棱槽内有油管1，合生面有油管2 ~ 4。花期7 ~ 9月，果期8 ~ 10月。

| 生境分布 | 生于山坡、草地、溪沟旁、林缘灌丛中。湖北有分布。

| 采收加工 | **根**：夏、秋季采收，鲜用或晒干。

| 功能主治 | 温中健脾，温肺止咳。用于脾虚泄泻，虚寒咳嗽。

伞形科 Umbelliferae 山芹属 *Ostericum*

山芹 *Ostericum sieboldii* (Miq.) Nakai

| 药 材 名 | 山芹。

| 形态特征 | 多年生草本。高 0.5 ~ 1.5 m。主根粗短，有 2 ~ 3 分枝，黄褐色至棕褐色。茎直立，中空，有较深的沟纹，光滑或基部稍有短柔毛，上部分枝，开展。基生叶及上部叶均为 2 ~ 3 回三出式羽状分裂；叶片三角形，长 20 ~ 45 cm，叶柄长 5 ~ 20 cm，基部膨大成扁而抱茎的叶鞘；末回裂片菱状卵形至卵状披针形，长 5 ~ 10 cm，宽 3 ~ 6 cm，急尖至渐尖，边缘有内曲的圆钝齿或缺刻状齿 5 ~ 8 对，通常齿端有锐尖头，基部截形，有时中部深裂，表面深绿色，背面灰白色，两面均无毛，最上部的叶常简化成无叶的叶鞘。复伞形花序，伞辐 5 ~ 14；花序梗、伞辐和花梗均有短糙毛；花序梗长 3 ~ 7 cm；

总苞片 1 ~ 3，长 3 ~ 9.5 mm，线状披针形，先端近钻形，边缘膜质；小伞形花序有花 8 ~ 20，小总苞片 5 ~ 10，线形至钻形；萼齿卵状三角形；花瓣白色，长圆形，基部渐狭，成短爪，先端内曲，花柱长于扁平的花柱基 2 倍。果实长圆形至卵形，长 4 ~ 5.5 mm，宽 3 ~ 4 mm，成熟时金黄色，透明，有光泽，基部凹入，背棱细狭，侧棱宽翅状，与果体近相等；棱槽内有油管 1 ~ 3，合生面有油管 4 ~ 6，少为 8。花期 8 ~ 9 月，果期 9 ~ 10 月。

| 生境分布 | 生于海拔较高的山坡、草地、山谷、林缘和林下。湖北有分布。

| 采收加工 | **全草**：夏、秋季采收，鲜用或晒干。

| 功能主治 | 解毒消肿。用于乳痈，疮肿。

伞形科 Umbelliferae 前胡属 *Peucedanum*

竹节前胡 *Peucedanum dielsianum* Fedde ex Wolff

| 药 材 名 | 川防风。

| 形态特征 | 多年生草本，高 60 ~ 90 cm。根颈粗壮而长，上端直径 1 ~ 2.5 cm，存留多数枯鞘纤维，下端圆柱形延长，长 6 ~ 10 cm，木质化，表皮灰褐色，有明显节痕，节间的皮层呈纵向细条裂状，但不剥落，埋于地下；根较细且短，有时分叉，无节痕。基生叶数片，具长柄，叶柄长 6 ~ 22 cm，圆柱形，坚实，劲直，平滑无毛，基部有较短的卵状叶鞘；叶片广三角状卵形，3 回羽状分裂或全裂，长 10 ~ 30 cm，宽 9 ~ 26 cm，1 回羽片 5 ~ 7 对，下部 1 对羽片柄最长，长 2.5 ~ 7 cm，向上柄渐短，至先端无柄，2 回羽片 1 ~ 4 对，下部的小羽片具柄，上部的小羽片无柄，末回裂片卵状披针形，基

部渐狭，或为菱形，基部带楔形，有时为长椭圆形至线形，边缘具 1 ～ 3 锯齿或呈不规则的浅裂或深裂状，长 1 ～ 3（～ 4）cm，宽 0.4 ～ 1.5 cm，质厚，略带革质，上表面主脉轻微凸起，主脉基部有少许短毛，网状脉细且清晰，下表面粉绿色，叶脉轻微凸起，边缘反曲，叶轴有槽并有稀疏短毛；茎生叶形状与基生叶相同，但较小，分裂次数向上逐渐减少，末回裂片狭且短。茎圆柱形，髓部充实，有纵长细条纹轻微凸起，有光泽，平滑无毛。复伞形花序顶生或侧生于叶腋中，花序梗粗短，伞形花序直径 4 ～ 8 cm；无总苞片或偶有 1 ～ 2，线形，膜质；伞幅 12 ～ 26，不等长，长 1 ～ 4 cm，四棱形，内侧有鳞片状短毛，果期伞幅十分开展；每小伞形花序有花 10 ～ 20 余；小总苞片 2 ～ 4，线形至锥形，膜质，比花梗短，花梗及果柄有细小鳞片状毛；花瓣长圆形，弯曲，小舌片细长内折，白色；萼齿细小不显著；花柱细且短，弯曲，花柱基圆锥形。分生果长椭圆形，长约 6 mm，宽约 3 mm，背部扁压，无毛，背棱及中棱线形凸起，侧棱扩展成宽翅，翅较厚；棱槽内有油管 1 ～ 2，合生面有油管 4 ～ 6；胚乳腹面微凹。花期 7 ～ 8 月，果期 9 ～ 10 月。

| 生境分布 | 生于海拔 600 ～ 1 500 m 的山坡湿润岩石上。湖北有分布。

| 采收加工 | **根：**春、秋季采挖，洗净，晒干。

| 功能主治 | 发表祛风，胜湿止痛。用于风寒感冒，感冒夹湿，头痛，昏眩，寒湿腹痛，泄泻，风湿痹痛，四肢拘挛，破伤风，目赤，疮疡，疝瘕，疥癣，风疹。

伞形科 Umbelliferae 前胡属 *Peucedanum*

广西前胡 *Peucedanum guangxiense* Shan et Sheh

| 药材名 | 土防风。

| 形态特征 | 多年生草本。高 30 ~ 80 cm。根颈长而粗壮，木质化，老株常呈指状分枝，形成多头多茎，表皮灰棕色；根圆柱形，常呈扭曲状，直径 0.5 ~ 1.2 cm，长 10 ~ 15 cm，褐色或灰褐色。茎多数，圆柱形，坚实，直径 0.2 ~ 0.5 cm，平滑无毛，有稍凸起的纵长细条纹，下部开始分枝，分枝呈二歧式。基生叶多数，具长柄，叶柄长 3 ~ 18 cm；叶片卵状长圆形，长 3 ~ 14 cm，宽 2 ~ 8 cm，2 回羽状分裂，具一回羽片 2 ~ 4 对，下部 1 对羽柄较长，向上渐短以至无柄，末回裂片卵形、卵圆形或歪斜卵形，先端渐尖或急尖，基部楔形、截形或近圆形，长 1 ~ 4 cm，宽 0.6 ~ 3 cm，边缘具不整齐钝锯齿，

有时呈 2 ~ 3 浅裂状，质厚，略带革质，上表面绿色，有光泽，主脉稍凸起，网状脉凹陷，下表面浅绿色，叶脉凸起，两面无毛；茎上部叶无柄，细小，叶片 1 回羽状分裂。复伞形花序生于茎和分枝的先端，花序梗先端有极短棕色绒毛，无总苞片或偶有 1 片，线形，膜质，伞形花序直径 3 ~ 7 cm，伞辐 7 ~ 13，四棱形，有棕色短绒毛；每小伞形花序有花 14 ~ 28，具小总苞片 3 ~ 5，线状披针形，大小不等，比花梗短；花梗粗，长 2 ~ 3 mm，有短绒毛：花瓣长圆形，小舌片内曲，白色，中肋黄色，外部有短毛；花柱弯曲，花柱基圆锥形；萼齿钻形。分生果长椭圆形，长 4 ~ 5 mm，宽 2 ~ 2.5 mm，幼时多绒毛，成熟时无毛或有短毛，背棱和中棱线形显著凸起，侧棱扩展成狭翅；棱槽内有油管 3 ~ 4，合生面有油管 6 ~ 10；胚乳腹面微内凹。花期 9 ~ 10 月，果期 10 ~ 12 月。

| 生境分布 | 生于海拔 300 m 左右的石灰质山坡疏灌丛下或石隙中。湖北有分布。

| 采收加工 | **根**：栽后 2 ~ 3 年秋、冬季挖取，除去地上茎及泥土，晒干。

| 功能主治 | 宣散风热，下气，消痰。用于风热头痛，痰热咳喘，呕逆，胸膈满闷。

伞形科 Umbelliferae 前胡属 *Peucedanum*

鄂西前胡 *Peucedanum henryi* Wolff

| 药材名 | 前胡。

| 形态特征 | 植株高约 50 cm。根长纺锤形，不分枝，直径约 1 cm，木质化。茎圆柱形，坚硬，略呈空管状，分枝稀疏而细长。基生叶小，叶柄与叶片近等长，具极短叶鞘；叶片三出式 3 回分裂，羽片具长柄，小叶楔状倒卵形或卵形，长达 20 cm，宽 14 cm，但通常都较小，无柄或具短柄，坚实，下表面粉绿色，近深裂，具狭裂片或小裂片。伞形花序很少，花序梗和伞辐等长；无总苞片和小总苞片；伞辐 5 ~ 6，不等长，长达 5 cm，最后叉开；小伞形花序有花近 20，花梗丝状，近等长；萼齿显著，细小；花瓣长圆形，非常弯曲，先端细，小舌片内曲，淡黄色至黄绿色，具及顶的分枝脉纹；花柱基非常发达，

圆锥形，花柱反曲。果实椭圆形，背部十分扁压，无毛且平滑，分生果有时弯曲，略呈肾形，背棱线形，侧棱极狭窄；棱槽内有油管 3 ~ 4，合生面有油管 4；胚乳腹面后期凹入。

| 生境分布 | 分布于湖北宜昌。

| 采收加工 | 同“广西前胡”。

| 功能主治 | 同“广西前胡”。

伞形科 Umbelliferae 前胡属 *Peucedanum*

华中前胡 *Peucedanum medicum* Dunn

| 药 材 名 | 光头前胡。

| 形态特征 | 多年生草本，高 0.5 ~ 2 m。根颈长，圆柱形，直径 1 ~ 1.2 cm，有明显环状叶痕，表皮灰棕色，略带紫色；根圆柱形，下部常有 3 ~ 5

分叉，表皮粗糙，有不规则纵沟纹。茎圆柱形，多细条纹，光滑无毛。叶具长柄，基部有宽阔叶鞘；叶片广三角状卵形，长 14 ~ 40 cm，宽 7 ~ 20 cm，2 ~ 3 回三出分裂或 2 回羽状分裂，第 1 回羽片 3 ~ 4 对，下面 1 对具长柄，羽片 3 全裂，两侧裂片斜卵形，长 2 ~ 5 cm，宽 1.5 ~ 5 cm，中间裂片卵状菱形，3 浅裂或深裂，较两侧裂片长，略带革质，上表面绿色有光泽，下表面粉绿色，边缘具粗大锯齿，锯齿端有小尖头，网状脉明显，背面较凸起，主脉上有短毛。伞形花序直径 7 ~ 15 cm，中央花序有大至 20 cm 者；伞幅 15 ~ 30 或更多，不等长；总苞片早脱落；小总苞片多数，线状披针形，比花梗短；小伞形花序有花 10 ~ 30，伞幅及花梗均有短柔毛；花瓣白色；花柱基圆锥形。果实椭圆形，背部扁压，长 6 ~ 7 mm，宽 3 ~ 4 mm，褐色或灰褐色，中棱和背棱线形凸起，侧棱呈狭翅状，每棱槽内有油管 3，合生面有油管 8 ~ 10。花期 7 ~ 9 月，果期 10 ~ 11 月。

| **生境分布** | 生于海拔 700 ~ 2 000 m 的山坡草丛中和湿润的岩石上。湖北有分布。

| **采收加工** | **根及根茎：**冬季地上部分枯萎时或开花前采挖，除去茎叶，洗净，晒干或炕干。

| **功能主治** | 宣肺祛痰，降气止咳，定惊。用于感冒，咳嗽，痰喘，胸闷，风湿痛，小儿惊风。

伞形科 Umbelliferae 前胡属 *Peucedanum*

白花前胡 *Peucedanum praeruptorum* Dunn

| 药 材 名 |

前胡。

| 形态特征 |

多年生草本，高 60 ~ 100 cm。根圆锥形，有少数侧根，表面黄褐色至棕黑色，根头处残留多数棕褐色叶鞘纤维。茎直立，圆柱形，上部分枝，被短柔毛，下部无毛。基生叶有长柄，基部扩大成鞘状，抱茎；叶片宽三角状卵形，三出分裂或 2 ~ 3 回羽状分裂，长 15 ~ 20 cm，宽 1 ~ 2 cm，第 1 回羽片 2 ~ 3 对，最下方的 1 对羽片有长柄，柄长 3.5 ~ 6 cm，其他羽片有短柄或无柄；末回裂片菱状倒卵形，先端渐尖，基部楔形至截形，边缘具不整齐的 3 ~ 4 粗锯齿或圆锯齿，有时下部锯齿呈浅裂或深裂状，下表面叶脉明显凸起；茎生叶和基生叶相似，较小；茎上部叶无柄，叶片三出分裂，裂片狭窄，基部楔形，中间 1 裂片基部下延。复伞形花序顶生或侧生；伞幅 6 ~ 18，不等长，长 1.5 ~ 4.5 cm，有柔毛；总苞片 1 至数片，花后脱落，线状披针形，边缘膜质，有柔毛；小伞形花序有花 15 ~ 20，花梗不等长，有柔毛；小总苞片 7 ~ 12，卵状披针形，先端长渐尖，与花梗等长或超过花梗；萼齿不

显著；花瓣 5，白色，广卵形至近圆形；雄蕊 5；子房下位，花柱短，弯曲，花柱基圆锥形。双悬果卵圆形，背部扁压，棕色，背棱线形稍凸起，侧棱呈翅状，比果体狭，稍厚，棱槽内有油管 3 ~ 5，合生面有油管 6 ~ 10；胚乳腹面平直。花期 7 ~ 9 月，果期 10 ~ 11 月。

| 生境分布 | 生于海拔 250 ~ 2 000 m 的山坡林缘、路旁或半阴性的山坡草丛中。湖北有分布。

| 采收加工 | **根：**栽后 2 ~ 3 年秋、冬季采挖，除去地上茎及泥土，晒干。

| 功能主治 | 疏散风热，降气化痰。用于外感风热，肺热痰郁，咳喘痰多，痰黄黏稠，呃逆食少，胸膈满闷。

伞形科 Umbelliferae 前胡属 *Peucedanum*

石防风 *Peucedanum terebinthaceum* (Fisch. ex Trevir.) Fisch. ex Turcz.

药材名

石防风。

形态特征

多年生草本，高 40 ~ 120 cm。根颈稍粗，残存棕褐色叶鞘纤维；根长圆锥形，直径 0.5 ~ 1.2 cm，表皮灰褐色。茎直立，具纵条纹，下部无毛，上部有时有微细柔毛。基生叶叶柄长 8 ~ 20 cm；叶片椭圆形至三角状卵形，长 6 ~ 18 cm，宽 5 ~ 15 cm，2 回羽状全裂，末回裂片披针形或卵状披针形，基部楔形，边缘浅裂或具 2 ~ 3 锯齿，长 0.8 ~ 1.2 cm，两面均无毛或仅叶脉基部有糙毛；茎生叶与基生叶同形，但较小，无叶柄，仅有抱茎的宽阔叶鞘。复伞形花序顶生和侧生；花序梗长 3 ~ 15 cm；伞幅 8 ~ 20，带棱角近方形；总苞片 0 ~ 2，线状披针形；小总苞片 6 ~ 10，线形；花白色；萼齿细长锥形；花瓣倒心形；花柱基圆锥形，花柱向下弯曲。分生果卵状椭圆形，长 3 ~ 4 mm，宽 2 ~ 3 mm，背棱和中棱线形凸起，侧棱翅状；每棱槽内有油管 1，合生面有油管 2。花期 7 ~ 9 月，果期 9 ~ 10 月。

| 生境分布 |　生于山坡草地、林下、林缘及山地草丛中。湖北有分布。

| 采收加工 |　**根**：秋季采挖，洗净，晒干。

| 功能主治 |　散风清热，降气祛痰。用于感冒，咳嗽，痰喘，头风眩痛。

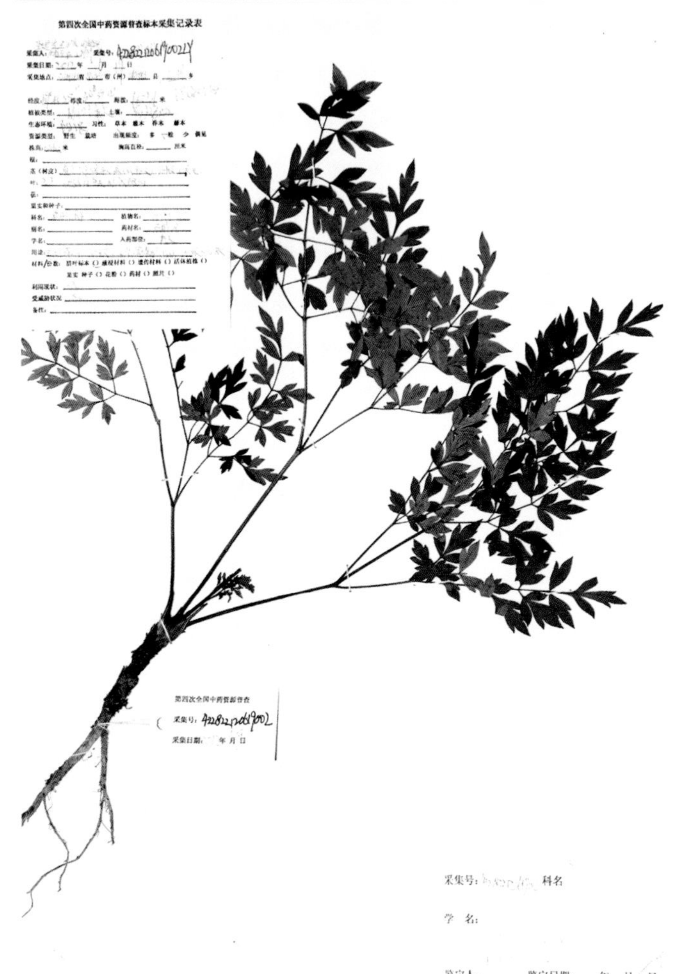

伞形科 Umbelliferae 前胡属 *Peucedanum*

宽叶石防风 *Peucedanum terebinthaceum* var. *deltoideum* (Makino ex Yabe) Makino

| 药材名 | 宽叶石防风。

| 形态特征 | 本种与原变种石防风的区别在于本种植株较高大，叶片较宽，阔三角状卵形，末回裂片也较宽，边缘锯齿粗大，叶质较硬而厚。

| 生境分布 | 生于林下灌丛中。湖北有分布。

| 采收加工 | **根：**秋季采挖，洗净晒干。

| 功能主治 | 解表散寒，祛风除湿。用于感冒，风湿痹痛。

伞形科 Umbelliferae 茴芹属 *Pimpinella*

锐叶茴芹 *Pimpinella arguta* Diels

| 药 材 名 | 锐叶茴芹。

| 形态特征 | 多年生草本，高 0.4 ~ 1 m。根圆柱形。茎直立，上部有 1 ~ 2 分枝。基生叶有柄，长约 10 cm；叶片 2 回三出分裂或三出 2 回羽状分裂，末回裂片卵形、倒卵形，长 2 ~ 6 cm，宽 1 ~ 3 cm，基部楔形，先端通常尖尾状，或渐尖，边缘有锐锯齿，背面叶脉上有毛；茎中部叶、茎下部叶与基生叶同形；茎上部叶较小，无柄，叶片 3 裂，裂片卵状披针形或披针形。总苞片 2 ~ 6，线形、披针形或无；伞幅 9 ~ 20，不等长，长 2 ~ 7 cm；小总苞片 3 ~ 8，线形，短于果柄；小伞形花序有花 10 ~ 25；萼齿三角形或披针形；花瓣卵形或倒卵形，白色，基部楔形，先端凹陷，有内折的小舌片；花柱基圆

锥形，花柱长于花柱基，向两侧弯曲。果实卵形，有的仅 1 分生果发育，长约 4 mm，无毛，果棱不明显；每棱槽内有油管 3，合生面有油管 4；胚乳腹面平直。花果期 6 ～ 9 月。

| **生境分布** | 生于海拔 1 500 ～ 3 100 m 的山地沟谷中或林缘草地上。湖北有分布。

| **功能主治** | **根**：清热解毒，止泻。

伞形科 Umbelliferae 茴芹属 *Pimpinella*

异叶茴芹 *Pimpinella diversifolia* DC.

| 药 材 名 |

鹅脚板。

| 形态特征 |

多年生草本，高 0.3 ~ 2 m。通常为须根，稀为圆锥状根。茎直立，有条纹，被柔毛，中上部分枝。叶异形，基生叶有长柄，包括叶鞘长 2 ~ 13 cm；叶片三出分裂，裂片卵圆形，两侧裂片基部偏斜，先端裂片基部心形或楔形，长 1.5 ~ 4 cm，宽 1 ~ 3 cm，稀不分裂或羽状分裂，纸质；茎中部叶片、茎下部叶片三出分裂或羽状分裂；茎上部叶较小，有短柄或无柄，具叶鞘，叶片羽状分裂或 3 裂，裂片披针形，全部裂片边缘有锯齿。通常无总苞片，稀 1 ~ 5，披针形；伞辐 6 ~ 15（~ 30），长 1 ~ 4 cm；小总苞片 1 ~ 8，短于花梗；小伞形花序有花 6 ~ 20，花梗不等长；无萼齿；花瓣倒卵形，白色，基部楔形，先端凹陷，小舌片内折，背面有毛；花柱基圆锥形，花柱长为花柱基的 2 ~ 3 倍，幼果期直立，以后向两侧弯曲。幼果卵形，有毛，成熟的果实卵球形，基部心形，近无毛，果棱线形；每棱槽内有油管 2 ~ 3，合生面有油管 4 ~ 6；胚乳腹面平直。花果期 5 ~ 10 月。

| 生境分布 | 生于海拔 160 ~ 3 100 m 的山坡草丛中、沟边或林下。湖北有分布。

| 采收加工 | **全草：**夏、秋季采收，除去杂质，晒干或鲜用。

| 功能主治 | 散瘀，消肿，解毒。用于毒蛇咬伤，蜂蜇伤。

伞形科 Umbelliferae 茴芹属 *Pimpinella*

菱叶茴芹 *Pimpinella rhomboidea* Diels

|药材名|

菱叶茴芹。

|形态特征|

多年生草本，高 0.5 ~ 1 m。根圆柱形，长 10 ~ 20 cm，直径约 1 cm。茎直立，有条纹，2 ~ 4 分枝。基生叶少，叶柄长 10 ~ 20 cm；叶片 2 回三出分裂，两侧裂片卵形或长卵形，长 5 ~ 8 cm，宽 2 ~ 5 cm，基部楔形或截形，先端渐尖，中间裂片宽卵形或菱形，长 7 ~ 9 cm，宽 3 ~ 9 cm，基部楔形，先端尖尾状；茎中部叶、茎下部叶与基生叶同形，向上逐渐变小；茎上部叶无柄，叶片 3 裂，全部裂片边缘有不规则的缺刻状齿或粗齿，沿叶脉有毛。花序直径 5 ~ 10 cm，无总苞片，或偶有 1 ~ 5，线形；伞幅 10 ~ 25，近等长，长 2 ~ 6.5 cm；小总苞片 2 ~ 5，线形，近等长或短于花梗；花杂性，小伞形花序有花 15 ~ 30；无萼齿；花瓣长圆形，白色，基部楔形，先端全缘或微凹；花柱基圆锥形，果实成熟后花柱向两侧弯曲，长约为果实的 1/2。果柄长 3 ~ 5 mm；果实卵球形，基部心形，果棱不明显，无毛；每棱槽内有油管 3，合生面有油管 6；胚乳腹面微凹。花果期 5 ~ 9 月。

| **生境分布** | 生于海拔 1 200 ~ 3 100 m 的林下、沟边灌丛或草地上。湖北有分布。

| **功能主治** | **根：**消肿止痛。

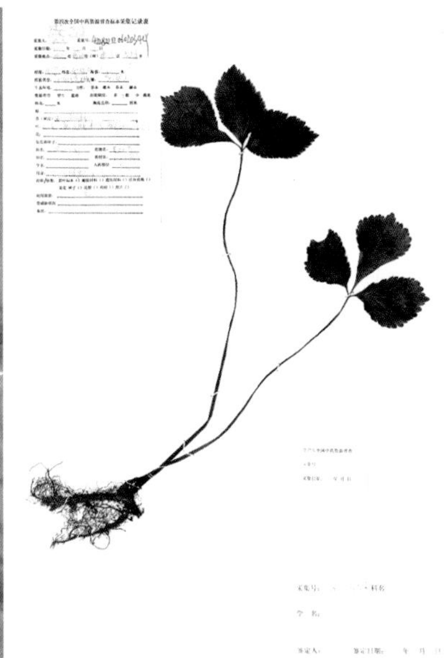

伞形科 Umbelliferae 囊瓣芹属 *Pternopetalum*

囊瓣芹 *Pternopetalum davidii* Franch.

| 药 材 名 | 囊瓣芹。

| 形态特征 | 多年生草本，高 20 ~ 45 cm。根茎棕褐色，具节，根粗线状。茎 1 ~ 3 个，中部以上的茎一般只有 1 叶片，少数有 2。基生叶有长柄，叶柄纤细，长 8 ~ 15 cm，有稀疏的柔毛，基部有深褐色宽膜质叶鞘；叶片 2 回三出分裂，裂片有柄或近无柄；有粗伏毛，卵形、长卵形或菱形，基部截形或略呈楔形，全缘，中部以上有钝齿或锯齿，先端短尖至长尖，沿叶脉两侧有粗伏毛；茎生叶无柄或有短柄，与基生叶同形。复伞形花序有长花序梗；无总苞片；伞幅 6 ~ 25，通常 15 ~ 20，果实成熟时长 3 ~ 3.5 cm，一侧密生粗伏毛；小总苞片 2 ~ 3，线状披针形；小伞形花序有花 2 ~ 4，花梗一侧有粗伏

毛；萼齿钻形，不等长；花瓣白色，长倒卵形，先端微凹，有内折的小舌片，基部狭窄；花药深紫蓝色，花柱基圆锥形，花柱比花柱基长，直立。果实圆卵形，成熟后直径约 3 mm，果棱上具丝状细齿，每棱槽内有油管通常 1。花果期 4 ～ 10 月。

| 生境分布 | 生于海拔 1 500 ～ 3 000 m 的山间谷地和林下。湖北有分布。

| 功能主治 | 活血祛瘀。用于瘀证，尤对妇科瘀证及外伤瘀证效佳。

伞形科 Umbelliferae 翅棱芹属 *Pterygopleurum*

脉叶翅棱芹 *Pterygopleurum neurophyllum* (Maxim.) Kitag.

| 药 材 名 | 脉叶翅棱芹。

| 形态特征 | 多年生草本。光滑。根纺锤形。茎直立，高 70 ~ 100 cm，有槽纹。叶柄基部有叶鞘；叶片卵圆形，长 10 ~ 14 cm，1 ~ 2 回羽状分裂

或三出羽状分裂，末回裂片线形或线状披针形，长 2.5 ～ 10 cm。复伞形花序顶生或侧生；总苞片 5 ～ 6，线形，长 3 ～ 8 mm；伞辐 6 ～ 8，长 2 ～ 3.5 cm；小总苞片数片，狭窄，长 1 ～ 3 mm；花瓣白色；萼齿倒披针形，长约 0.4 mm；花柱基扁圆锥形。果实椭圆形或圆形，长约 3 mm，宽约 2.5 mm，光滑，侧面略扁。果棱显著，有翅，基部膨大，分生果的横剖面近圆形；每棱槽中有油管 1，合生面有油管 2；胚乳腹面近平直，心皮柄 2 裂。花期 9 ～ 11 月。

| **生境分布** | 生于山坡沟旁潮湿地区。湖北有分布。

| **功能主治** | **根茎**：补气养血，疏经通络。

伞形科 Umbelliferae 变豆菜属 *Sanicula*

变豆菜 *Sanicula chinensis* Bunge

| 药材名 | 变豆菜。

| 形态特征 | 多年生草本，高达 1 m。根茎粗而短，斜生或近直立，有许多细长的支根。茎粗壮或细弱，直立，无毛，有纵沟纹，下部不分枝，上部重复叉状分枝。基生叶少数，近圆形、圆肾形至圆心形，通常 3 裂，很少 5 裂，中间裂片倒卵形，基部近楔形，长 3 ~ 10 cm，宽 4 ~ 13 cm，主脉 1，无柄，或有 1 ~ 2 mm 长的短柄，两侧裂片通常各有 1 深裂，很少不裂，裂口深达基部的 1/3 ~ 3/4，

内裂片的形状、大小同中间裂片，外裂片披针形，大小约为内裂片的 1/2，所有裂片表面绿色，背面淡绿色，边缘有大小不等的重锯齿；叶柄长 7 ～ 30 cm，稍扁平，基部有透明的膜质鞘；茎生叶逐渐变小，有柄或近无柄，通常 3 裂，裂片边缘有大小不等的重锯齿。花序 2 ～ 3 回叉式分枝，侧枝向两边开展伸长，中间的分枝较短，长 1 ～ 2.5 cm，总苞片叶状，通常 3 深裂；伞形花序二至三出；小总苞片 8 ～ 10，卵状披针形或线形，长 1.5 ～ 2 mm，宽约 1 mm，先端尖；小伞形花序有花 6 ～ 10，雄花 3 ～ 7，稍短于两性花，花梗长 1 ～ 1.5 mm；萼齿窄线形，长约 1.2 mm，宽 0.5 mm，先端渐尖；花瓣白色或绿白色，倒卵形至长倒卵形，长 1 mm，宽 0.5 mm，先端内折；花丝与萼齿等长或稍长于萼齿；两性花 3 ～ 4，无柄；萼齿和花瓣的形状、大小同雄花；花柱与萼齿等长，很少超过萼齿。果实圆卵形，长 4 ～ 5 mm，宽 3 ～ 4 mm，先端萼齿呈喙状凸出，皮刺直立，先端钩状，基部膨大；果实的横剖面近圆形；胚乳腹面略凹陷；有油管 5，中型，合生面通常 2，大而显著。花果期 4 ～ 10 月。

| 生境分布 | 生于海拔 200 ～ 2 300 m 的阴湿的山坡路旁、杂木林下、竹园边、溪边等草丛中。湖北有分布。

| 采收加工 | **全草**：夏、秋季采收，鲜用或晒干。

| 功能主治 | 解毒，止血。用于咽痛，咳嗽，月经过多，尿血，外伤出血，疮痈肿毒。

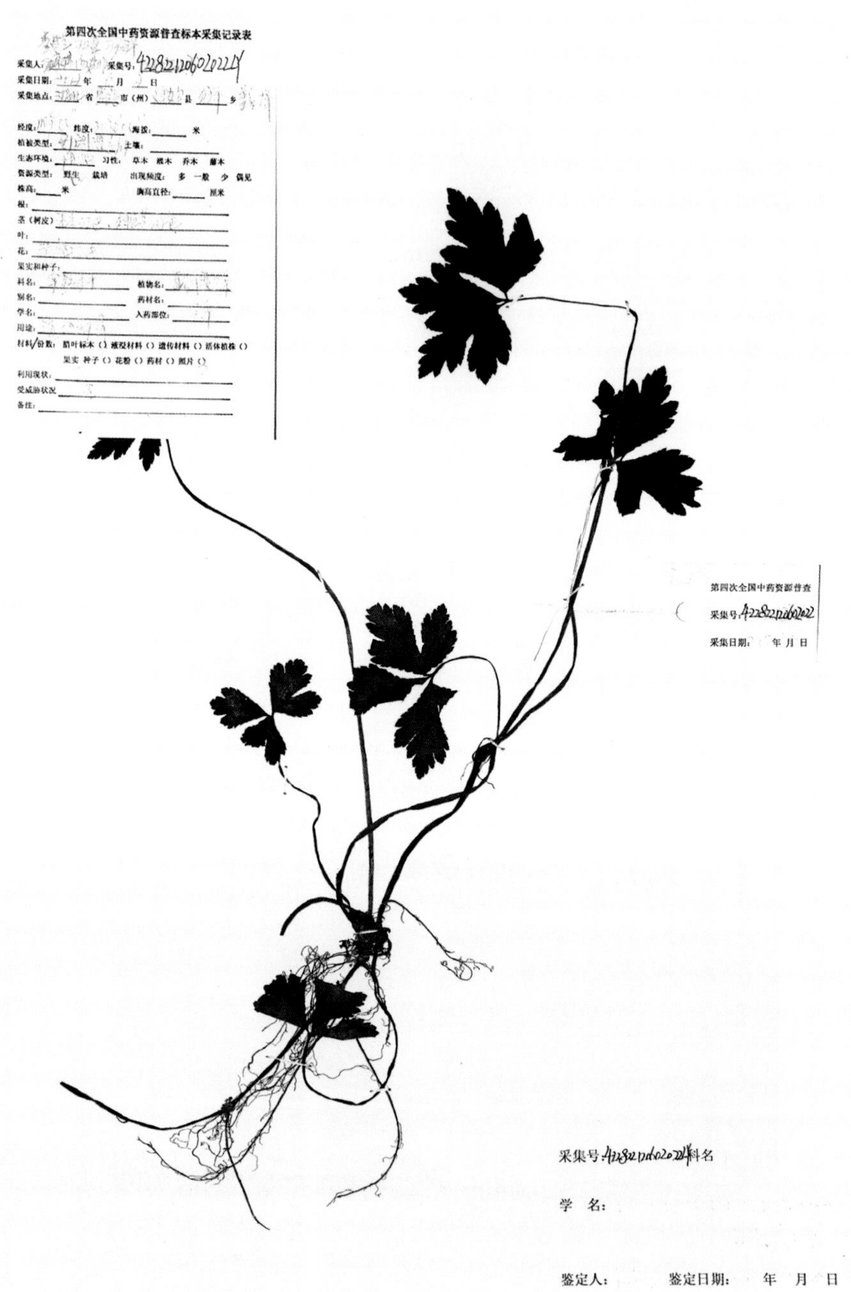

第四次全国中药资源普查标本采集记录表
第四次全国中药资源普查
学 名：
鉴定人： 鉴定日期： 年 月 日

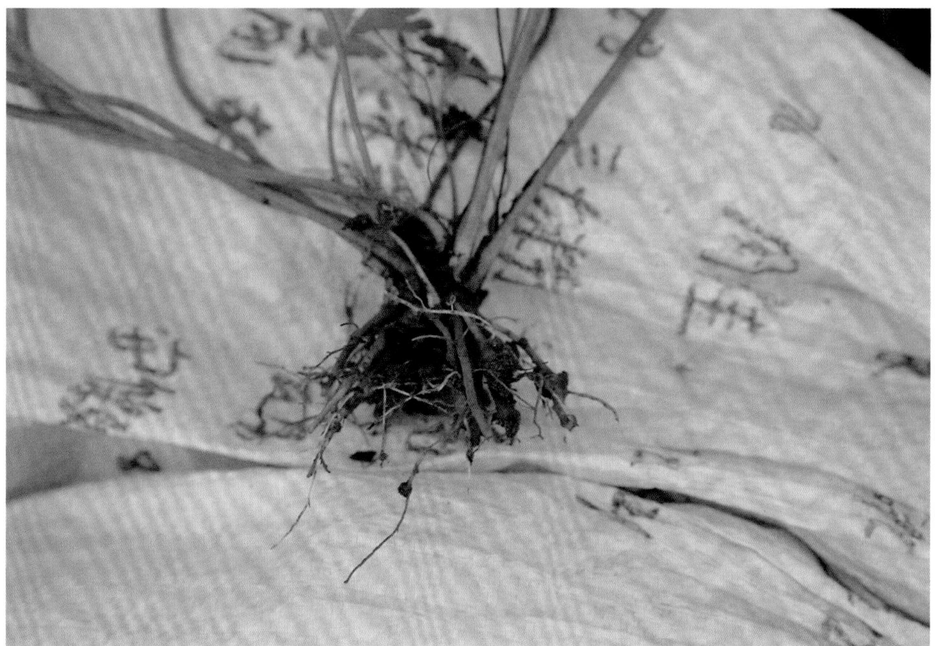

伞形科 Umbelliferae 变豆菜属 *Sanicula*

薄片变豆菜 *Sanicula lamelligera* Hance

| 药 材 名 |

大肺筋草。

| 形态特征 |

多年生矮小草本，高 13 ~ 30 cm。根茎短，有结节，侧根多数，细长，棕褐色。茎 2 ~ 7，直立，细弱，上部有少数分枝。基生叶圆心形或近五角形，长 2 ~ 6 cm，宽 3 ~ 9 cm，掌状 3 裂，中间裂片楔状倒卵形或椭圆状倒卵形至菱形，长 2 ~ 6 cm，宽 1 ~ 3 cm，上部 3 浅裂，基部楔形，有短柄，侧面裂片阔卵状披针形或斜倒卵形，通常 2 深裂或在外侧边缘有 1 缺刻，所有的裂片表面绿色，背面淡绿色或紫红色；叶柄长 4 ~ 18 cm，基部有膜质鞘；最上部的茎生叶小，3 裂至不分裂，裂片线状披针形或倒卵状披针形，长 3 ~ 15（~ 20）mm，宽 1 ~ 10 mm，先端渐尖。花序通常 2 ~ 4 回二叉分枝或 2 ~ 3 叉，分叉间的小伞形花序短缩；总苞片细小，线状披针形，长 1.5 ~ 3 mm；伞幅 3 ~ 7，长 2 ~ 10 mm；小总苞片 4 ~ 5，线形；小伞形花序有花 5 ~ 6，通常 6；雄花 4 ~ 5，花梗长 2 ~ 3 mm；萼齿线形或呈刺毛状，长约 1 mm；花瓣白色、粉红色或淡蓝紫色，倒卵形，基部渐窄，先端内凹；

花丝比萼齿长 1 ~ 1.5 倍；两性花 1，无柄；萼齿和花瓣的形状同雄花，花柱略长于花丝，向外反曲。果实长卵形或卵形，长 2.5 mm，宽 2 mm，幼果表面有啮蚀状或微波状的薄层，成熟后成短且直的皮刺，皮刺不呈钩状，基部连成薄片；分生果的横剖面呈圆形；油管 5，中等大小；胚乳腹面平直。花果期 4 ~ 11 月。

| **生境分布** | 生于海拔 510 ~ 2 000 m 的山坡林下、沟谷、溪边、海边湿地、路旁竹林下或阴湿杂木林下及湿润的砂质土壤。湖北有分布。

| **采收加工** | **全草：**夏、秋季采收，洗净，鲜用或晒干。

| **功能主治** | 祛风发表，化痰止咳，活血调经。用于感冒，咳嗽，哮喘，月经不调，经闭，痛经，疮肿，跌打肿痛，外伤出血。

伞形科 Umbelliferae 变豆菜属 *Sanicula*

直刺变豆菜 *Sanicula orthacantha* S. Moore

| 药 材 名 | 黑鹅脚板。

| 形态特征 | 多年生草本，高 8 ~ 35（~ 50）cm。根茎短且粗壮，斜生，直径 0.5 ~ 1 cm，侧根多数，细长。茎 1 ~ 6，直立，上部分枝。基生叶少至多数，圆心形或心状五角形，长 2 ~ 7 cm，宽 3.5 ~ 7 cm，掌状 3 全裂，中间裂片楔状倒卵形或菱状楔形，长 2 ~ 7 cm，宽 1 ~ 4 cm，基部有短柄或近无柄，侧面裂片斜楔状倒卵形，通常 2 裂至中部或近基部，内裂片的形状同中间裂片，外裂片较小，所有的裂片表面绿色，背面淡绿色或沿脉处呈淡紫红色，先端 2 ~ 3 浅裂，边缘有不规则的锯齿或刺毛状齿；叶柄长 5 ~ 26 cm，细弱，基部有阔的膜质鞘；茎生叶略小于基生叶，有柄，掌状 3 全裂。花序通常 2 ~ 3

分枝，在分叉间或在侧枝上有时有 1 短缩的分枝；总苞片 3 ~ 5，大小不等，长约 2 cm；伞形花序 3 ~ 8；伞幅长 3 ~ 8 mm；小总苞片约 5，线形或钻形；小伞形花序有花 6 ~ 7，雄花 5 ~ 6，通常 5；花梗长 2 ~ 3.5 mm；萼齿窄线形或刺毛状，长 0.5 ~ 1 mm，先端尖锐；花瓣白色、淡蓝色或紫红色，倒卵形，长 1 ~ 1.8 mm，宽 0.8 ~ 1.2 mm，先端内凹的舌片呈三角状；花丝略长于花瓣；两性花 1，无柄；萼齿和花瓣形状同雄花；花柱长 3.5 ~ 4 mm，向外反曲。果实卵形，长 2.5 ~ 3 mm，宽 2.2 ~ 5 mm，外面有直而短的皮刺，皮刺不呈钩状，有时皮刺基部连成薄层；分生果侧扁，横剖面略呈圆形；油管不明显。花果期 4 ~ 9 月。

| 生境分布 | 生于海拔 260 ~ 3 100 m 的山涧林下、路旁、沟谷及溪边。湖北有分布。

| 采收加工 | **全草或根**：春、夏季采收，洗净，鲜用或晒干。

| 功能主治 | 清热解毒，益肺止咳，祛风除湿，活血通络。用于麻疹后热毒未尽，肺热咳喘，顿咳，劳嗽，耳热瘙痒，头痛，疮肿，风湿关节痛，跌打损伤。

伞形科 Umbelliferae 防风属 *Saposhnikovia*

防风 *Saposhnikovia divaricata* (Turcz.) Schischk.

| 药 材 名 |

防风。

| 形态特征 |

多年生草本。高 30 ~ 80 cm。根粗壮，细长圆柱形，分歧，淡黄棕色；根头处被有纤维状叶残基及明显的环纹。茎单生，自基部分枝较多，斜上升，与主茎近等长，有细棱，基生叶丛生，有扁长的叶柄，基部有宽叶鞘。叶片卵形或长圆形，长 14 ~ 35 cm，宽 6 ~ 8（~ 18）cm，2 回或近 3 回羽状分裂，第 1 回裂片卵形或长圆形，有柄，长 5 ~ 8 cm；第 2 回裂片下部具短柄，末回裂片狭楔形，长 2.5 ~ 5 cm，宽 1 ~ 2.5 cm。茎生叶与基生叶相似，但较小，顶生叶简化，有宽叶鞘。复伞形花序多数，生于茎和分枝，先端花序梗长 2 ~ 5 cm；伞幅 5 ~ 7，长 3 ~ 5 cm，无毛；小伞形花序有花 4 ~ 10；无总苞片；小总苞片 4 ~ 6，线形或披针形，先端长，长约 3 mm，萼齿短三角形；花瓣倒卵形，白色，长约 1.5 mm，无毛，先端微凹，具内折小舌片。双悬果狭圆形或椭圆形，长 4 ~ 5 mm，宽 2 ~ 3 mm，幼时有疣状突起，成熟时渐平滑；每棱槽内通常有油管 1，合生面油管 2；胚乳腹面平坦。花期

8 ~ 9 月，果期 9 ~ 10 月。

| **生境分布** | 生于草原、丘陵、多砾石山坡。湖北有分布。

| **采收加工** | **根：**在 10 月下旬至 11 月中旬或春季萌芽前采收。用种子繁殖的防风，翌年就可收获；春季分根繁殖的防风，在水肥充足、生长茂盛的条件下，当根长 30 cm、直径 1.5 cm 以上时，当年即可采收。秋播的于翌年 10 ~ 11 月采收。采收时须从畦一端开深沟，按顺序挖掘，根挖出后除去残留茎和泥土。每亩可收干品药材 200 ~ 300 kg。

| **功能主治** | 祛风解表，胜湿止痛，止痉。用于感冒头痛，风湿痹痛，风疹瘙痒，破伤风。

伞形科 Umbelliferae 东俄芹属 *Tongoloa*

宜昌东俄芹 *Tongoloa dunnii* (de Boiss.) Wolff

| 药材名 |

宜昌东俄芹。

| 形态特征 |

多年生草本，高 50 ~ 70 cm。根短，褐色。茎直立，有细条纹，疏生分枝。较下部的茎生叶叶柄长 7 ~ 18 cm，基部扩大成膜质的叶鞘，叶鞘抱茎，长 1.5 ~ 3 cm；叶片近阔三角形，2 ~ 3 回羽状全裂或三出 2 回羽状全裂，第 1 回羽片有短柄，末回裂片狭线形，长 2 ~ 4.5 cm，宽 1.5 ~ 3 mm，全缘，中脉 1，边缘增厚；花序托叶为 1 回羽状分裂或成三出小叶，叶柄呈鞘状，边缘膜质。复伞形花序顶生或侧生，顶生的花序梗较粗壮，侧生的花序梗细弱；无总苞片和小总苞片；伞幅 7 ~ 17，长 3 ~ 6 cm；小伞形花序有花 10 ~ 25；萼齿呈卵形或阔卵形，直立；花瓣白色，长椭圆形至长倒卵形，长 1.2 ~ 2 mm，宽约 1 mm，先端无内折的小舌片；花丝与花瓣近等长或稍短，花药卵圆形；花柱在幼果时长于花柱基，向外反曲。分生果卵形至圆心形，长约 1.5 mm；主棱明显，果柄短而直。花期 8 月。

| **生境分布** | 生于山坡林下。湖北有分布。

| **功能主治** | 根，止血镇痛，活血散瘀，祛风湿，强筋骨。用于跌打损伤，外伤出血，风湿性肿腿痛及周身疼痛。

伞形科 Umbelliferae 东俄芹属 *Tongoloa*

城口东俄芹 *Tongoloa silaifolia* (de Boiss.) Wolff

| 药 材 名 | 太白三七。

| 形态特征 | 多年生草本。高 30 ~ 60 cm。主根短，圆锥形，褐色。茎直立，有分枝，表面有时略带淡紫色，除花序梗及伞辐先端粗糙外，其余平滑。基生叶和下部的茎生叶有柄，柄长 6 ~ 12 cm；叶鞘膜质抱茎，有脉数条；叶片呈阔披针形，长 5 ~ 8 cm，宽约 5 cm，2 ~ 3 回羽状分裂，第一回羽片有短柄，末回裂片长 5 ~ 10 mm，宽 1.5 ~ 2 mm，先端尖，边缘略增厚，中脉 1；茎上部的叶柄鞘状，叶片 1 ~ 2 回羽状分裂，裂片长 1.5 ~ 2.5 cm，宽约 1 mm，先端的裂片明显长于侧面的裂片，全缘；序托叶的叶柄呈鞘状，裂片 1 ~ 3，线形。复伞形花序顶生或侧生，顶生的花序梗较粗壮，侧生的花序梗细

弱；伞辐 8 ~ 22，近等长或不等长；小总苞片无或有时存在；小伞形花序有花 10 ~ 25，花梗不等长；萼齿细小，卵形或半圆形；花瓣紫红色，长倒卵形，长 1 ~ 1.2 mm，宽不过 0.8 mm，基部狭窄呈爪状，先端钝或向内微凹；花丝与花瓣近等长或稍短，花药卵圆形，紫红色；花柱基圆盘状，花柱短，向外反曲。分生果圆心形或阔卵形，长约 2 mm，主棱 5，丝状，合生面收缩；胚乳腹面微凹；每棱槽有油管 3。花果期 9 月。

| **生境分布** | 生于潮湿的草地。湖北有分布。

| **采收加工** | **根**：秋季采挖，除去茎叶及泥土，晒干。

| **功能主治** | 化瘀止血，祛风湿，强筋骨。用于跌打损伤，瘀血肿痛，外伤出血，崩漏，风湿痹痛，劳伤腰痛。

伞形科 Umbelliferae 窃衣属 *Torilis*

小窃衣 *Torilis japonica* (Houtt.) DC.

| 药材名 | 窃衣。

| 形态特征 | 一年或多年生草本，高 20 ~ 120 cm。主根细长，圆锥形，棕黄色，支根多数。茎有纵条纹及刺毛。叶柄长 2 ~ 7 cm，下部有窄膜质的叶鞘；叶片长卵形，1 ~ 2 回羽状分裂，两面疏生紧贴的粗毛，第 1 回羽片卵状披针形，长 2 ~ 6 cm，宽 1 ~ 2.5 cm，先端渐窄，边缘羽状深裂至全缘，有 0.5 ~ 2 cm 长的短柄，末回裂片披针形至长圆形，边缘有条裂状的粗齿至缺刻或分裂。复伞形花序顶生或腋生，花序梗长 3 ~ 25 cm，有倒生的刺毛；总苞片 3 ~ 6，长 0.5 ~ 2 cm，通常线形，极少叶状；伞幅 4 ~ 12，长 1 ~ 3 cm，开展，有向上的刺毛；小总苞片 5 ~ 8，线形或钻形，长 1.5 ~ 7 mm，宽 0.5 ~ 1.5 mm；

小伞形花序有花 4 ~ 12，花梗长 1 ~ 4 mm，短于小总苞片；萼齿细小，三角形或三角状披针形；花瓣白色、紫红色或蓝紫色，倒圆卵形，先端内折，长与宽均 0.8 ~ 1.2 mm，外面中间至基部有紧贴的粗毛；花丝长约 1 mm，花药圆卵形，长约 0.2 mm；花柱基部平压状或圆锥形，花柱幼时直立，果实成熟时向外反曲。果实圆卵形，长 1.5 ~ 4 mm，宽 1.5 ~ 2.5 mm，通常有内弯或呈钩状的皮刺；皮刺基部阔展，粗糙；胚乳腹面凹陷；每棱槽内有油管 1。花果期 4 ~ 10 月。

| 生境分布 | 生于海拔 150 ~ 3 060 m 的杂木林下、林缘、路旁、河沟边以及溪边草丛。湖北有分布。

| 采收加工 | **全草**：夏末秋初采收，晒干或鲜用。

| 功能主治 | 杀虫止泻，收湿止痒。用于虫积腹痛，泻痢，疮疡溃烂，阴痒带下，风湿疹。

伞形科 Umbelliferae 窃衣属 *Torilis*

窃衣 *Torilis scabra* (Thunb.) DC.

| 药 材 名 | 窃衣。

| 形态特征 | 总苞片通常无，很少有钻形或线形的苞片；伞幅 2 ~ 4，长 1 ~ 5 cm，粗壮，有纵棱及向上紧贴的粗毛。果实长圆形，长 4 ~ 7 mm，宽 2 ~ 3 mm。花果期 4 ~ 11 月。

| 生境分布 | 生于海拔 250 ~ 2 400 m 的山坡、林下、路旁、河边及空旷草地上。湖北有分布。

| 采收加工 | **果实或全草**：夏末秋初采收，晒干或鲜用。

| 功能主治 | 杀虫止泻，收湿止痒。用于虫积腹痛，泻痢，疮疡溃烂，阴痒带下，风湿疹。

山茱萸科 Cornaceae 桃叶珊瑚属 *Aucuba*

斑叶珊瑚 *Aucuba albopunctifolia* F. T. Wang

| 药 材 名 |

斑叶珊瑚。

| 形态特征 |

常绿灌木，高 1 ~ 2 m，稀为小乔木。二叉，少有三叉分枝，枝圆形，幼枝绿色，老枝黑褐色，无毛。叶厚纸质或近革质，倒卵形，稀长圆形，向基部渐窄，长 4 ~ 12 cm，宽 2 ~ 4.5 cm，上面绿色有光泽，具白色及淡黄色斑点，下面淡绿色，具小乳头状突起，两面无毛，叶柄长 7 ~ 20 mm，具细毛，边缘具疏齿，近基部全缘，中齿长约 0.5 cm，锐尖形，侧齿则退化为小锐尖头，齿间略向内弯，中脉在上面下凹，在下面凸起。雄花为顶生的圆锥花序，三叉分枝，花酱红色，总花梗和小花梗被短毛，花瓣 4，具长尖尾，雄蕊 4，花丝粗短；雌花为圆锥花序，近圆形，三叉分枝，生于枝顶或枝杈，通常由 6 ~ 15 花组成；总果柄、果柄或果实被黄色毛或全无毛。核果卵形或椭圆形，长 0.9 ~ 1.5 cm；种子 1。花期 6 月，果期 9 ~ 10 月。

| 生境分布 |

生于海拔 1 300 ~ 1 800 m 的林缘沟边岩缝中。分布于湖北兴山、神农架、保康。

| 资源情况 | 野生资源一般，栽培资源稀少。

| 功能主治 | 清热解毒，消炎止血。用于烫火伤，痔疮，跌打损伤，外伤出血。

山茱萸科 Cornaceae 桃叶珊瑚属 *Aucuba*

桃叶珊瑚 *Aucuba chinensis* Benth.

| 药 材 名 | 天脚板、天脚板果、天脚板根。

| 形态特征 | 常绿灌木或小乔木，高 2 ~ 6 m。小枝绿色，被柔毛，老枝具白色皮孔。叶对生，革质或厚革质，长椭圆形至倒卵状披针形，长 12 ~ 20 cm，宽 3 ~ 4 cm，先端渐尖或尾状渐尖，基部钝圆，全缘或中上部有疏齿，叶上面深绿色，下面淡绿色，中脉在上面微显著，在下面凸出，侧脉不下陷或微下陷。圆锥花序顶生，花序梗被柔毛，花瓣先端具短尖头，雄蕊花丝长，雄花紫红色。浆果长圆形，长 7 ~ 8 mm，熟时深红色。花期 5 ~ 6 月，果期 9 ~ 10 月。

| 生境分布 | 生于海拔 1 000 m 以下的常绿阔叶林中。分布于湖北宣恩、鹤峰、

恩施、秭归，以及宜昌。

| 资源情况 | 野生资源一般，栽培资源稀少。药材来源于野生。

| 采收加工 | **叶：**全年均可采摘，晒干或烘干，亦可鲜用。

果实：夏、秋季果实成熟时采摘，晒干或鲜用。

根：全年均可采挖，洗净，鲜用或晒干。

| 功能主治 | **叶：**清热解毒，消肿止痛。用于痈疽肿毒，痔疮，烫火伤，冻伤，跌打损伤。

果实：活血定痛，解毒消肿。用于跌打损伤，骨折，痈疽，痔疮，烫火伤。

根：祛风除湿，活血化瘀。用于风湿痹痛，跌打瘀肿。

山茱萸科 Cornaceae 桃叶珊瑚属 *Aucuba*

长叶珊瑚 *Aucuba himalaica* Hook. f. et Thoms. var. *dolichophylla* Fang et Soong

|药材名|

长叶珊瑚果。

|形态特征|

常绿小乔木或灌木，高 3 ~ 10 m。当年生枝被柔毛，老枝无毛，具白色皮孔。叶对生，厚纸质，狭披针形或披针形，长 9 ~ 18 cm，宽 1.5 ~ 3.5 cm，先端急尖或渐尖，边缘有细锯齿；叶脉在上面显著下凹，在下面凸出，被粗毛。花雌雄异株，雄花序为总状圆锥花序，生于小枝先端，花紫红色，花序梗及小花梗均密被毛；萼片小，微 4 圆裂，花瓣 4，长卵形，先端具尖尾；雄蕊 4，长 1 ~ 2.5 mm，花丝粗壮；花盘肉质，微 4 裂。雌花序为圆锥花序，密被粗毛及红褐色柔毛，紫红色；雌花萼片及花瓣与雄花相似；子房 1 室。浆果幼果时绿色，被疏毛，熟后深红色，卵状长圆形，长 1 ~ 1.2 cm，花柱及柱头宿存于果实先端。花期 4 ~ 5 月，果期 7 ~ 10 月。

|生境分布|

生于海拔 1 100 ~ 1 200 m 的山坡林中或沟边。分布于湖北宣恩、长阳、兴山。

| 资源情况 | 野生资源一般，栽培资源稀少。药材来源于野生。

| 采收加工 | **果实**：7 ~ 8 月果实成熟时采摘，晒干。

| 功能主治 | 祛风除湿，通络止痛。用于风湿痹痛，跌打肿痛。

山茱萸科 Cornaceae 桃叶珊瑚属 *Aucuba*

倒心叶珊瑚 *Aucuba obcordata* (Rehd.) Fu

| 药 材 名 | 倒心叶珊瑚。

| 形态特征 | 常绿灌木或小乔木，高 1 ~ 4 m。叶厚纸质，常为倒心形或倒卵形，长 8 ~ 14 cm，宽 4.5 ~ 8 cm，先端截形或倒心形，中央 1 齿长渐尖，两旁各齿渐次缩小，基部窄楔形，边缘具缺刻状粗锯齿，无毛。雄花序为总状圆锥花序，花较稀疏，紫红色；花瓣先端具尖尾；雄蕊花丝粗壮；雌花序短圆锥状，雌花瓣近于雄花瓣；总花梗及花梗被柔毛。果实卵圆形，长 1 ~ 2 cm。花期 3 ~ 5 月，果期 7 ~ 8 月。

| 生境分布 | 生于海拔 540 ~ 1 400 m 的沟边林中。分布于湖北来凤、宣恩、巴东、长阳、神农架。

| **资源情况** | 野生资源一般，栽培资源稀少。药材来源于野生。

| **采收加工** | **叶**：全年均可采摘，鲜用或晒干。

| **功能主治** | 活血调经，解毒消肿。用于痛经，月经不调，跌打损伤，烫火伤。

山茱萸科 Cornaceae 山茱萸属 *Cornus*

头状四照花 *Cornus capitata* Wallich

| 药材名 | 鸡嗉子果、鸡嗉子叶、鸡嗉子根。

| 形态特征 | 常绿小乔木，高 3 ~ 10 m。嫩枝密被白色柔毛。单叶对生，革质或薄革质，矩圆形或矩圆状披针形，长 5.5 ~ 10 cm，宽 2 ~ 3 cm，先端锐尖，基部楔形，全缘，上面深绿色，下面灰绿色，两面均被贴生白色柔毛，侧脉 4 ~ 5 对，在叶下面隆起，与中脉交汇处有明显的腋窝。头状花序近球形，直径约 1.2 cm，具 4 黄白色花瓣状总苞片；总苞片倒卵形，先端尖，长 3 ~ 4 cm，宽 2 ~ 3 cm；花萼筒状，4 裂，裂片圆而钝；花瓣 4，黄色；雄蕊 4；花盘杯状；子房下位，2 室。果序扁球形，紫红色；总果柄粗壮，长 4 ~ 7 cm。

| 生境分布 |

生于海拔 400 ~ 1 600 m 的山坡密林中。分布于湖北来凤、宣恩、恩施、建始、巴东、五峰等。

| 资源情况 |

野生资源较丰富，栽培资源稀少。药材来源于野生。

| 采收加工 |

果实：秋季采摘，去果柄，拣净，晒干。

叶：全年均可采收，鲜用或晒干。

根：全年均可采挖，洗净，晒干。

| 功能主治 |

果实：杀虫消积，清热解毒，利水消肿。用于蛔虫病，食积，肺热咳嗽，肝炎，腹水。

叶：清热解毒，利水，杀虫。用于肝炎，腹水，蛔虫病，烫火伤。

根：清热，止泻。用于湿热痢疾，泄泻。

山茱萸科 Cornaceae 山茱萸属 *Cornus*

川鄂山茱萸 *Cornus chinensis* Wanger.

| 药 材 名 | 川鄂山茱萸。

| 形态特征 | 落叶乔木，高 4 ~ 10 m。树皮黑褐色。枝对生，嫩枝紫褐色，密被贴生灰色短柔毛，老时褐色，无毛。叶对生，纸质，卵状披针形至长圆椭圆形，长 6 ~ 11 cm，宽 2.8 ~ 5.5 cm，先端渐尖，基部楔形或近圆形，全缘，上面绿色，下面淡绿色，微被灰白色贴生短柔毛，中脉在上面明显，在下面凸起，侧脉 5 ~ 7 对，弓形内弯，整齐。伞形花序腋生，下具总苞片 4，纸质至革质，阔卵形或椭圆形，长 8 mm，宽 5 mm，两侧均有贴生短柔毛，开花后脱落；总花梗紫褐色，长 5 ~ 12 mm，微被贴生短柔毛；花两性，先于叶开放，有香味；花萼裂片 4，三角状披针形，长 0.7 mm；花瓣 4，披针形，黄

色，长 4 mm；雄蕊 4，与花瓣互生，长 16 mm，花丝短，紫色，无毛，花药近球形，2 室；花盘垫状，明显；子房下位，花托钟形，长约 1 mm，被灰色短柔毛，花柱圆柱形，长 1 ~ 1.4 mm，无毛，柱头截形；花梗纤细，长 8 ~ 9 mm，被淡黄色长毛。核果长椭圆形，长达 1 cm，成熟时紫褐色至黑色。花期 4 ~ 5 月，果期 7 月。

| 生境分布 | 生于海拔 750 ~ 2 500 m，稀达 3 000 m 的林缘或森林中。分布于湖北鹤峰、恩施、巴东、五峰、神农架，以及湖北东南部。

| 资源情况 | 野生资源一般，栽培资源稀少。药材来源于野生。

| 采收加工 | **果实：**秋季果实成熟时分批采摘，将鲜果置沸水中煮 10 ~ 15 分钟，及时捞出，浸入冷水，趁热除去果核，果肉晒干或烘干。

| 功能主治 | 补肝益肾，收敛固脱。用于肝肾亏虚，头晕目眩，耳聋耳鸣，腰膝酸软，遗精，尿频，体虚多汗。

山茱萸科 Cornaceae 山茱萸属 *Cornus*

灯台树 *Cornus controversa* Hemsley

| 药 材 名 | 灯台树。

| 形态特征 | 落叶乔木。高 6 ~ 15 m。树皮光滑，暗灰色或带黄灰色；枝有半月形的叶痕和圆形皮孔。冬芽无毛。叶互生，纸质，阔卵形、阔椭圆状卵形或披针状椭圆形，长 6 ~ 13 cm，宽 3.5 ~ 9 cm，先端突尖，基部圆形或急尖，全缘，上面黄绿色，无毛，下面灰绿色，密被淡白色平贴短柔毛。伞房状聚伞花序顶生，宽 7 ~ 13 cm，稀生浅褐色平贴短柔毛；总花梗淡黄绿色，长 1.5 ~ 3 cm；花小，白色，花萼裂片 4，长于花盘，外侧被短柔毛；花瓣 4，长圆状披针形，长 4 ~ 4.5 mm，宽 1 ~ 1.6 mm，外侧疏生平贴短柔毛；雄蕊 4，与花瓣互生，长 4 ~ 5 mm，稍伸出花外，花丝线形，无毛，长 3 ~ 4 mm，

花药椭圆形，淡黄色，长约 1.8 mm，2 室，“丁”字形着生；花盘垫状，无毛；花柱圆柱形，长 2 ～ 3 mm，无毛，柱头小，头状；子房下位；花梗长 3 ～ 6 mm，疏被贴生短柔毛。核果球形，直径 6 ～ 7 mm，成熟时紫红色至蓝黑色；核骨质，球形，直径 5 ～ 6 mm，略有 8 肋纹，先端有 1 方形孔穴；果柄长 2.5 ～ 4.5 mm，无毛。花期 5 ～ 6 月，果期 7 ～ 8 月。

| 生境分布 | 生于海拔 250 ～ 2 600 m 的常绿阔叶林或针阔叶混交林中。分布于湖北来凤、咸丰、宣恩、鹤峰、利川、恩施、建始、巴东、长阳、兴山、秭归、房县、竹溪、神农架、丹江口、京山、通山、崇阳、罗田。

| 资源情况 | 野生资源丰富，栽培资源稀少。药材来源于野生。

| 采收加工 | **树皮、根皮：**5 ～ 6 月采剥，晒干。

果实：夏、秋季果实成熟时采摘，晒干。

| 功能主治 | **树皮、根皮：**清热平肝，消肿止痛。用于头痛，眩晕，咽喉肿痛，关节酸痛，跌打肿痛。

果实：清热利湿，润肠通便，驱蛔。用于蛔虫病，肝炎，肠燥便秘。

山茱萸科 Cornaceae 山茱萸属 *Cornus*

红椋子 *Cornus hemsleyi* Schneid. et Wanger.

| 药 材 名 |

红椋子。

| 形态特征 |

灌木或小乔木。幼枝红色，被贴生短柔毛；老枝紫红色至褐色，无毛，有圆形黄褐色皮孔。叶柄细长，长 0.7 ~ 1.8 cm，淡红色，幼时被灰色及浅褐色贴生短柔毛，上面有浅沟，下面圆形。叶对生，纸质，卵状椭圆形，上面深绿色，有贴生短柔毛，下面灰绿色，微粗糙，密被白色贴生短柔毛及乳头状突起，沿叶脉有灰白色及浅褐色短柔毛，中脉在上面凹下，在下面凸起，侧脉 6 ~ 7 对，脉腋稍被灰白色及浅褐色丛毛。伞房状聚伞花序顶生，微扁平，被浅褐色短柔毛；总花梗长 3 ~ 4 cm，被淡红褐色贴生短柔毛；花小，白色，直径 6 mm；花萼裂片 4；雄蕊 4，与花瓣互生，长 4 ~ 6.5 mm，伸出花外，花丝线形，无毛，花药 2 室，“丁”字形着生；花柱圆柱形，长 1.8 ~ 3 mm，稀被贴生短柔毛，柱头稍宽于花柱，子房下位，贴生短柔毛；花梗长 1 ~ 5 mm，有浅褐色短柔毛。核果近球形，直径 4 mm，初为紫红色，成熟后变黑色；果核骨质，扁球形，直径 2.3 mm，高 2 mm，有不明显的肋纹 8。

花期 6 月，果期 9 月。

| 生境分布 | 生于海拔 400 ~ 3 100 m 的灌丛或溪边。分布于湖北保康、南漳、巴东、神农架。

| 资源情况 | 野生资源一般，栽培资源稀少。药材来源于野生。

| 采收加工 | **树皮**：春、夏季采剥，晒干。

| 功能主治 | 祛风止痛，舒筋活络。用于风湿痹痛，劳伤腰腿痛，肢体瘫痪。

山茱萸科 Cornaceae 山茱萸属 *Cornus*

四照花 *Cornus kousa* F. Buerger ex Hance subsp. *chinensis* (Osborn) Q. Y. Xiang

| 药 材 名 | 四照花、四照花皮、四照花果。

| 形态特征 | 落叶小乔木，高 3 ~ 5 m。树皮灰白色。小枝暗绿色，嫩枝被柔毛。叶对生于短侧枝梢端；叶柄长 5 ~ 10 mm，疏生棕色柔毛；叶片纸质或厚纸质，卵形或卵状椭圆形，长 5.5 ~ 12 cm，宽 3.5 ~ 7 cm，先端渐尖，基部宽楔形或圆形，上面绿色，下面粉绿色，两面均疏被白色柔毛。头状花序球形，由 40 ~ 50 花聚集；总花梗长 4.5 ~ 7.5 cm；总苞片 4，白色，两面近无毛；花萼管状，上部 4 裂，花萼内侧有 1 圈褐色短柔毛；花瓣 4，黄色；雄蕊 4，与花瓣互生；子房下位，2 室，花柱 1，从垫状花盘中伸出，被白色柔毛。果序球形，成熟时暗红色，直径 1.5 ~ 2.5 cm；总果柄纤细，长 5.5 ~ 9 cm，

近无毛。花期 6 ~ 7 月，果期 9 ~ 10 月。

| 生境分布 | 生于海拔 600 ~ 2 200 m 的山坡密林中。分布于湖北宣恩、鹤峰、恩施、利川、建始、五峰、长阳、兴山、神农架、保康、通山、罗田、英山，以及宜昌。

| 资源情况 | 野生资源丰富，栽培资源稀少。药材来源于野生。

| 采收加工 | **花**：夏、秋季采摘，鲜用或晒干。

树皮、根皮：全年均可采剥，洗净，切片，晒干。

果实：秋季采摘，晒干。

| 功能主治 | **花**：清热解毒，收敛止血。用于痢疾，肝炎，烫火伤，外伤出血。

树皮、根皮：清热解毒。用于痢疾，肺热咳嗽。

果实：驱蛔，消积。用于蛔虫腹痛，饮食积滞。

山茱萸科 Cornaceae 山茱萸属 *Cornus*

山茱萸 *Cornus officinalis* Sieb. et Zucc.

| 药 材 名 | 山茱萸。

| 形态特征 | 落叶乔木或灌木。高 4 ~ 10 m；树皮灰褐色；小枝细圆柱形，无毛。叶对生，纸质，卵状披针形或卵状椭圆形，上面绿色无毛，下面浅绿色，脉腋密生淡褐色毛，全缘；叶柄细圆柱形，上面有浅沟，下面圆形。伞形花序；花小，两性，先叶开放；花萼 4，无毛；花瓣，

黄色，反卷；雄蕊 4，与花瓣互生；花盘垫状；子房下位，2 室，胚珠 1。核果长椭圆形，长 1.2 ~ 1.7 cm，直径 5 ~ 7 mm，成熟时红色至紫红色；核骨质，狭椭圆形，长约 12 mm，有几条不整齐的肋纹。花期 3 ~ 4 月，果期 9 ~ 10 月。

| 生境分布 | 生于海拔 400 ~ 1 500m，稀达 2 100m 的林缘或森林中。湖北襄阳、黄冈、恩施等有栽培。

| 采收加工 | **成熟果肉**：9 月下旬至 10 月初，果实成熟，果皮呈鲜红色并富有弹性时采收。采收时用手或带有钩的长杆将枝干拉弯，用手将成熟果实摘下，成熟一批，采收一批，每株树可分 2 ~ 3 次采完。雨天、雨刚过后或露水未干时不宜采收，一般应当天采，当天晾，不宜堆压，以防腐烂变质。一般每 7 ~ 8 kg 鲜果可加工 1 kg 果肉，其加工步骤分为净选、软化、去核、干燥四部分。

| 功能主治 | 补益肝肾，收涩固脱。用于眩晕耳鸣，腰膝酸痛，阳痿，遗精，遗尿，尿频，崩漏，带下，大汗虚脱，内热消渴。

山茱萸科 Cornaceae 山茱萸属 *Cornus*

小梾木 *Cornus quinquenervis* Franch.

药材名

穿鱼藤。

形态特征

落叶灌木。幼枝被灰色柔毛，老枝无毛。叶对生，纸质，椭圆状披针形、披针形，长 4 ~ 9 cm，宽 1 ~ 2.3（~ 3.8）cm，全缘，上面散生平贴短柔毛，下面被较少灰白色的平贴短柔毛或近无毛；中脉在上面稍凹陷，在下面凸出，被平贴短柔毛，侧脉通常 3 对，稀 2 ~ 4 对；叶柄长 5 ~ 15 cm，黄绿色。伞房状聚伞花序顶生，被灰白色贴生短柔毛；总花梗圆柱形，长 1.5 ~ 4 cm，略有棱角，密被贴生灰白色短柔毛；花萼裂片 4，长 1 mm，外侧被紧贴的短柔毛；花瓣 4，长 6 mm，宽 1.8 mm，下面有贴生短柔毛；雄蕊 4，长 5 mm，花丝长 4 mm，无毛，花药长圆卵形，2 室，长 2.4 mm，呈“丁”字形着生；花盘略有浅裂；子房下位，花柱棍棒形，长 3.5 mm，淡黄白色，近无毛，柱头小，截形，略有 3（~ 4）小突起；花梗长 2 ~ 9 mm，被灰色及少数褐色贴生短柔毛。核果圆球形，直径 5 mm，成熟时黑色。花期 6 ~ 7 月，果期 10 ~ 11 月。

| 生境分布 | 生于海拔 50 ~ 2500 m 的河岸旁或溪边灌丛中。分布于湖北来凤、宣恩、咸丰、鹤峰、利川、建始、巴东、兴山、神农架、红安，以及宜昌。

| 资源情况 | 野生资源较丰富，栽培资源稀少。药材来源于野生。

| 采收加工 | **全株**：全年均可采收，洗净，鲜用或切段晒干。

| 功能主治 | 清热解表，止痛止血，接骨。用于感冒头痛，风湿关节痛，腰痛，腹泻，跌打骨折，外伤出血，黄水疮，瘀血，热毒疮肿，烫火伤。

山茱萸科 Cornaceae 山茱萸属 *Cornus*

毛梾 *Cornus walteri* Wanger.

药材名

毛梾枝叶。

形态特征

落叶乔木，高 6 ~ 15 m。树皮厚，黑褐色，纵裂而又横裂成块状。幼枝对生，密被贴生灰白色短柔毛，老后黄绿色，无毛。叶对生，纸质，椭圆形、长圆状椭圆形或阔卵形，长 4 ~ 12（~ 15.5）cm，宽 1.7 ~ 5.3（~ 8）cm，上面深绿色，稀被贴生短柔毛，下面淡绿色，密被灰白色贴生短柔毛；叶柄长 0.8 ~ 3.5 cm，幼时被短柔毛，后渐无毛。伞房状聚伞花序顶生，被灰白色短柔毛；总花梗长 1.2 ~ 2 cm；花萼裂片 4，长约 0.4 mm，外侧被有黄白色短柔毛；花瓣 4，长 4.5 ~ 5 mm，下面有贴生短柔毛；雄蕊 4，无毛，长 4.8 ~ 5 mm，花丝线形，微扁，长 4 mm，花药呈“丁”字形着生；花盘明显；花柱棍棒形，长 3.5 mm，被稀疏的贴生短柔毛，柱头小，头状，子房下位；花梗细圆柱形，长 0.8 ~ 2.7 mm，有稀疏短柔毛。核果球形，直径 6 ~ 7（~ 8）mm，成熟时黑色，近无毛；果核骨质，扁圆球形，直径 5 mm，高 4 mm，有不明显的肋纹。花期 5 月，果期 9 月。

| 生境分布 | 生于海拔 300 ~ 1 850 m 的向阳山坡林中、灌丛中。分布于湖北建始、巴东、长阳、兴山、神农架、房县、竹溪、保康、罗田，以及十堰、随州。

| 资源情况 | 野生资源较丰富，栽培资源稀少。药材来源于野生。

| 采收加工 | **枝叶**：春、夏季采收，鲜用或晒干。

| 功能主治 | 清热解毒，敛疮止痒。用于漆疮。

山茱萸科 Cornaceae 青荚叶属 *Helwingia*

中华青荚叶 *Helwingia chinensis* Batal.

| 药材名 |

叶上珠、叶上果根、小通草。

| 形态特征 |

常绿灌木，高 1 ~ 2 m。树皮深灰色或淡灰褐色。幼枝纤细，紫绿色。叶革质，近革质，稀厚纸质，线状披针形或披针形，长 4 ~ 15 cm，宽 4 ~ 20 mm，先端长渐尖，基部楔形或近圆形，边缘具稀疏腺状锯齿，叶上面深绿色，下面淡绿色，侧脉 6 ~ 8 对，在上面不显，在下面微显；叶柄长 3 ~ 4 cm；托叶纤细。雄花 4 ~ 5 成伞形花序，生于叶面中脉中部或幼枝上段，花 3 ~ 5 数；花萼小，花瓣卵形，长 2 ~ 3 mm，花梗长 2 ~ 10 mm；雌花 1 ~ 3 生于叶面中脉中部，花梗极短；子房卵圆形，柱头 3 ~ 5 裂。果实具分核 3 ~ 5，长圆形，直径 5 ~ 7 mm，幼时绿色，成熟后黑色；果柄长 1 ~ 2 mm。花期 4 ~ 5 月，果期 8 ~ 10 月。

| 生境分布 |

生于海拔 1 200 ~ 2 300 m 的密林潮湿处。分布于湖北来凤、宣恩、咸丰、鹤峰、恩施、利川、巴东、长阳、兴山、神农架、房县、郧西、竹溪、南漳、保康、远安，以及宜昌。

| **资源情况** | 野生资源丰富，栽培资源稀少。药材来源于野生。

| **采收加工** | **叶、果实：**夏季或初秋叶片枯黄前，将果实连叶采摘，晒干或鲜用。

根：全年均可采挖，洗净，切片，晒干。

茎髓：秋季割下枝条，截段，趁鲜用木棍顶出茎髓，理直，晒干。

| **功能主治** | **根、叶、果实：**舒筋活络，化瘀调经。用于跌打损伤，骨折，风湿关节痛，胃痛，痢疾，月经不调；外用于烧伤，烫伤，痈肿疮毒，蛇咬伤。

茎髓：通乳。用于乳少，乳汁不畅。

山茱萸科 Cornaceae 青荚叶属 *Helwingia*

西域青荚叶 *Helwingia himalaica* Hook. f. et Thoms. ex C. B. Clarke

|药材名| 叶上珠、叶上果根、小通草。

|形态特征| 灌木。叶厚纸质，长圆状披针形，长 5 ~ 11（~ 18）cm，宽 2.5 ~ 4（~ 5）cm，先端尾状渐尖，边缘具腺状细锯齿；托叶长约 2 mm，常 2 ~ 3 裂，稀不裂。雄花绿色带紫色，常 14 雄花成密伞花序，4 数，稀 3 数，花梗细瘦，长 5 ~ 8 mm；雌花 3 ~ 4，柱头 3 ~ 4 裂，向外反卷。果实常 1 ~ 3 生于叶面中脉上，果实近球状，长 6 ~ 9 mm，直径 6 ~ 8 mm；果柄长 1 ~ 2 mm。花期 4 ~ 5 月，果期 8 ~ 10 月。

|生境分布| 生于海拔 800 ~ 1 600 m 的山坡林中阴湿处。分布于湖北来凤、宣恩、鹤峰、利川、巴东、长阳、兴山、宜都、枝江，以及宜昌。

| 资源情况 | 野生资源较丰富，栽培资源稀少。药材来源于野生。

| 采收加工 | **叶、果实：** 夏季或初秋叶片枯黄前，将果实连叶采摘，晒干或鲜用。

根： 全年均可采挖，洗净，切片，晒干。

茎髓： 秋季割下枝条，截段，趁鲜用木棍顶出茎髓，理直，晒干。

| 功能主治 | **叶、果实：** 清热除湿，活血解毒。用于感冒咳嗽，风湿痹痛，胃痛，痢疾，便血，月经不调，跌打瘀肿，骨折，痈疖疮毒，毒蛇咬伤。

根： 止咳平喘，活血通络。用于久咳虚喘，劳伤腰痛，风湿痹痛，跌打损伤，胃痛，月经不调，产后腹痛。

茎髓： 通乳。用于乳少，乳汁不畅。

山茱萸科 Cornaceae 青荚叶属 *Helwingia*

青荚叶 *Helwingia japonica* (Thunb.) Dietr.

| 药 材 名 | 叶上珠、叶上果根、小通草。

| 形态特征 | 落叶灌木，高 1 ~ 2 m。幼枝绿色，无毛，叶痕显著。叶纸质，卵形、卵圆形，稀椭圆形，长 3.5 ~ 9（~ 18）cm，宽 2 ~ 6（~ 8.5）cm，先端渐尖，极稀尾状渐尖，基部阔楔形或近圆形，边缘具刺状细锯齿；叶上面亮绿色，下面淡绿色；中脉及侧脉在上面微凹陷，在下面微凸出；叶柄长 1 ~ 5（~ 6）cm；托叶线状分裂。花淡绿色，3 ~ 5 数，花萼小；花瓣长 1 ~ 2 mm，镊合状排列；雄花 4 ~ 12，呈伞形或密伞花序，常着生于叶上面中脉的 1/3 ~ 1/2 处，稀着生于幼枝上部；花梗长 1 ~ 2.5 mm；雄蕊 3 ~ 5，生于花盘内侧；雌花 1 ~ 3，着生于叶上面中脉的 1/3 ~ 1/2 处；花梗长 1 ~ 5 mm；

子房卵圆形或球形，柱头 3 ～ 5 裂。浆果幼时绿色，成熟后黑色，分核 3 ～ 5。花期 4 ～ 5 月，果期 8 ～ 9 月。

| 生境分布 | 生于海拔 3 100 m 以下的山坡、沟谷林下阴湿处、灌丛中。分布于湖北来凤、宣恩、咸丰、鹤峰、恩施、利川、建始、巴东、五峰、长阳、兴山、神农架、房县、竹山、竹溪、保康、通山、崇阳、蕲春、英山、罗田，以及宜昌、十堰、咸宁。

| 资源情况 | 野生资源丰富，栽培资源稀少。药材来源于野生。

| 采收加工 | **叶、果实**：夏季或初秋叶片枯黄前，将果实连叶采摘，晒干或鲜用。

根：全年均可采挖，洗净，切片，晒干。

茎髓：秋季割下枝条，截段，趁鲜用木棍顶出茎髓，理直，晒干。

| 功能主治 | **叶、果实**：清热除湿，活血解毒。用于感冒咳嗽，风湿痹痛，胃痛，痢疾，便血，月经不调，跌打瘀肿，骨折，痈疖疮毒，毒蛇咬伤。

根：止咳平喘，活血通络。用于久咳虚喘，劳伤腰痛，风湿痹痛，跌打损伤，胃痛，月经不调，产后腹痛。

茎髓：清热，利尿，下乳。用于小便不利，淋证，乳汁不下。

山茱萸科 Cornaceae 青荚叶属 *Helwingia*

峨眉青荚叶 *Helwingia omeiensis* (Fang) Hara et Kuros

| 药 材 名 | 峨眉青荚叶。

| 形态特征 | 常绿小乔木或灌木。高 3 ~ 4（~ 8）m；幼枝绿色。叶片革质，倒卵状长圆形、长圆形，稀倒披针形，长 9 ~ 15 cm，宽 3 ~ 5 cm，先端急尖或渐尖，具 1 ~ 1.5 cm 的尖尾，基部楔形，边缘除近基部 1/3 处全缘外，其余均具腺状锯齿，叶面深绿色，干后橄榄色，下面淡绿色，干后有淡黄褐色斑纹，叶脉在叶上面不显，在下面微显；叶柄长 1 ~ 5 cm；托叶 2，线状披针形或钻形。雄花多数簇生，常 5 ~ 20（~ 30）成密伞花序或伞形花序；花 3 ~ 5，紫白色，小花梗长 3 ~ 7 mm；雌花 1 ~ 4（~ 6），伞形花序，小花梗长 2 ~ 4 mm，花绿色，柱头 3 ~ 4（~ 5）裂，子房 3 ~ 4（~ 5）室。浆果成熟

后黑色，常具分核 3 ～ 4（～ 5），长椭圆形，长 9 mm。花期 3 ～ 4 月，果期 7 ～ 8 月。

| 生境分布 | 生于海拔 600 ～ 1 700 m 的山坡林下潮湿处。分布于湖北来凤、宣恩、咸丰、鹤峰、恩施、利川、巴东、长阳、兴山、神农架。

| 资源情况 | 野生资源较丰富，栽培资源稀少。药材来源于野生。

| 采收加工 | **果实：**夏季或初秋叶片未枯黄前连叶采摘，晒干或鲜用。

叶上果根：全年均可采收，洗净，切片，晒干。

| 功能主治 | **根、全株：**活血化瘀，清热解毒。用于水肿，小便淋痛，尿急尿痛，跌打损伤，骨折，风湿性关节炎，痢疾，月经不调，乳汁较少或不下；外用于烫火伤，疮疖肿痛，毒蛇咬伤。

叶：清热除湿。用于便血。

果实：用于胃痛。

山茱萸科 Cornaceae 梾木属 *Swida*

梾木 *Swida macrophylla* (Wall.) Sojak

|药 材 名|

椋子木、白对节子叶、丁榔皮、梾木根。

|形态特征|

乔木，高 3 ~ 15 m，稀 20 ~ 25 m。幼枝粗壮，灰绿色，有棱角，老枝圆柱形，疏生灰白色椭圆形皮孔及半环形叶痕。叶对生，纸质，阔卵形或卵状长圆形，稀近椭圆形。伞房状聚伞花序顶生，总花梗红色，花白色，有香味；花萼裂片 4，宽三角形；花瓣 4，舌状长圆形或卵状长圆形。核果近球形，成熟时黑色。花期 6 ~ 7 月，果期 8 ~ 9 月。

|生境分布|

生于海拔 72 ~ 3 000 m 的山谷森林中。分布于湖北宣恩、咸丰、鹤峰、恩施、利川、建始、巴东、秭归、五峰、长阳、兴山、神农架、房县、竹溪、英山，以及宜昌、十堰。

|资源情况|

野生资源丰富，栽培资源稀少。药材来源于野生。

| 采收加工 |

心材：全年均可采收。

叶：春、夏季采收，晒干。

树皮：全年均可采收，剥取树皮，切段，晒干。

根：秋后采挖，洗净，切片，晒干。

| 功能主治 |

心材：活血止痛，养血安胎。用于跌打骨折，瘀血肿痛，血虚萎黄，胎动不安。

叶：祛风通络，疗疮止痒。用于风湿痛，中风瘫痪，疮疡，风疹。

树皮：祛风通络，利湿止泻。用于筋骨疼痛，腰腿痛，肢体瘫痪，痢疾，泄泻腹痛。

根：清热平肝，活血通络。用于头痛，咽喉痛，高血压，关节酸痛。

山茱萸科 Cornaceae 梾木属 *Swida*

长圆叶梾木 *Swida oblonga* (Wall.) Sojak

药材名

长圆叶梾木。

形态特征

常绿灌木或小乔木。当年生枝被淡黄褐色短柔毛，老枝近无毛，有稀疏的圆形皮孔及半月形叶痕。冬芽被灰褐色短柔毛。叶对生，革质，长圆形或长圆状椭圆形，长 6 ~ 13 cm，宽 1.6 ~ 4 cm，先端渐尖或尾状，基部楔形，边缘微反卷，上面深绿色，无毛，下面粉白色，粗糙，疏被淡灰色平贴短柔毛及乳头状突起；叶柄长 6 ~ 19 mm，被灰色或黄灰色短柔毛。圆锥状聚伞花序顶生，被灰白色平贴短柔毛；花小，花萼裂片 4，外侧疏被灰色短柔毛；花瓣 4，长 4 mm，宽 1.3 mm；雄蕊 4，长于花瓣，常长达 6.3 mm，花丝长线形，无毛，花药椭圆形，2 室，“丁”字形着生；花盘垫状，无毛，略有浅裂；子房下位；花柱圆柱形，长 2.6 ~ 2.8 mm，近无毛，柱头小，近头形。核果尖椭圆形，长 7 mm，直径 4 ~ 6 mm，幼时微被平贴短柔毛，成熟时黑色；核骨质，尖椭圆形，略有肋纹。花期 9 ~ 10 月，果期翌年 5 ~ 6 月。

| 生境分布 | 生于海拔 1 000 ~ 3 000 m 的溪边疏林内或常绿阔叶林中。分布于湖北竹溪、郧西、建始。

| 资源情况 | 野生资源一般，栽培资源稀少。药材来源于野生。

| 采收加工 | 春、夏季采收，鲜用或晒干。

| 功能主治 | **根皮：**祛风散寒，活络止痛。用于风寒湿痹，腰腿痛，骨折，跌打损伤。

枝叶：解毒敛疮。用于疮疖、皮炎。

山茱萸科 Cornaceae 梾木属 *Swida*

光皮梾木 *Swida wilsoniana* (Wanger.) Sojak

| 药 材 名 | 光皮梾木。

| 形态特征 | 落叶乔木，高 5 ~ 18 m，稀达 40 m。树皮灰色至青灰色，块状剥落。小枝圆柱形，深绿色，老时棕褐色，无毛，具黄褐色长圆形皮孔。冬芽长圆锥形，长 3 ~ 6 mm，密被灰白色平贴短柔毛。叶柄细圆柱形，长 0.8 ~ 2 cm，幼时密被灰白色短柔毛，老后近无毛。叶对生，纸质，椭圆形或卵状椭圆形，长 6 ~ 12 cm，宽 2 ~ 5.5 cm，先端渐尖或突尖，基部楔形或宽楔形，边缘波状，微反卷，上面深绿色，有散生平贴短柔毛，下面灰绿色，密被白色乳头状突起及平贴短柔毛，主脉在上面稍明显，在下面凸出，侧脉 3 ~ 4 对。顶生圆锥状聚伞花序近塔形；总花梗细圆柱形，长 2 ~ 3 cm，总花梗与分枝上

被伏毛；花白色，直径约 7 mm，子房圆锥形，长 1 mm，密被白色柔毛；萼片三角形，长 0.4 ~ 0.5 mm，花瓣披针状舌形，长约 5 mm；雄蕊与花冠等长；花柱长圆柱形，疏被柔毛，柱头盘状。核果球形，直径 6 ~ 7 mm，成熟时紫黑色至黑色。花期 5 月，果期 10 ~ 11 月。

| 生境分布 | 生于海拔 500 ~ 1 600 m 的山谷、河边、路边及山坡树林中。分布于湖北来凤、咸丰、鹤峰、巴东，以及咸宁。

| 资源情况 | 野生资源一般，栽培资源稀少。

| 功能主治 | 调节血脂，清理血栓，调节免疫，维护视网膜提高视力，补脑健脑，减少细胞耗氧量，使人更有耐久力。用于缓解腿抽筋和手足僵硬，改善脂质代谢、防冠心病及动脉粥样硬化等。

山茱萸科 Cornaceae 鞘柄木属 *Torricellia*

角叶鞘柄木 *Toricellia angulata* Oliv.

| 药 材 名 | 水冬瓜根、水冬瓜叶、水冬瓜花。

| 形态特征 | 落叶灌木或小乔木，高 2.5 ~ 8 m。树皮灰色。老枝黄灰色，有长椭圆形皮孔及半环形的叶痕，疏被柔毛或无毛，髓部宽，白色。叶互生，五角状圆形，长 5 ~ 13 cm，宽 6 ~ 16 cm，掌状 5 ~ 7 浅裂，裂片钝形，全缘，基部近截形，自基部发出掌状 5 脉，脉腋具丛毛；叶柄稍扁，基部鞘状。花小，雌雄异株，圆锥花序顶生；花梗基部具膜质披针形小苞片；雄花多而密集，花萼短，5 裂；花瓣 5，绿色带红，长椭圆形，先端渐尖而向内弯；雄蕊 5；雌花花萼筒状，3 ~ 5 裂，无花瓣，子房下位，3 ~ 4 室，花柱 3 ~ 4。果实核果状，圆形或卵状圆形，直径 4 mm，花柱宿存。花期 4 月，果期 6 月。

| 生境分布 | 生长于海拔 900 ~ 2 000 m 的林缘或溪边。分布于湖北宣恩、咸丰、鹤峰、恩施、利川、建始、巴东、五峰、长阳、兴山、神农架。

| 资源情况 | 野生资源较丰富，栽培资源稀少。药材来源于野生。

| 采收加工 | **水冬瓜根：**秋后采收，洗净，鲜用或切片晒干。

水冬瓜叶：春、夏季采收，晒干。

水冬瓜花：春季花开时采收，阴干。

| 功能主治 | **水冬瓜根：**祛风除湿，活血接骨。用于风湿关节痛，跌打瘀肿，骨折，经闭。

水冬瓜叶：清热解毒，利湿。用于咽喉肿痛，肺热咳喘，热淋，泄泻。

水冬瓜花：破血通经，止咳平喘。用于瘀血经闭，久咳，哮喘。

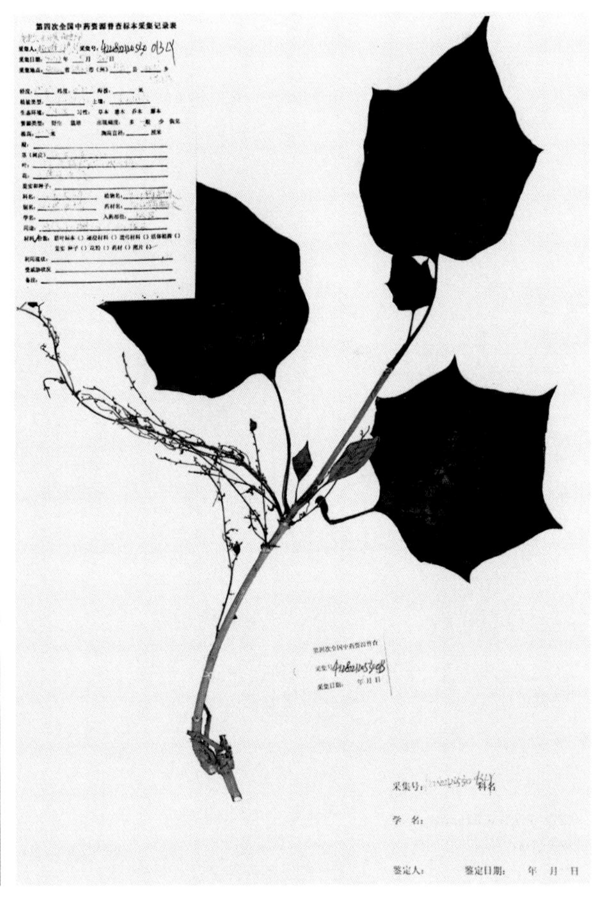

山茱萸科 Cornaceae 鞘柄木属 *Torricellia*

有齿鞘柄木 *Toricellia angulata* Oliv. var. *intermedia* (Harms.) Hu

| 药 材 名 | 大接骨丹。

| 形态特征 | 落叶灌木或小乔木，高 2.5 ~ 8 m。树皮灰色。老枝黄灰色，有长椭圆形皮孔及半环形的叶痕。叶互生；叶柄长约 5 cm，基部扩大成鞘包于枝上；叶片膜质或纸质，阔卵形或近圆形，长 6 ~ 15 cm，宽 5 ~ 15 cm，有裂片 5 ~ 7，裂片的边缘有牙齿状锯齿，掌状脉 5 ~ 7，达于叶缘，在两面均凸起。总状圆锥花序顶生，下垂，雄花序长 5 ~ 30 mm，密被短柔毛；雄花的花萼管倒圆锥形，裂片 5；花瓣 5，长圆披针形，先端钩状内弯；雄蕊 5，与花瓣互生；花盘垫状，圆形，中间有 3 退化花柱；花梗纤细，近基部有 2 长披针形的小苞片；雌花序较长，常达 35 cm；花萼管状钟形，裂片 5，披针形，无花瓣

及雄蕊；子房倒卵形，3 室，与花萼管合生；花梗细圆柱形，有小苞片 3。果实核果状，卵形，直径 4 mm，花柱宿存。花期 4 月，果期 6 月。

| 生境分布 | 生于海拔 700 ~ 1 500 m 的山地林中村落旁、水边。分布于湖北宣恩、咸丰、鹤峰、恩施、利川、神农架、竹溪。

| 资源情况 | 野生资源较丰富，栽培资源稀少。药材来源于野生。

| 采收加工 | **根皮**：全年均可采挖根，剥取根皮，洗净，晒干或鲜用。

叶：全年均可采收，洗净，晒干或鲜用。

花：夏季采摘，阴干。

| 功能主治 | 散瘀止痛，温中止泻。用于骨折，跌打损伤，风湿腰痛，泄泻，胃痛，肾炎性水肿。

山茱萸科 Cornaceae 鞘柄木属 *Torricellia*

鞘柄木 *Toricellia tiliifolia* DC.

|药 材 名| 接骨丹。

|形态特征| 落叶小乔木。小枝圆柱形，灰绿色，无毛，有不完全的环形叶痕，髓部宽，白色。叶互生，纸质，椭圆状卵形至宽卵形，长 10 ~ 15 cm，宽 8 ~ 16.2 cm，上面绿色，下面淡绿色，先端突尖，基部浅心形，边缘的粗锯齿有须头，少有波状棱角，掌状叶脉 7 ~ 9，在上面微凸，近无毛，在下面凸出，疏生短柔毛，网脉在下面明显；叶柄无毛，有纵走的条纹，向下逐渐扩展成鞘。总状圆锥花序顶生，微被短柔毛；雄花的花萼管短，有裂片 5，先端钝尖；花瓣 5，长椭圆形，长约 5 mm，无毛，先端钩状内弯；雄蕊 5，花丝短，无毛，长约 0.5 mm，花药长 1.5 mm；花盘近圆形，中间有 1 ~ 3 小形圆

锥状的退化花柱；花梗短，长 2 ~ 2.5 mm，疏被短柔毛或近无毛，苞片 2，长 1 ~ 2.5 mm；雌花的花萼裂片 3 ~ 5，三角形，锐尖；无花瓣及雄蕊；花盘不显著；子房卵圆形，长约 5 mm，无毛，花柱 3 ~ 4 裂。果实核果状，卵形，长 5 ~ 6 mm，直径 3 mm，花柱宿存，成熟时紫红色至灰黑色。花期 11 月至翌年 3 月，果期 3 ~ 4 月。

| 生境分布 | 生于海拔 1 600 ~ 2 600 m 的林缘或森林中。分布于湖北恩施、竹溪、秭归。

| 资源情况 | 野生资源一般，栽培资源稀少。药材来源于野生。

| 采收加工 | **根皮、茎皮、叶：**全年均可采收根皮、茎皮，春、夏季采收叶，鲜用或晒干。

| 功能主治 | **根皮、茎皮、叶：**活血止痛，祛风除湿。用于跌打瘀痛，骨折筋伤，风湿痹痛，痈疮疖肿。

桤叶树科 Clethraceae 桤叶树属 *Clethra*

城口桤叶树 *Clethra fargesii* Franch.

|药 材 名|

鄂西山柳。

|形态特征|

落叶灌木或小乔木，高 2 ~ 7 m。小枝圆柱形，黄褐色，嫩时密被星状绒毛及混杂于其中成簇的微硬毛，有时杂有单毛，老时无毛。叶硬纸质，披针状椭圆形、卵状披针形或披针形，长 6 ~ 14 cm，宽 2.5 ~ 5 cm，先端尾状渐尖或渐尖，基部钝或近圆形，稀为宽楔形，两侧稍不对称，嫩叶两面疏被星状柔毛，后上面无毛，下面沿脉疏被长柔毛及星状毛或变为无毛，侧脉腋内有白色髯毛，边缘具锐尖锯齿，齿尖稍向内弯，中脉及侧脉在上面微下凹，在下面凸起，苞片锥形，长于花梗，脱落；花梗细；花萼 5 深裂，裂片卵状披针形，渐尖头，外具肋，密被灰黄色星状绒毛，边缘具纤毛；花瓣 5，白色，倒卵形，先端近截平，稍具流苏状缺刻，外侧无毛，内侧近基部疏被疏柔毛，雄蕊 10，长于花瓣，花丝近基部疏被长柔毛，花药倒卵形；子房密被灰白色，有时淡黄色星状绒毛及绢状长柔毛，花柱长 3 ~ 4 mm，无毛，先端 3 深裂。蒴果近球形，直径 2.5 ~ 3 mm，下弯，疏被短柔毛，向顶部有长毛，宿存花柱长 5 ~ 6 mm；果柄长 10 ~ 13 mm；种子黄褐色，不规则卵圆形，有时具棱，长 1 ~ 1.5 mm，种皮上有网状浅凹槽。花期 7 ~ 8 月，果期 9 ~ 10 月。

| 生境分布 | 生于海拔 700 ~ 2 100 m 的山地疏林及灌丛中。湖北有分布。

| 功能主治 | 清热解毒。

鹿蹄草科 Pyrolaceae 喜冬草属 *Chimaphila*

喜冬草 *Chimaphila japonica* Miq.

| 药 材 名 |

喜冬草。

| 形态特征 |

常绿草本状小半灌木。高（6 ~ ）10 ~ 15（~ 20）cm；根茎长而较粗，斜升。地上茎无毛。叶对生或 3 ~ 4 轮生，革质，披针形至宽披针形或宽椭圆形，长 1.5 ~ 3 cm，宽 0.6 ~ 1.2 cm，先端急尖，基部圆楔形或近圆形，边缘有锯齿；叶柄长 2 ~ 4（~ 8）mm。花葶有细小疣，有 1 ~ 2 长圆状卵形苞片，长 6.5 ~ 7 mm，边缘有不规则齿。花 1 ~ 3，顶生或叶腋生，俯垂；萼片膜质，卵状长圆形或长圆状卵形，长 5.5 ~ 7 mm，先端急尖，边缘有不整齐的锯齿；花瓣白色，倒卵圆形，长 7 ~ 8 mm，先端圆形；雄蕊 10，花丝短，下半部膨大并有缘毛；花柱极短，倒圆锥形，柱头大，圆盾形，5 圆浅裂。蒴果扁球形，直径 5 ~ 5.5 mm。花期 6 ~ 7（~ 9）月，果期 7 ~ 8（~ 10）月。

| 生境分布 |

生于海拔 3 000 m 以下的山地针阔叶混交林、阔叶林或灌丛中。分布于湖北宣恩、鹤峰、

兴山、神农架、房县、郧西、竹溪、罗田。

| 资源情况 | 野生资源一般，栽培资源稀少。药材来源于野生。

| 采收加工 | 夏、秋季采收，洗净，晒干或阴干。

| 功能主治 | 叶：消炎，利尿，镇痛，滋补强壮。

鹿蹄草科 Pyrolaceae 水晶兰属 *Monotropa*

水晶兰 *Monotropa uniflora* L.

| 药 材 名 | 水晶兰。

| 形态特征 | 多年生草本，腐生。茎直立，单一，不分枝，高 10 ~ 30 cm，全株无叶绿素，白色，肉质，干后变黑褐色。根细而分枝密，交结成鸟巢状。叶鳞片状，直立，互生，长圆形、狭长圆形或宽披针形，长 1.4 ~ 1.5 cm，先端钝头，无毛或上部叶稍有毛，边缘近全缘，叶柄无。花单一，顶生，先下垂，后直立，花冠筒状钟形；具叶状苞片；萼片 3 ~ 5，鳞片状，早落；花瓣 5 ~ 6，离生，楔形或倒卵状长圆形，长 1.2 ~ 2 cm，上部有不整齐的齿，内侧常有密长粗毛，早落；雄蕊 10 ~ 12，花丝有粗毛，花药黄色；花盘 10 齿裂；子房中轴胎座，5 室；花柱长 2 ~ 3 mm，柱头膨大成漏斗状。蒴果椭圆状球形，直立，

向上，长 1.3 ~ 1.4 cm。花期 8 ~ 9 月，果期 10 ~ 11 月。

| 生境分布 | 生于海拔 1 000 ~ 2 500 m 的山地林下、草丛中。分布于湖北来凤、利川、巴东、长阳、兴山、神农架、丹江口、郧西、竹山、南漳、保康、宜都、京山、罗田。

| 资源情况 | 野生资源较丰富，栽培资源稀少。药材来源于野生。

| 采收加工 | **全草、根：**夏季采收，鲜用。

| 功能主治 | **全草：**补虚止咳。用于肺虚咳嗽。

根：补虚强身。用于虚咳。

鹿蹄草科 Pyrolaceae 鹿蹄草属 *Pyrola*

鹿蹄草 *Pyrola calliantha* H. Andr.

| 药 材 名 | 鹿衔草。

| 形态特征 | 常绿草本状小半灌木，高（10 ~ ）15 ~ 30 cm。根茎细长，横生，斜升，有分枝。叶 4 ~ 7，基生，革质；椭圆形或圆卵形，稀近圆形，长（2.5 ~ ）3 ~ 5.2 cm，先端钝头或圆钝头，基部阔楔形或近圆形，边缘近全缘或有疏齿，上面绿色，下面常有白霜，有时带紫色；叶柄长 2 ~ 5.5 cm。花葶有 1 ~ 2（ ~ 4）鳞片状叶，卵状披针形或披针形，长 7.5 ~ 8 mm。总状花序具花 9 ~ 13，花长 12 ~ 16 cm，密生，花倾斜，稍下垂，花冠广开，直径 1.5 ~ 2 cm，白色，有时稍带淡红色；花梗长 5 ~ 8（ ~ 10） cm，腋间有长舌形苞片，长 6 ~ 7.5 mm，先端急尖；萼片舌形，长（3 ~ ） 5 ~ 7.5 mm，边缘

近全缘；花瓣倒卵状椭圆形或倒卵形；雄蕊 10，花丝无毛，花药长圆柱形，有小角，黄色；花柱常带淡红色，倾斜，近直立或上部稍向上弯曲，伸出或稍伸出花冠，先端有不明显的环状突起，柱头 5 圆裂。蒴果扁球形，直径 7.5 ~ 9 mm。花期 6 ~ 8 月，果期 8 ~ 9 月。

| 生境分布 | 生于海拔 500 ~ 2 100 m 的山地林下。分布于湖北宣恩、咸丰、鹤峰、建始、利川、巴东、秭归、兴山、神农架、竹溪、南漳、保康、钟祥、京山、阳新、蕲春、英山、罗田，以及宜昌、十堰、随州。

| 资源情况 | 野生资源较丰富，栽培资源稀少。药材来源于野生。

| 采收加工 | **全草：**全年均可采挖，除去杂质，晒至叶片较软时，堆置至叶片变紫褐色，晒干。

| 功能主治 | 祛风湿，强筋骨，止血，止咳。用于风湿痹痛，肾虚腰痛，腰膝无力，月经过多，久咳劳嗽。

鹿蹄草科 Pyrolaceae 鹿蹄草属 *Pyrola*

普通鹿蹄草 *Pyrola decorata* H. Andr.

| 药 材 名 | 鹿衔草。

| 形态特征 | 常绿草本，株高达 35 cm。叶 3 ~ 6，近基生；叶片薄革质，椭圆形、倒卵状长圆形或匙形，长（3 ~ ）5 ~ 7 cm，先端圆或钝尖，向基部渐变狭，下延至叶柄，边缘有疏微凸形的小齿，叶面深绿色，但叶脉呈淡绿白色，叶背常呈褐紫色；叶柄较叶片短或近等长。花葶高达 30 cm，有苞片 1 ~ 2；总状花序有花 5 ~ 10；苞片狭条形，常超过花梗。花俯垂，宽钟状；萼片宽披针形，先端急尖或渐变急尖，长等于或超过花瓣的 2/3，边缘色较浅；花瓣绿黄色或近白色，长 8 ~ 10 mm；花柱长 0.5 ~ 1 cm，多少外露，斜向下，上部稍向上弯，有柱头盘（果期较大），5 圆裂。蒴果扁圆球状。花期 6 ~ 7

月，果期 7 ~ 8 月。

| 生境分布 | 生于海拔 450 ~ 2 300 m 的山坡林下。分布于湖北来凤、宣恩、咸丰、鹤峰、恩施、利川、巴东、兴山、神农架、房县、郧西、竹溪、远安，保康、浠水、蕲春、武穴、英山、罗田、麻城。

| 资源情况 | 野生资源丰富，栽培资源稀少。药材来源于野生。

| 采收加工 | **全草**：全年均可采挖，除去杂质，晒至叶片较软时，堆置至叶片变紫褐色，晒干。

| 功能主治 | 祛风湿，强筋骨，止血，止咳。用于风湿痹痛，肾虚腰痛，腰膝无力，月经过多，久咳劳嗽。

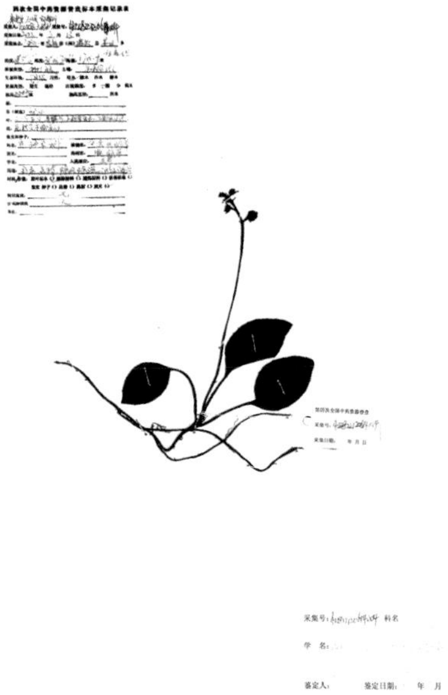

鹿蹄草科 Pyrolaceae 鹿蹄草属 *Pyrola*

小叶鹿蹄草 *Pyrola media* Sw.

| 药 材 名 | 小叶鹿蹄草。

| 形态特征 | 常绿草本状小半灌木。株高 10 ~ 30（~ 33）cm。根茎细长，横生，斜升。基部簇生（3 ~）4 ~ 6（~ 7）叶；叶片小，革质，近圆形、椭圆状圆形或宽卵形，长 3 ~ 3.5 cm，先端圆钝，基部圆形或楔圆形，边缘常稍内卷，有疏细齿，下部齿较疏，上部齿较密，呈小乳头状；叶柄有狭翼。花葶有 1 舌形膜质鳞片状叶，长 8 ~ 10 mm；总状花序长 3 ~ 5（~ 7）cm，有花 5 ~ 12；苞片大，长圆形，长过花梗。萼片短舌形，急尖头，淡红色；花冠碗形，花瓣白色或近基部带淡红色，长约 6 mm；花柱下倾，上部稍向上弯，多少露出于花冠之外，

先端呈环状加粗，柱头 5 浅裂。蒴果扁圆状球形。花期 6 ~ 7 月，果期 8 ~ 9 月。

| 生境分布 | 生于 1 900 ~ 2 600 m 的针叶林下潮湿地。分布于湖北五峰。

| 资源情况 | 野生资源稀少。药材来源于野生。

| 功能主治 | 祛风除湿，强筋壮骨，止血，止痢。

杜鹃花科 Ericaceae 吊钟花属 *Enkianthus*

灯笼树 *Enkianthus chinensis* Franch.

| 药 材 名 | 灯笼树。

| 形态特征 | 落叶灌木或小乔木。高 3 ~ 6 m，稀达 10 m；幼枝灰绿色，无毛，老枝深灰色；芽圆柱状，长 8 ~ 10 mm，芽鳞宽披针形，长约 5 mm，宽约 1.5 mm，微红色，先端有小突尖，边缘具缘毛。叶常聚生枝顶，纸质，长圆形至长圆状椭圆形，长 3 ~ 4（~ 5）cm，宽 2 ~ 2.5 cm，先端钝尖，具短凸尖头，基部宽楔形或楔形，边缘具钝锯齿，两面无毛，中脉在表面下凹，连同侧脉在表面不明显，在背面明显，网脉在背面明显；叶柄粗壮，长 0.8 ~ 1（~ 15）mm，具槽，无毛。花多数组成伞形花序状总状花序；花梗纤细，长 2.5 ~ 4 cm，无毛；花下垂；花萼 5 裂，裂片三角形，长约 2.5 mm，

有缘毛；花冠阔钟形，长与宽均 1 cm，肉红色，口部 5 浅裂；雄蕊 10，着生于花冠基部，花丝长约 4.5 mm，中部以下膨大，被微柔毛，花药 2 裂，长约 1.5 mm，芒长约 1 mm；子房球形，具 5 纵纹，疏被白色短毛，花柱长约 5.5 mm，被疏微毛。蒴果卵圆形，直径 6 ~ 7（~ 8）mm，室背开裂为 5 果瓣，果爿长约 6 mm，宽约 3.2 mm，果爿中间具微纵槽。种子长约 6 mm，微有光泽，具皱纹，有翅，每室有种子多数，种子着生于中轴之上部。花期 5 月，果期 6 ~ 10 月。

| 生境分布 | 生于海拔 900 ~ 3 100 m 的山坡疏林中。分布于湖北宣恩、恩施、巴东、兴山、神农架、竹溪。

| 资源情况 | 野生资源较丰富，栽培资源较丰富。药材主要来源于栽培。

| 功能主治 | **花**：清热止血，调经。用于外感发热，咽喉肿痛，痈肿疔毒。

杜鹃花科 Ericaceae 吊钟花属 *Enkianthus*

齿缘吊钟花 *Enkianthus serrulatus* (Wils.) Schneid.

| 药 材 名 | 齿缘吊钟花。

| 形态特征 | 落叶灌木或小乔木。高2 ~ 4(~ 6)m。树皮灰褐色，无毛。叶厚纸质，簇生于枝顶，椭圆形或椭圆状长圆形，长4 ~ 10 cm，宽1.5 ~ 4.5 cm，先端短渐尖或渐尖，基部宽楔形或圆形，边缘有细锯齿，两面无毛或下面主脉下段有白色柔毛，网脉较明显；叶柄长约1 cm，无毛。花白色，下垂；花梗长2 ~ 3 cm，常2 ~ 6花组成顶生伞形花序；花冠钟状，长约1 cm，裂片常反折。蒴果椭圆形，长8 ~ 12 mm，有棱角，室背5裂；果柄粗壮，直立。花期4 ~ 6月，果期7 ~ 9月。

| 生境分布 | 生于海拔1 200 ~ 1 500 m的杂木林中。分布于湖北咸丰、宣恩、鹤峰、利川、建始。

| **采收加工** | 花将开放时采收，鲜用或晒干。

| **功能主治** | 祛风除湿，散瘀止痛。用于风湿性疼痛和女性产后腹痛等。

杜鹃花科 Ericaceae 珍珠花属 *Lyonia*

珍珠花 *Lyonia ovalifolia* (Wall.) Drude

| 药 材 名 | 小米柴。

| 形态特征 | 常绿或落叶灌木或小乔木，高 8 ~ 16 m。枝淡灰褐色，无毛；冬芽长卵圆形，淡红色，无毛。叶革质，卵形或椭圆形，长 8 ~ 10 cm，宽 4 ~ 5.8 cm，先端渐尖，基部钝圆或心形，表面深绿色，无毛，背面淡绿色，近无毛，中脉在表面下陷，在背面凸起，侧脉羽状，在表面明显，脉上多少被毛；叶柄长 4 ~ 9 mm，无毛。总状花序长 5 ~ 10 cm，着生于叶腋，近基部有 2 ~ 3 叶状苞片，小苞片早落；花序轴上微被柔毛；花梗长约 6 mm，近无毛；花萼 5 深裂，裂片长椭圆形，长约 2.5 mm，宽约 1 mm，外面近无毛；花冠圆筒状，长约 8 mm，直径约 4.5 mm，外面疏被柔毛，上部 5 浅裂，裂片向外

反折，先端钝圆；雄蕊 10，花丝线形，长约 4 mm，先端有 2 芒状附属物，中下部疏被白色长柔毛；子房近球形，无毛，花柱长约 6 mm，柱头头状，略伸出花冠外。蒴果球形，直径 4 ~ 5 mm，缝线增厚；种子短线形，无翅。花期 5 ~ 6 月，果期 7 ~ 9 月。

| **生境分布** | 生于海拔 700 ~ 2 800 m 的林中。分布于湖北神农架。

| **资源情况** | 野生资源较少，栽培资源稀少。药材主要来源于野生。

| **采收加工** | **枝叶、果实**：秋季采收，鲜用或晒干。

| **功能主治** | 活血止痛，祛风解毒。用于跌打损伤，骨折，癣疮。

杜鹃花科 Ericaceae 珍珠花属 *Lyonia*

小果珍珠花 *Lyonia ovalifolia* (Wall.) Drude var. *elliptica* (Sieb. et Zucc.) Hand.-Mazz.

| 药 材 名 | 線木。

| 形态特征 | 落叶灌木或小乔木，高 3 ~ 7 m。幼枝有微毛，后脱落。单叶互生；叶片纸质，卵形至卵状椭圆形，长 5 ~ 10 cm，宽 2 ~ 2.5 cm，先端渐尖或急尖，基部圆形、圆楔形或近心形，全缘，下面脉上有柔毛。总状花序生在老枝的叶腋，长 3 ~ 8 cm，稍有微毛，下部常有数小叶；萼片三角状卵形，尖头，长约 2 mm；花冠白色，椭圆状坛形，长约 8 mm，5 浅裂，外面被柔毛；雄蕊 10，无芒状附属物，顶孔开裂；子房 4 ~ 5 室，有毛。蒴果扁球形，较小，直径约 3 mm，果序长 12 ~ 14 cm，子房和蒴果无毛。花期 6 月，果期 10 月。

| 生境分布 | 生于阳坡灌丛中。湖北有分布。

| 采收加工 | 枝叶：夏、秋季采收。

根：秋、冬季采挖，洗净，切片，晒干。

果实：秋季采摘，鲜用或晒干。

| 功能主治 | 补脾益肾，活血强筋。用于脾虚腹泻，腰膝无力，跌打损伤。

杜鹃花科 Ericaceae 珍珠花属 *Lyonia*

狭叶珍珠花 *Lyonia ovalifolia* (Wall.) Drude var. *lanceolata* (Wall.) Hand.-Mazz.

|药 材 名|

狭叶南烛。

|形态特征|

常绿、落叶灌木或小乔木。高 8 ~ 16 m；枝淡灰褐色，无毛；冬芽长卵圆形，淡红色，无毛。叶革质，椭圆状披针形，先端钝尖或渐尖，基部狭窄，楔形或阔楔形；叶柄长 6 ~ 8 mm；萼片较狭，披针形。总状花序长 5 ~ 10 cm，着生叶腋，近基部有 2 ~ 3 叶状苞片；小苞片早落；花序轴上微被柔毛；花梗长约 6 mm，近无毛；花萼深 5 裂，裂片长椭圆形，长约 2.5 mm，宽约 1 mm，外面近无毛；花冠圆筒状，长约 8 mm，直径约 4.5 mm，外面疏被柔毛，上部浅 5 裂，裂片向外反折，先端钝圆；雄蕊 10，花丝线形，长约 4 mm，先端有 2 芒状附属物，中下部疏被白色长柔毛；子房近球形，无毛，花柱长约 6 mm，柱头头状，略伸出花冠外。蒴果球形，直径 4 ~ 5 mm，缝线增厚；种子短线形，无翅。花期 5 ~ 6 月，果期 7 ~ 9 月。

|生境分布|

生于海拔 700 ~ 2 400 m 的林中。湖北有分布。

| 资源情况 | 野生资源较丰富。药材主要来源于野生。

| 采收加工 | **叶：** 春季采收。

根： 秋、冬季采收，晒干。

| 功能主治 | **叶：** 用于骨鲠喉。

根： 用于感冒。

杜鹃花科 Ericaceae 珍珠花属 *Lyonia*

毛叶珍珠花 *Lyonia villosa* (Wall. ex C. B. Clarke) Hand.-Mazz.

| 药 材 名 | 小豆柴。

| 形态特征 | 落叶灌木或小乔木。高 2 ~ 3 m；树皮灰色或灰褐色；枝条粗壮，幼枝被短柔毛。单叶互生；叶柄长 4 ~ 10 mm，具疏细毛；叶片纸质，倒卵形或长圆状倒卵形，长 3 ~ 7 cm，宽 2 ~ 3 cm，先端钝，有短尖头，基部阔楔形，或近圆形，或略呈浅心形，全缘，表面深绿色，背面淡绿色，被灰色长柔毛，脉上通常较多，中脉在表面凹陷，在背面凸起，侧脉羽状，6 ~ 9 对，在背面显著。总状花序腋生，长 4 ~ 7 cm，通常有花 8 ~ 15，下面有 2 ~ 3 叶状苞片；小苞片早落；花序轴及花梗密被黄褐色柔毛；花萼 5 深裂，裂片狭披针形，长 3 ~ 4 mm；花冠卵状坛形，乳黄色，下垂，长 5 ~ 8 mm，先端

5 浅裂，裂片三角形；雄蕊 10，花丝被长绒毛，无芒状附属物；子房球形，花柱粗壮。蒴果近球形，花萼宿存，被微柔毛。花期 6 ~ 7 月，果期 8 ~ 9 月。

| **生境分布** | 生于灌木林中。湖北有分布。

| **采收加工** | **枝、叶**：夏、秋季采收，切段，鲜用或晒干。

| **功能主治** | 祛风湿，活血止痛，杀虫止痒。用于风湿痹痛，跌打损伤，疮疥，麻风。

杜鹃花科 Ericaceae 马醉木属 *Pieris*

马醉木 *Pieris japonica* (Thunb.) D. Don ex G. Don

| 药材名 |

马醉木。

| 形态特征 |

灌木或小乔木，高约 4 m。树皮棕褐色，小枝开展，无毛；冬芽倒卵形，芽鳞 3 ~ 8，呈覆瓦状排列。叶革质，密集枝顶，椭圆状披针形，长 3 ~ 8 cm，宽 1 ~ 2 cm，先端短渐尖，基部狭楔形，边缘在 2/3 以上具细圆齿，稀近全缘，无毛，表面深绿色，背面淡绿色，主脉在两面凸起，侧脉在表面下陷，在背面不明显，小脉网状；叶柄长 3 ~ 8 mm，腹面有深沟，背面圆形，微被柔毛。总状花序或圆锥花序顶生或腋生，长 8 ~ 14 cm，直立或俯垂，花序轴有柔毛；萼片三角状卵形，长约 3.5 mm，宽约 1 mm，内面疏生短柔毛，外面有少数腺毛或近无毛；花冠白色，坛状，长 6 ~ 7 mm，直径约 5 mm，无毛，上部 5 浅裂，裂片近圆形；雄蕊 10，长约 3.5 mm，花丝纤细，有长柔毛，基部较多；子房近球形，无毛，花柱细长，长约 6 mm，柱头细小，头状。蒴果近扁球形，直径 3 ~ 5 mm，无毛。花期 4 ~ 5 月，果期 7 ~ 9 月。

| 生境分布 | 生于海拔 800 ～ 1 200 m 的灌丛中。分布于湖北利川、巴东，以及湖北东南部。

| 资源情况 | 野生资源一般，栽培资源较丰富。药材主要来源于野生。

| 采收加工 | **叶**：春、夏、秋季均可采收，鲜用或晒干。

| 功能主治 | 杀虫。用于疥疮。

杜鹃花科 Ericaceae 杜鹃属 *Rhododendron*

耳叶杜鹃 *Rhododendron auriculatum* Hemsl.

| 药材名 | 耳叶杜鹃。

| 形态特征 | 常绿灌木或小乔木。高 2 ~ 6（~ 9）m。幼枝密被长腺毛；叶芽和花芽长渐尖，外面有狭长渐尖的外苞片。叶纸质或薄革质，长圆形或椭圆状披针形，长 8 ~ 19（~ 25）cm，宽 2 ~ 7 cm，先端钝圆，有小尖头，基部浅心形，稍呈耳状，上面暗绿色，近无毛，脉凹下，下面灰绿色，密被柔毛，中脉尤甚，有时亦疏被腺体；叶柄长 1.5 ~ 3 cm，密被腺毛。花白色或浅红色，芳香；花梗粗壮，长约 23 cm，密生长腺毛，常 5 ~ 10（~ 15）花组成顶生短总状花序，直径可达 20 cm 或更长；花萼小，多变化，盘状，边缘有深浅不一的裂片，背面有腺毛；花冠漏斗状，长 6 ~ 10 cm，外被长腺毛，

裂片 7；雄蕊 14，不等长，花丝无毛；子房 7 ~ 8 室，密生短腺毛。蒴果长圆形，长约 4 cm，有肋棱和短腺毛，花期 7 ~ 8 月，果期 9 ~ 10 月。

| 生境分布 | 生于海拔 600 ~ 2 000 m 的山坡上或沟谷森林中。分布于湖北宣恩、鹤峰、恩施、建始、巴东。

| 资源情况 | 野生资源较丰富，栽培资源较丰富。药材来源于野生或栽培。

| 采收加工 | **根：**全年均可采收，洗净，鲜用或切片，晒干。

| 功能主治 | 理气，止咳。

杜鹃花科 Ericaceae 杜鹃属 *Rhododendron*

丁香杜鹃 *Rhododendron farrerae* Tate ex Sweet

| 药材名 | 丁香杜鹃。

| 形态特征 | 落叶灌木。高 1.5 ~ 3 m。枝短而坚硬，黄褐色，幼时被铁锈色长柔毛，后渐近无毛。叶近革质，常集生枝顶，卵形，长 2 ~ 3 cm，稀达 5.5 cm，宽 1 ~ 2 cm，先端钝，具软角质的短尖头，基部圆形，边缘具开展的睫毛，中脉和侧脉在上面下凹，在下面凸出，两面中脉近叶基处被锈色糙伏毛或无毛；叶柄长约 2 mm，密被锈色柔毛。花 1 ~ 2 顶生，先花后叶；花梗长 6 mm，密被锈红色柔毛；花萼极不明显，裂片被锈色长柔毛；花冠辐状漏斗形，紫丁香色，直径 3.8 ~ 5 cm，花冠筒短，呈狭筒状，5 裂，裂片开展，上方 3 裂片极少分裂，边缘多波状，其中 1 裂片最小，具紫红色斑点，无毛，下

方 2 裂片大而深裂；雄蕊 8 ~ 10，不等长，比花冠短，花丝中部以下被短腺毛；子房卵球形，密被红棕色长柔毛，花柱弯曲，无毛，柱头微裂。蒴果长圆柱形，长约 1 cm，密被锈色柔毛；果柄长约 1 cm，弯曲，密被红棕色长柔毛。花期 5 ~ 6 月，果期 7 ~ 8 月。

| 生境分布 | 生于海拔 800 ~ 2 100 m 的山地密林中。湖北有分布。

| 资源情况 | 野生资源较丰富，栽培资源较丰富。药材主要来源于栽培。

| 功能主治 | **全株**：疏风，止咳。用于咳嗽，支气管炎等。

杜鹃花科 Ericaceae 杜鹃属 *Rhododendron*

云锦杜鹃 *Rhododendron fortunei* Lindl.

| 药 材 名 | 云锦杜鹃。

| 形态特征 | 常绿灌木或小乔木，高 3 ~ 12 m。主干弯曲，树皮褐色，片状开裂。幼枝黄绿色，初具腺体；老枝灰褐色。顶生冬芽阔卵形，长约 1 cm，无毛。叶厚革质，长圆形至长圆状椭圆形，长 8 ~ 14.5 cm，宽 3 ~ 9.2 cm，先端钝至近圆形，稀急尖，基部圆形或截形，稀近浅心形，上面深绿色，有光泽，下面淡绿色，在放大镜下可见略有小毛，中脉在上面微凹下，在下面凸起，侧脉 14 ~ 16 对，在上面稍凹入，下面平坦；叶柄圆柱形，长 1.8 ~ 4 cm，淡黄绿色，有稀疏的腺体。顶生总状伞形花序疏松，有花 6 ~ 12，有香味；总轴长 3 ~ 5 cm，淡绿色，多少具腺体；总梗长 2 ~ 3 cm，淡绿色，疏被

短柄腺体；花萼小，长约 1 mm，稍肥厚，边缘有浅裂片 7，具腺体；花冠漏斗状钟形，长 4.5 ~ 5.2 cm，直径 5 ~ 5.5 cm，粉红色，外面有稀疏腺体，裂片 7，阔卵形，长 1.5 ~ 1.8 cm，先端圆或波状；雄蕊 14，不等长，长 18 ~ 30 mm，花丝白色，无毛，花药长椭圆形，黄色，长 3 ~ 4 mm；子房圆锥形，长 5 mm，直径 4.5 mm，淡绿色，密被腺体，10 室，花柱长约 3 cm，疏被白色腺体，柱头小，头状，宽 2.5 mm。蒴果长圆状卵形至长圆状椭圆形，直或微弯曲，长 2.5 ~ 3.5 cm，直径 6 ~ 10 mm，褐色，有肋纹及腺体残迹。花期 4 ~ 5 月，果期 8 ~ 10 月。

| 生境分布 | 生于海拔 620 ~ 2 000 m 的山脊阳处或林下。分布于湖北鹤峰、利川、建始、罗田。

| 资源情况 | 野生资源较丰富，栽培资源较丰富。药材主要来源于栽培。

| 功能主治 | **花、叶：**清热解毒，敛疮。用于皮肤抓破溃烂。

杜鹃花科 Ericaceae 杜鹃属 *Rhododendron*

粉白杜鹃 *Rhododendron hypoglaucum* Hemsl.

| 药材名 |

粉白杜鹃。

| 形态特征 |

常绿灌木或小乔木，高 2 ~ 8 m。幼枝初被微柔毛，后无毛。叶革质，长圆状椭圆形或长圆状倒披针形，长 5 ~ 12 cm，宽 1.5 ~ 4 cm，先端急尖，基部楔形，上面亮绿色，无毛，中脉稍下陷，下面除隆起的中脉无毛外，其余薄被白色绒毛；叶柄长 1 ~ 1.5 cm。花白色，带紫红色，花里面上方有红色斑点，花梗长 1 ~ 4 cm，被短柔毛和稀疏腺体；常 4 ~ 7 花组成顶生短总状伞形花序；花萼小，5 裂，裂片宽三角形，被腺体和缘毛；花冠漏斗状钟形，5 裂，长 3 ~ 3.5 cm，外面无毛，里面基部被微毛；雄蕊 10，稍伸出，花丝中部以下有短毛；子房、花柱均无毛。蒴果长圆状柱形，长 1 ~ 1.5 cm，稍弯，有沟纹和密疣点。花期 4 ~ 5 月，果期 6 ~ 7 月。

| 生境分布 |

生于海拔 250 ~ 2 200 m 的山坡杂木林下或灌丛中。分布于湖北鹤峰、恩施、巴东、兴山、竹溪，以及宜昌。

| 资源情况 | 野生资源较丰富，栽培资源较丰富。药材来源于野生和栽培。

| 采收加工 | **叶、花：**春、秋季采收，鲜用或晒干。

| 功能主治 | **叶、花：**止咳平喘。

杜鹃花科 Ericaceae 杜鹃属 *Rhododendron*

高山杜鹃 *Rhododendron lapponicum* (L.) Wahl.

| 药 材 名 | 高山杜鹃。

| 形态特征 | 常绿小灌木，高 20 ~ 45（ ~ 100） cm。分枝繁密，短或细长，伏地或挺直，幼枝密生锈棕色鳞片，杂有细柔毛，后渐脱落。叶芽鳞早落；叶常散生于枝条顶部，革质，长圆状椭圆形至卵状椭圆形，或长圆状倒卵形，长 4 ~ 15（ ~ 25） mm，宽 2 ~ 5（ ~ 9） mm，先端圆钝，有短突尖头，基部宽楔形，边缘稍反卷，上面浅灰色至暗灰绿色，无光泽，密被几邻接或重叠的灰白色鳞片，下面淡黄褐色至红褐色，密被淡黄褐色和褐锈色相混生的二色鳞片，几相等，相邻接或重叠；叶柄长 1.5 ~ 4 mm，被鳞片。花序顶生，伞形，有花（2 ~ ）3 ~ 5（ ~ 6）；花芽鳞脱落；花梗长 3 ~ 6 mm，果期

伸长达 12 mm；花萼小，长（0.5 ～）1 ～ 2 mm，带红色或紫色，裂片 5，卵状三角形或近圆形，被疏或密的鳞片，边缘被长缘毛或鳞片；花冠宽漏斗状，长（6.5 ～）7 ～ 13（～ 16）mm，淡紫蔷薇色至紫色，罕为白色，外面无鳞片，无毛，花管长（1.5 ～）2 ～ 5（～ 6）mm，内面喉部被柔毛，裂片 5，开展，长于花管；雄蕊 5 ～ 10，约与花冠等长，花丝基部被绵毛；子房 5 室，长 1.2 mm，密被鳞片，花柱长 1.1 ～ 1.5 cm，较雄蕊长，光滑。蒴果长圆状卵形，长 3 ～ 6 mm，密被鳞片。花期 5 ～ 7 月，果期 9 ～ 10 月。

| 生境分布 | 生于高山、苔原、多岩石地方或沼泽地带。

| 资源情况 | 野生资源较丰富，栽培资源一般。药材主要来源于野生。

| 功能主治 | 祛风利尿，除湿止血，止咳。用于风湿类疾病，支气管炎，湿疹等。外用可缓解跌打损伤导致的瘀血，红肿、疼痛等症状。

杜鹃花科 Ericaceae 杜鹃属 *Rhododendron*

黄花杜鹃 *Rhododendron lutescens* Franch.

| 药 材 名 | 黄花杜鹃。

| 形态特征 | 灌木。高 1 ~ 3 m。幼枝细长，疏生鳞片。叶散生，叶片纸质，披针形、长圆状披针形或卵状披针形，长 4 ~ 9 cm，宽 1.5 ~ 2.5 cm，先端长渐尖或近尾尖，具短尖头，基部圆形或宽楔形，上面疏生鳞片，下面鳞片黄色或褐色，相距为其直径的 0.5 ~ 6 倍，中脉、侧脉纤细，侧脉约 12 对，在两面不明显；叶柄长 5 ~ 9 mm，疏生鳞片。花 1 ~ 3 顶生或生于枝顶叶腋；宿存的花芽鳞覆瓦状排列；花梗长 0.4 ~ 1.5 cm，被鳞片；花萼不发育，长 0.5 ~ 1 mm，波状 5 裂或环状，密被鳞片，无缘毛或偶有缘毛；花冠宽漏斗状，略呈两侧对称，长 2 ~ 2.5 cm，黄色，5 裂至中部，裂片长圆形，外面疏生鳞片，密被

短柔毛；雄蕊不等长，长雄蕊伸出花冠很长，花丝毛少，短雄蕊花丝基部密被柔毛；子房 5 室，密被鳞片，花柱细长，洁净。蒴果圆柱形，长约 1 cm。花期 3 ~ 4 月。

| **生境分布** | 生于海拔 1 700 ~ 2 000 m 的杂木林湿润处或石灰岩山坡灌丛中。湖北有分布。

| **功能主治** | 止血止痛，杀菌消炎。

杜鹃花科 Ericaceae 杜鹃属 *Rhododendron*

满山红 *Rhododendron mariesii* Hemsl. et Wils.

| 药 材 名 | 满山红。

| 形态特征 | 半常绿灌木，高 1 ~ 2 m。树皮淡灰色。多分枝，小枝细而弯曲，暗灰色，有鳞片和柔毛。芽卵形，鳞片广卵形。叶互生；叶柄长 2 ~ 5 mm，有微毛；叶片近革质，集生于小枝上部，椭圆形或卵状长圆形，长 1 ~ 7 cm，宽 1 ~ 3 cm，先端钝，有短尖，基部楔形，全缘，上面深绿色，散生白色腺鳞，下面淡绿色，密生腺鳞。冬季卷成筒状，揉后有香气。花 1 ~ 4 生于枝顶，先于叶开放，粉红色或紫红色；萼片短小，分裂，外面密生鳞片；花冠漏斗状，长约 1.8 cm，5 裂，外生柔毛；雄蕊 10，伸出花冠，花丝基部有柔毛；子房 1，子房壁上密生腺鳞，花柱比花瓣长，宿存。蒴果长圆形，长约 1.2 cm，

先端开裂。花期 5 ~ 6 月，果期 7 ~ 8 月。

| 生境分布 | 生于海拔 600 ~ 1 500 m 的山地稀疏灌丛。分布于湖北来凤、咸丰、宣恩、鹤峰、利川、建始、巴东、兴山、长阳、房县、保康、神农架、崇阳，以及宜昌。

| 资源情况 | 野生资源丰富，栽培资源一般。药材主要来源于野生。

| 采收加工 | **叶**：秋、冬季采收，晒干或阴干。

| 功能主治 | 止咳祛痰。用于急、慢性支气管炎。

杜鹃花科 Ericaceae 杜鹃属 *Rhododendron*

照山白 *Rhododendron micranthum* Turcz.

| 药 材 名 | 照山白。

| 形态特征 | 常绿灌木，高可达 2.5 m。茎灰棕褐色；枝条细瘦。幼枝被鳞片及细柔毛。叶近革质，倒披针形、长圆状椭圆形至披针形，长（1.5 ~ ）3 ~ 4（ ~ 6）cm，宽 0.4 ~ 1.2（ ~ 2.5）cm，先端钝，急尖或圆，具小突尖，基部狭楔形，上面深绿色，有光泽，常被疏鳞片，下面黄绿色，被淡或深棕色有宽边的鳞片。花冠钟状，长 4 ~ 8

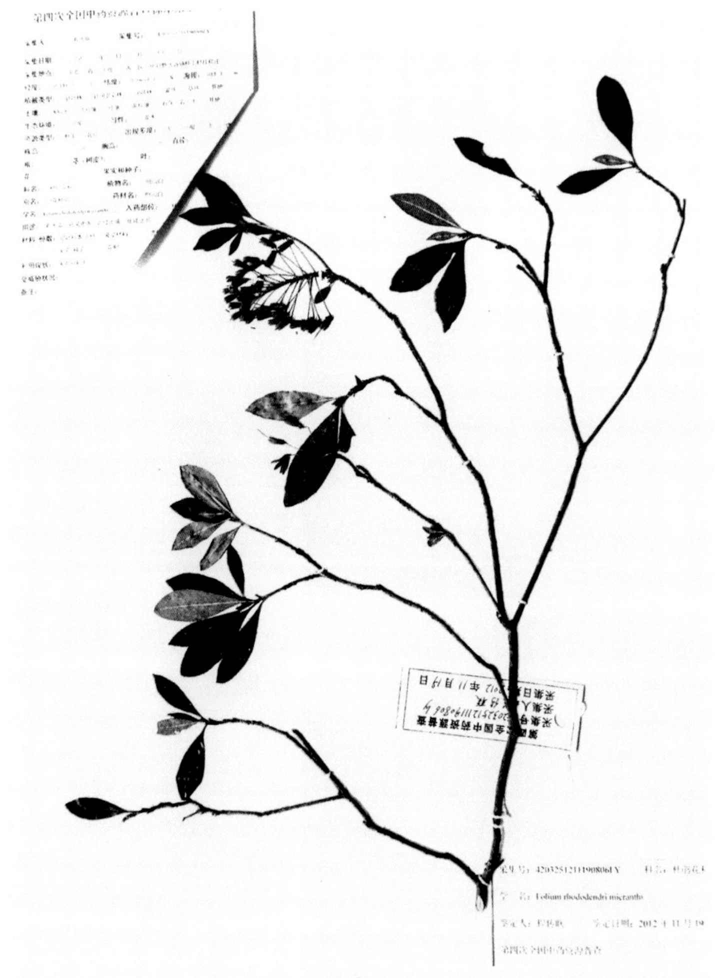

（～10）mm，外面被鳞片，内面无毛，花裂片5，较花管稍长；雄蕊10，花丝无毛；子房长1～3 mm，5～6室，密被鳞片，花柱与雄蕊等长或较短，无鳞片。蒴果长圆形，长（4～）5～6（～8）mm，被疏鳞片。花期5～6月，果期8～11月。

|生境分布| 生于海拔800～2 100 m的山坡林下和灌丛中。分布于湖北秭归、神农架、房县。

|资源情况| 野生资源较丰富，栽培资源较少。药材主要来源于野生。

|采收加工| **枝叶：**夏、秋季采收，鲜用或晒干。

|功能主治| 止咳化痰，祛风通络，调经止痛。用于咳喘痰多，风湿痹痛，腰痛，月经不调，痛经，骨折。

杜鹃花科 Ericaceae 杜鹃属 *Rhododendron*

羊踯躅 *Rhododendron molle* (Blume) G. Don

| 药 材 名 | 闹羊花、六轴子、羊踯躅根。

| 形态特征 | 落叶灌木，高 0.3 ~ 1（~ 1.4）m。幼枝被柔毛和疏刺毛。叶纸质，长圆形至长圆状披针形，长 4 ~ 10（~ 15）cm，宽 2 ~ 4（~ 6）cm，先端急尖或钝，有小尖头，基部楔形，边缘有睫毛，上面至少幼时有短柔毛，下面或仅脉上密被灰色柔毛；叶柄长 2 ~ 8 mm，有柔毛。花黄色，几乎与叶同时开放；花梗长 1 ~ 2.5 cm，被微柔毛；常多花组成顶生伞形短总状花序；花萼 5，卵形至宽三角形，有柔毛和长睫毛；花冠宽钟状，5 裂，其中 1 花冠较大，有绿色斑点，外面有绒毛；雄蕊 5，与花冠等长或稍长，花丝下部被柔毛；子房被长柔毛；花柱无毛。蒴果圆柱状长圆形，长 2 ~ 2.5 cm，被细柔毛和

疏刚毛。花期 4 ~ 5 月，果期 6 ~ 7 月。

| 生境分布 | 生于海拔 50 ~ 800 m 的山坡、路边草地或灌丛。分布于湖北当阳、崇阳、罗田、江夏，以及荆门、孝感、咸宁。

| 资源情况 | 野生资源丰富，栽培资源一般。药材主要来源于野生。

| 采收加工 | **花**：每年 4 ~ 5 月开花盛期采摘。

果实：9 ~ 10 月果实成熟而未开裂时采收，晒干。

根：全年均可采挖，洗净，切片，晒干。

| 功能主治 | **花**：祛风除湿，定痛，杀虫。用于风湿痹痛，偏正头痛，跌扑肿痛，龋齿疼痛，皮肤顽癣，疥疮。

果实：祛风燥湿，散瘀止痛，定喘，止泻。用于风寒湿痹，历节肿痛，跌打损伤，喘咳，泻痢，痈疽肿毒。

根：祛风除湿，化痰止咳，散瘀止痛。用于风湿痹痛，痛风，咳嗽，跌打肿痛。

杜鹃花科 Ericaceae 杜鹃属 *Rhododendron*

粉红杜鹃

Rhododendron oreodoxa Franch. var. *fargesii* (Franch.) Chamb. ex Cullen et Chamb.

| 药 材 名 | 粉红杜鹃。

| 形态特征 | 常绿灌木或小乔木。高 3 ~ 5（~ 8）m。枝条无毛，有光泽，嫩枝带紫色。叶革质，椭圆形至长圆状椭圆形，长 4 ~ 11（~ 12）cm，宽 2.5 ~ 5.5 cm，先端圆钝，有小尖头，基部圆形、截形或近心形，上面深绿色，中脉下陷成沟状，下面淡绿色，网脉明晰，两面均无毛；叶柄长 1.5 ~ 3 cm，常带紫色。花蔷薇色至白色，有红点；花梗长 1 ~ 2 cm，有密腺体；常 6 ~ 10 花组成顶生短总状伞形花序；花萼极短，裂片波状，有腺体；花冠宽钟形，长约 4 cm，无毛，裂片 5 ~ 7，先端微凹；雄蕊约 14，花丝无毛；子房圆锥形，密被腺体，花柱浅红色，无毛。蒴果椭圆形至圆柱状，长 2 ~ 2.5 cm，连同果柄均有腺体。

花期 5 ~ 6 月，果期 6 ~ 8 月。

| **生境分布** | 生于海拔 1 800 ~ 3 100 m 的灌丛中或森林中。分布于湖北西部。

| **功能主治** | 行气活血，补虚。

杜鹃花科 Ericaceae 杜鹃属 *Rhododendron*

马银花 *Rhododendron ovatum* (Lindl.) Planch. ex Maxim.

|药材名|

马银花。

|形态特征|

常绿灌木，高 2 ~ 4（~ 6）m。小枝灰褐色，疏被具柄腺体和短柔毛。叶革质，卵形或椭圆状卵形，长 3.5 ~ 5 cm，宽 1.9 ~ 2.5 cm，先端急尖或钝，具短尖头，基部圆形，稀宽楔形，上面深绿色，有光泽，中脉和细脉凸出，沿中脉被短柔毛，下面仅中脉凸出，侧脉和细脉不明显，无毛；叶柄长 8 mm，具狭翅，被短柔毛。花芽圆锥状，具鳞片数枚，外面的鳞片三角形，内面的鳞片长圆状倒卵形，长 1 cm，宽 0.8 cm，先端钝或圆形，边缘反卷，具细睫毛，外面被短柔毛。花单生于枝顶叶腋；花梗长 0.8 ~ 1.8 cm，密被灰褐色短柔毛和短柄腺毛；花萼 5 深裂，裂片卵形或长卵形，长 4 ~ 5 mm，宽 3 ~ 4 mm，外面基部密被灰褐色短柔毛和疏腺毛，边缘无毛；花冠淡紫色、紫色或粉红色，辐状，5 深裂，裂片长圆状倒卵形或阔倒卵形，长 1.6 ~ 2.3 cm，内面具粉红色斑点，外面无毛，花冠筒内面被短柔毛；雄蕊 5，不等长，稍比花冠短，长 1.5 ~ 2.1 cm，花丝扁平，中部以下被柔毛；子房卵球形，密被短腺毛；花柱长 2.4 cm，伸出花冠外，无毛。蒴果阔卵球形，长 8 mm，直径 6 mm，密被灰褐色短柔毛和疏腺体，被增大且宿存的花萼包围。花期 4 ~ 5 月，果期 7 ~ 10 月。

| **生境分布** | 生于海拔 240 ~ 1 000 m 的山坡林下。分布于湖北利川、巴东、通城、崇阳、通山。

| **资源情况** | 野生资源较丰富，栽培资源较少。药材主要来源于野生。

| **采收加工** | **根：**夏、秋季采挖，洗净，切片，晒干。

| **功能主治** | 清湿热，解疮毒。用于湿热带下，痈肿，疔疮。

杜鹃花科 Ericaceae 杜鹃属 *Rhododendron*

鄂西杜鹃 *Rhododendron praeteritum* Hutch.

| 药 材 名 | 鄂西杜鹃。

| 形态特征 | 灌木。幼枝淡绿色，疏被白色微柔毛，老枝红褐色，花序下的小枝直径约 5 mm。叶革质，倒卵状长圆形或长圆状椭圆形，长 6.5 ~ 8.5 cm，宽 3.1 ~ 4.5 cm，先端钝或宽圆形，有小突尖头，基部圆形至截形，边缘反卷，上面暗绿色，略有皱纹，中脉凹下，侧脉 12 ~ 16 对，稍凹陷，下面苍白绿色，除中脉及其附近有散生的柔毛外，其余无毛，中脉凸出；叶柄粗壮，长 1 ~ 2 cm，幼时具散生的微柔毛，后变为无毛。顶生短总状伞形花序，有花 7 ~ 10；总轴长约 1.5 cm，散生白色微柔毛；花梗长 1.8 ~ 2 cm，幼时被微柔毛，后变为无毛；花萼小，长约 1 mm，外面无毛，裂片 5，宽三角

形；花冠宽钟形，长 2 ~ 4 cm，直径 1.7 ~ 2cm，白色或淡红色，内面基部有 5 深色的蜜腺囊，裂片 5，宽卵形，长 7 ~ 15 mm，宽 8 ~ 25 mm，先端有缺刻；雄蕊 10，不等长，长 1.2 ~ 3.5 cm，花丝基部有白色微柔毛，花药长圆形，长约 1.6 mm；子房长卵圆形，长约 4 mm，直径约 2.5 mm，有浅沟纹，光滑无毛，花柱长约 1.2 cm，无毛，柱头小，头状，宽约 1.2 mm。幼果长圆状卵形，长约 1.5 cm，有浅肋纹。花期 5 月，果期 9 月。

| **生境分布** | 生于海拔 3 100 m 以下的地区。分布于湖北西部。

| **资源情况** | 野生资源稀少，栽培资源较丰富。药材主要来源于野生。

| **功能主治** | 用于气血壅滞而致的疮疖疽痈。

杜鹃花科 Ericaceae 杜鹃属 *Rhododendron*

杜鹃 *Rhododendron simsii* Planch.

| 药材名 | 杜鹃花、杜鹃花根、杜鹃花叶、杜鹃花果实。

| 形态特征 | 落叶灌木。高 2（～5）m；分枝多而纤细，密被亮棕褐色扁平糙伏毛。叶革质，常集生枝端，卵形、椭圆状卵形、倒卵形或倒卵形至倒披针形，长 1.5～5 cm，宽 0.5～3 cm，先端短渐尖，基部楔形或宽楔形，边缘微反卷，具细齿，上面深绿色，疏被糙伏毛，下面淡白色，密被褐色糙伏毛，中脉在上面凹陷，在下面凸出；叶柄长 2～6 mm，密被亮棕褐色扁平糙伏毛。花芽卵球形，鳞片外面中部以上被糙伏毛，边缘具睫毛。花 2～3（～6）簇生枝顶；花梗长约 8 mm，密被亮棕褐色糙伏毛；花萼 5 深裂，裂片三角状长卵形，长约 5 mm，被糙伏毛，边缘具睫毛；花冠阔漏斗形，玫瑰色、鲜红色

或暗红色，长 3.5 ~ 4 cm，宽 1.5 ~ 2 cm，裂片 5，倒卵形，长 2.5 ~ 3 cm，上部裂片具深红色斑点；雄蕊 10，长约与花冠相等，花丝线状，中部以下被微柔毛；子房卵球形，10 室，密被亮棕褐色糙伏毛，花柱伸出花冠外，无毛。蒴果卵球形，长达 1 cm，密被糙伏毛；花萼宿存。花期 4 ~ 5 月，果期 6 ~ 8 月。

| 生境分布 | 生于海拔 500 ~ 1 200（~ 2 500）m 的山地疏灌丛或松林下。分布于湖北来凤、咸丰、宣恩、鹤峰、利川、恩施、巴东、五峰、长阳、兴山、当阳、竹溪、通城、崇阳、通山、罗田，以及宜昌、武汉等。

| 资源情况 | 野生资源丰富，栽培资源丰富。药材来源于野生或栽培。

| 采收加工 | **杜鹃花**：4 ~ 5 月花盛开时采收，烘干。

杜鹃花根：全年均可采，洗净，鲜用或切片，晒干。

杜鹃花叶：春、秋季采收，鲜用或晒干。

杜鹃花果实：于 8 ~ 10 月果实成熟时采收，晒干。

| 功能主治 | **杜鹃花**：和血，调经，止咳，祛风湿，解疮毒。用于吐血，衄血，崩漏，月经不调，咳嗽，风湿痹痛，痈疖疮毒。

杜鹃花根：和血止血，消肿止痛。用于月经不调，吐血，衄血，便血，崩漏，痢疾，脘腹疼痛，风湿痹痛，跌打损伤。

杜鹃花叶：清热解毒，止血，化痰止咳。用于痈肿疮毒，荨麻疹，外伤出血，支气管炎。

杜鹃花果实：活血止痛。用于跌打肿痛。

杜鹃花科 Ericaceae 杜鹃属 *Rhododendron*

长蕊杜鹃 *Rhododendron stamineum* Franch.

| 药 材 名 | 长蕊杜鹃。

| 形态特征 | 常绿灌木或小乔木，高 3 ~ 7 m。幼枝纤细。叶常轮生于枝顶，革质，椭圆形或长圆状披针形。花芽圆锥状，鳞片卵形，覆瓦状排列，

仅边缘和先端被柔毛。花常 3 ~ 5 簇生于枝顶叶腋；花萼小，微 5 裂，裂片三角形；花冠白色，有时蔷薇色，漏斗形，5 深裂，裂片倒卵形或长圆状倒卵形，上方裂片内侧具黄色斑点，花冠管筒状；雄蕊 10，细长，伸出于花冠外很长；子房圆柱形，花柱长 4 ~ 5 cm，超过雄蕊，柱头头状。蒴果圆柱形，长 2 ~ 4 cm，具 7 纵肋。花期 4 ~ 5 月，果期 7 ~ 10 月。

| 生境分布 | 生于海拔 500 ~ 1 600 m 的灌丛或疏林内。湖北有分布。

| 采收加工 | 全年均可采收，鲜用。

| 功能主治 | 用于狂犬咬伤。

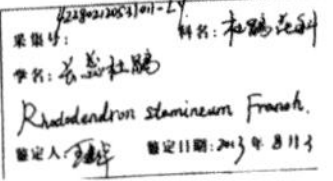
采集号：422802120531011-LY 科名：杜鹃花科
学名：长蕊杜鹃
Rhododendron stamineum Franch.
鉴定人： 鉴定日期：2013年8月3

杜鹃花科 Ericaceae 杜鹃属 *Rhododendron*

四川杜鹃 *Rhododendron sutchuenense* Franch.

| 药 材 名 | 四川杜鹃。

| 形态特征 | 常绿灌木或小乔木，高 1 ~ 8 m。树皮黑褐色至棕褐色。幼枝绿色，被薄层灰白色绒毛，在花序下小枝直径 8 mm，老枝粗壮，淡黄褐色，有明显的叶痕。顶生冬芽近球形，长约 1 cm，无毛。叶革质，倒披针状长圆形，长 10 ~ 22 cm，宽 3 ~ 7 cm，先端钝或圆形，基部楔形，边缘反卷，上面深绿色，下面苍白色，中脉在上面凹下，在下面凸出，被灰白色绒毛，侧脉 17 ~ 22 对；叶柄粗壮，绿色，长 2 ~ 3 cm，幼时被毛如幼枝。顶生短总状花序，有花 8 ~ 10；总轴长 1 ~ 1.5 cm，无毛；花梗粗壮，长 1 ~ 1.3 cm，被白色微柔毛；花萼小，长 2.2 mm，无毛，裂片 5，宽三角形或齿状；花冠漏斗状钟形，长 5 cm，直径

4.5 cm，蔷薇红色，内面上方有深红色斑点，近基部有白色微柔毛及深红色大斑块，裂片 5 ~ 6，近圆形，长约 1.8 cm，先端有缺刻；雄蕊 16，不等长，长 2.5 ~ 3.2 cm，花丝基部具白色微柔毛，花药紫红色，长圆形，长 2.5 ~ 3 mm；子房圆锥形，12 室，长 7 mm，无毛；花柱长 3.5 cm，无毛，柱头盘状，淡红色，宽约 3 mm。蒴果长圆状椭圆形，绿色，长 1.8 ~ 3.6 cm，略有浅肋纹。花期 4 ~ 5 月，果期 8 ~ 10 月。

| 生境分布 | 生于海拔 1 600 ~ 2 500 m 的森林中。分布于湖北宣恩、鹤峰、建始、巴东、兴山、神农架，以及湖北东南部。

| 资源情况 | 野生资源丰富，栽培资源丰富。药材主要来源于栽培。

| 功能主治 | **根、叶**：祛风除湿，止痛。用于带下病。

杜鹃花科 Ericaceae 越桔属 *Vaccinium*

南烛 *Vaccinium bracteatum* Thunb.

| 药材名 | 南烛子、南烛叶、南烛根。

| 形态特征 | 常绿灌木或小乔木，高 2 ~ 6（~ 9）m。分枝多，幼枝被短柔毛或无毛，老枝紫褐色，无毛。叶片薄革质，椭圆形、菱状椭圆形、披针状椭圆形至披针形，长 4 ~ 9 cm，宽 2 ~ 4 cm，先端锐尖、渐尖，稀长渐尖，基部楔形、宽楔形，稀钝圆，边缘有细锯齿，表面平坦有光泽，两面无毛，侧脉 5 ~ 7 对，斜伸至边缘以内网结，与中脉、网脉在表面和背面均稍微凸起；叶柄长 2 ~ 8 mm，

通常无毛或被微毛。总状花序顶生和腋生，长 4 ~ 10 cm，有多数花，花序轴密被短柔毛，稀无毛；苞片叶状，披针形，长 0.5 ~ 2 cm，两面沿脉被微毛或近无毛，边缘有锯齿，宿存或脱落，小苞片 2，线形或卵形，长 1 ~ 3 mm，密被微毛或无毛；花梗短，长 1 ~ 4 mm，密被短毛或近无毛；萼筒密被短柔毛或茸毛，稀近无毛，萼齿短小，三角形，长 1 mm 左右，密被短毛或无毛；花冠白色，筒状，有时略呈坛状，长 5 ~ 7 mm，外面密被短柔毛，稀近无毛，内面有疏柔毛，口部裂片短小，三角形，外折；雄蕊内藏，长 4 ~ 5 mm，花丝细长，长 2 ~ 2.5 mm，密被疏柔毛，药室背部无距，药管长为药室的 2 ~ 2.5 倍；花盘密生短柔毛。浆果直径 5 ~ 8 mm，熟时紫黑色，外面通常被短柔毛，稀无毛。花期 6 ~ 7 月，果期 8 ~ 10 月。

| 生境分布 | 生于丘陵地带或海拔 400 ~ 1 400 m 的山坡林内或灌丛中。分布于湖北鹤峰、利川、兴山、崇阳、通山、阳新、赤壁、黄梅。

| 资源情况 | 野生资源丰富，栽培资源较少。药材主要来源于野生。

| 采收加工 | **果实：**8 ~ 10 月间果实成熟后采摘，晒干。

叶、枝叶：8 ~ 9 月间采收，拣净杂质，晒干。

根：全年均可采挖，鲜用或切片晒干。

| 功能主治 | **果实：**补肝肾，强筋骨，固精气，止泻痢。用于肝肾不足，须发早白，筋骨无力，久泄梦遗，带下不止，久泻久痢。

叶、枝叶：益肠胃，养肝肾。用于脾胃气虚，久泻，少食，肝肾不足，腰膝乏力，须发早白。

根：散瘀，止痛。用于跌打损伤肿痛，牙痛。

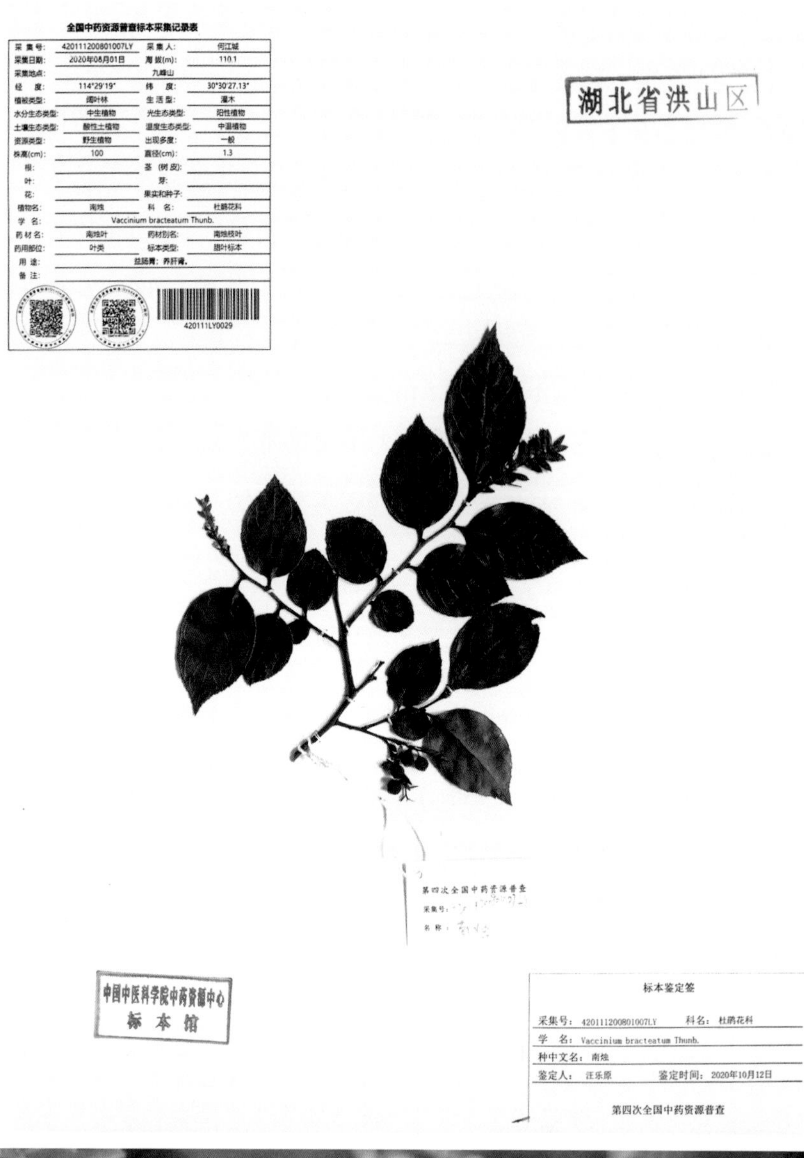
全国中药资源普查标本采集记录表
采集号: 420111200801007LY
采集人: 何江城
采集日期: 2020年08月01日
海拔(m): 110.1
采集地点: 九峰山
经度: 114°29'19"
纬度: 30°30'27.13"
植被类型: 阔叶林
生活型: 灌木
水分生态类型: 中生植物
光生态类型: 阳性植物
土壤生态类型: 酸性土植物
温度生态类型: 中温植物
资源类型: 野生植物
出现多度: 一般
株高(cm): 100
直径(cm): 1.3
根:
茎(树皮):
叶:
芽:
花:
果实和种子:
植物名: 南烛
科名: 杜鹃花科
学名: Vaccinium bracteatum Thunb.
药材名: 南烛叶
药材别名: 南烛枝叶
药用部位: 叶类
标本类型: 腊叶标本
用途: 益肠胃；养肝肾。
备注:
420111LY0029
湖北省洪山区
第四次全国中药资源普查
中国中医科学院中药资源中心
标本馆
标本鉴定签
采集号: 420111200801007LY
科名: 杜鹃花科
学名: Vaccinium bracteatum Thunb.
种中文名: 南烛
鉴定人: 汪乐原
鉴定时间: 2020年10月12日
第四次全国中药资源普查

杜鹃花科 Ericaceae 越桔属 *Vaccinium*

扁枝越桔 *Vaccinium japonicum* Miq. var. *sinicum* (Nakai) Rehd.

| 药 材 名 | 扁枝越桔。

| 形态特征 | 落叶灌木。高 50 ~ 80 mm。枝扁平，绿色，无毛，上有 2 纵沟。叶纸质，卵形至卵状披针形，长 1.5 ~ 6 cm，宽 0.7 ~ 2 cm，先端急尖或渐尖，基部楔形，边缘有带小尖头的细锯齿，两面无毛或中脉基部有柔毛；叶柄极短。花黄色或粉红色，单生于叶腋；花梗长 5 ~ 8 mm，无毛，基部有 2 苞片；苞片狭披针形；花萼倒钟状，萼片 4，三角形；花冠长约 1 cm，深 4 裂，裂片线状披针形，花开后强烈反卷；雄蕊 6，药隔 2，伸长成管状，长达 5 mm，花丝有毛。浆果红色，球形，直径约 5 mm。花期 7 ~ 8 月，果期 9 ~ 10 月。

| 生境分布 | 生于海拔 1 000 ~ 1 600（ ~ 1 900 ） m 的山坡林下或山坡灌丛中。

分布于湖北咸丰、宣恩、鹤峰、利川、建始、长阳、兴山、神农架、通城。

| 资源情况 | 野生资源丰富，栽培资源稀少。药材主要来源于野生。

| 功能主治 | 疏风清热，降火解毒。用于外感发热，咽喉肿痛，痈肿疔毒。

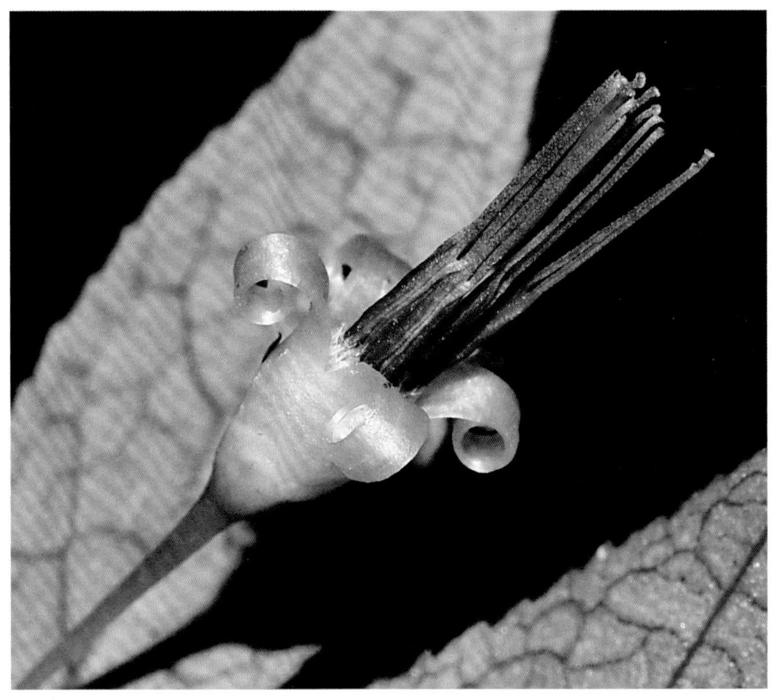

杜鹃花科 Ericaceae 越桔属 *Vaccinium*

江南越桔 *Vaccinium mandarinorum* Diels

| 药 材 名 | 江南越桔。

| 形态特征 | 常绿灌木或小乔木，高 1 ~ 4 m。幼枝通常无毛，有时被短柔毛，老枝紫褐色或灰褐色，无毛。叶片厚革质，卵形或长圆状披针形，长 3 ~ 9 cm，宽 1.5 ~ 3 cm，先端渐尖，基部楔形至钝圆，边缘有细锯齿，两面无毛，或有时在表面沿中脉被微柔毛，中脉和侧脉纤细，在两面稍凸起；叶柄长 3 ~ 8 mm，无毛或被微柔毛。总状花序腋生和生于枝顶叶腋，长 2.5 ~ 7（~ 10）cm，有多数花，花序轴无毛或被短柔毛；苞片未见，小苞片 2，着生于花梗中部或近基部，线状披针形或卵形，长 2 ~ 4 mm，无毛；花梗纤细，长（2 ~）4 ~ 8 mm，无毛或被微毛；萼筒无毛，萼齿三角形或卵状三角形或

半圆形，长 1 ~ 1.5 mm，无毛；花冠白色，有时带淡红色，微香，筒状或筒状坛形，口部稍缢缩或开放，长 6 ~ 7 mm，外面无毛，内面有微毛，裂齿三角形或狭三角形，直立或反折；雄蕊内藏，药室背部有短距，药管长为药室的 1.5 倍，花丝扁平，密被毛；花柱内藏或微伸出花冠。浆果成熟时紫黑色，无毛，直径 4 ~ 6 mm。花期 4 ~ 6 月，果期 6 ~ 10 月。

| 生境分布 | 生于海拔 180 ~ 1 600 m 的山坡灌丛、杂木林中或路边林缘。分布于湖北鹤峰、利川、建始、兴山、崇阳、通山。

| 资源情况 | 野生资源较丰富，栽培资源稀少。药材主要来源于野生。

| 采收加工 | **果实：**夏、秋季果实成熟时采收，晒干。

| 功能主治 | 消肿散瘀。用于全身浮肿，跌打肿痛。

杜鹃花科 Ericaceae 越桔属 *Vaccinium*

笃斯越桔 *Vaccinium uliginosum* L.

| 药 材 名 | 笃斯越桔。

| 形态特征 | 落叶灌木，高 0.5 ~ 1 m；多分枝。茎短而细瘦，幼枝有微柔毛，老枝无毛。叶多数，散生，叶片纸质，倒卵形、椭圆形至长圆形；叶柄短，长 1 ~ 2 mm，被微毛。花下垂，1 ~ 3 花着生于去年生枝顶叶腋；花梗 0.5 ~ 1 cm，先端与萼筒之间无关节，下部有 2 小苞片，小苞片着生处有关节；萼筒无毛；雄蕊 10，比花冠略短，花丝无毛，药室背部有 2 距。浆果近球形或椭圆形。花期 6 月，果期 7 ~ 8 月。

| **生境分布** | 生于海拔 900 ～ 2 300 m 的山坡落叶松林下、林缘、高山草原、沼泽湿地。湖北有分布。

| **功能主治** | **果实：**收敛，清热。用于腹泻，肠炎，胃炎，淋菌性尿道炎，膀胱炎，肾病等。

紫金牛科 Myrsinaceae 紫金牛属 *Ardisia*

九管血 *Ardisia brevicaulis* Diels

| 药 材 名 | 九管血。

| 形态特征 | 小灌木。高 10 ~ 15 cm，具匍匐的根茎。幼嫩时被微柔毛，除侧生特殊花枝外，无分枝。叶互生；叶柄长 1 ~ 1.5 cm，被细微柔毛；叶片坚纸质，狭卵形至近长圆形，先端急尖且钝或渐尖，基部楔形或近圆形，长 7 ~ 14 cm，宽 2.5 ~ 4.8 cm，近全缘，边缘具不明显的腺点，背面被细微柔毛，尤以中脉为多，具疏腺点，侧脉与中脉几成直角，至近边缘上弯，连成远离边缘的不规则的边缘脉。伞形花序，着生于侧生特殊花枝先端，近先端有 1 ~ 2 叶；花梗长 1 ~ 1.5 cm；花萼基部连合达 1/3，萼片披针形或卵形，长约 2 mm，具腺点；花瓣粉红色，卵形，长约 5 mm，里面被疏细微柔毛，

具腺点；雄蕊较花瓣短，花药披针形，背部具腺点；雌蕊与花瓣等长，无毛，具腺点。果实球形，直径约 6 mm，鲜红色，具腺点，宿存萼与果柄通常为紫红色。花期 6 ～ 7 月，果期 10 ～ 12 月。

| 生境分布 | 生于海拔 750 m 的深沟大谷密林中。分布于湖北来凤。

| 资源情况 | 野生资源较丰富，栽培资源较少。药材主要来源于野生。

| 采收加工 | **全株或根**：6 ～ 7 月采收，切碎，鲜用或晒干。

| 功能主治 | 清热解毒，祛风止痛，活血消肿。用于咽喉肿痛，风火牙痛，风湿痹痛，跌打损伤，无名肿毒，毒蛇咬伤。

紫金牛科 Myrsinaceae 紫金牛属 *Ardisia*

朱砂根 *Ardisia crenata* Sims

|药材名|

朱砂根。

|形态特征|

灌木，高 1 ~ 2 m，稀达 3 m。茎粗壮，无毛，除侧生特殊花枝外，无分枝。叶片革质或坚纸质，椭圆形、椭圆状披针形至倒披针形，先端急尖或渐尖，基部楔形，长 7 ~ 15 cm，宽 2 ~ 4 cm，边缘具皱波状或波状齿，具明显的边缘腺点，两面无毛，有时背面具极小的鳞片，侧脉 12 ~ 18 对，构成不规则的边缘脉；叶柄长约 1 cm。伞形花序或聚伞花序，着生于侧生特殊花枝先端；花枝近先端常具 2 ~ 3 叶或更多，或无叶，长 4 ~ 16 cm；花梗长 7 ~ 10 mm，几无毛；花长 4 ~ 6 mm，花萼仅基部连合，萼片长圆状卵形，先端圆形或钝，长 1.5 mm 或略短，稀达 2.5 mm，全缘，两面无毛，具腺点；花瓣白色，稀略带粉红色，盛开时反卷，卵形，先端急尖，具腺点，外面无毛，有时里面近基部具乳头状突起；雄蕊较花瓣短，花药三角状披针形，背面常具腺点；雌蕊与花瓣近等长或略长于花瓣，子房卵珠形，无毛，具腺点，胚珠 5，1 轮。果实球形，直径 6 ~ 8 mm，鲜红色，具腺点。花期 5 ~ 6 月，果期 10 ~ 12 月，有时 2 ~ 4 月。

| 生境分布 | 生于海拔 90 ~ 2 400 m 的疏林、密林下阴湿的灌丛中。分布于湖北来凤、房县。

| 资源情况 | 野生资源较丰富，栽培资源一般。药材主要来源于野生。

| 采收加工 | **根**：秋、冬季采挖，洗净，晒干。

| 功能主治 | 解毒消肿，活血止痛，祛风除湿。用于咽喉肿痛，风湿痹痛，跌打损伤。

| 附　　注 | 朱砂根变种红凉伞 *Ardisia crenata* Sims var. *bicolor* (E. Walker) C. Y. Wu & C. Chen 与本种的区别在于红凉伞的叶背、花梗、花萼及花瓣均带紫红色，有的植株叶两面均为紫红色。二者在植株外形上无太大差异。生于海拔 500 ~ 1 200 m 的山坡林下。分布于湖北来凤、房县。

紫金牛科 Myrsinaceae 紫金牛属 *Ardisia*

百两金 *Ardisia crispa* (Thunb.) A. DC.

| 药 材 名 | 百两金。

| 形态特征 | 灌木，高 1 ~ 2 m。具匍匐根茎，直立茎除侧生特殊花枝外，无分枝。叶片膜质或近坚纸质，椭圆状披针形或狭长圆状披针形，先端长渐尖，基部楔形，长 7 ~ 12 cm，宽 1.5 ~ 3 cm，全缘略波状，具明显的边缘腺点，背面多少具细鳞片，无腺点或具极疏的腺点，侧脉约 8 对，边缘脉不明显；叶柄长 5 ~ 8 mm。亚伞形花序，着生于侧生特殊花枝先端，花枝通常无叶，长 13 ~ 18 cm 者，中部以上具叶 2 ~ 3；花长 4 ~ 5 mm，萼片长圆状卵形或披针形，长 1.5 mm，多少具腺点，无毛；花瓣白色或粉红色，卵形，长 4 ~ 5 mm，里面多少被细微柔毛，具腺点；雄蕊较花瓣略短，花药狭长圆状披针形，

背部无腺点或有；雌蕊与花瓣等长或略长于花瓣，胚珠 5，1 轮。果实球形，直径 5 ~ 6 mm，鲜红色，具腺点。花期 5 ~ 6 月，果期 10 ~ 12 月。

| 生境分布 | 生于海拔 100 ~ 1 750 m 的山坡林中或灌丛中。分布于湖北恩施、宣恩、鹤峰、建始、巴东、神农架、兴山、通山。

| 资源情况 | 野生资源丰富。药材主要来源于野生。

| 采收加工 | **根及根茎：**秋、冬季采挖，洗净，鲜用或晒干。

| 功能主治 | 清热利咽，祛痰利湿，活血解毒。用于咽喉肿痛，咳嗽咳痰不畅，湿热黄疸，小便淋痛，风湿痹痛，跌打损伤，疔疮，无名肿毒，蛇咬伤。

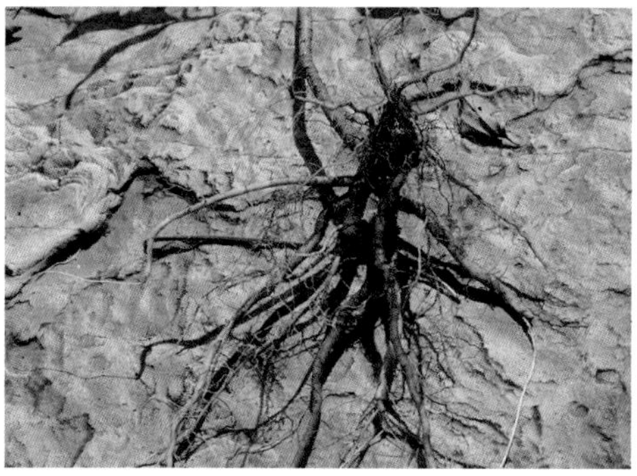

紫金牛科 Myrsinaceae 紫金牛属 *Ardisia*

狭叶紫金牛 *Ardisia filiformis* Walker

| 药材名 | 咳喘木。

| 形态特征 | 灌木。高约 1 m，通常无分枝或少分枝，枝条无毛。叶片膜质，狭披针形或披针形，先端狭渐尖，略镰形，稀长急尖，基部广楔形，长 12 ~ 20（~ 23）cm，宽 1 ~ 2.5（~ 3.5）cm，稀长达 32 cm，全缘或具极浅的疏波状齿，齿尖具极小的腺点，叶面无毛，中脉平整，背部多少被细鳞片，中脉隆起，具腺点，腺点两面隆起，侧脉 10 ~ 15 对，连成明显的边缘脉；叶柄长约 3 mm，稀达 5 mm 或 10 mm。圆锥花序，腋生，长 4 ~ 7 cm，稀达 12.5 cm 或更长，无毛；花梗长 8 ~ 15 mm，极细；花长 3 ~ 4 mm，花萼仅基部连合，长约 1 mm，萼片卵形，先端钝或近圆形，无毛，具腺点；花瓣粉红

色或淡红色，长圆状卵形，先端略钝，具腺点，无毛；雄蕊较花瓣略短，花药披针形；雌蕊与花瓣等长，子房球形，腺点不明显，无毛。果实球形，蓝黑色或红色，直径约 6 mm，具腺点。花期 4 ～ 5 月，果期约 12 月。

| **生境分布** | 生于海拔 200 ～ 980 m 的山间密林湿润处。湖北有分布。

| **资源情况** | 野生资源一般，栽培资源稀少。药材主要来源于野生。

| **采收加工** | **全株**：夏、秋季采挖，洗净，切段，晒干。

| **功能主治** | 止咳平喘。用于咳嗽，哮喘。

紫金牛科 Myrsinaceae 紫金牛属 *Ardisia*

紫金牛 *Ardisia japonica* (Thunb.) Blume

| 药 材 名 | 紫金牛。

| 形态特征 | 小灌木。枝长 30 ~ 40 cm，幼时被毛。叶对生或轮生，椭圆状卵形至宽椭圆状披针形，长 3.5 ~ 8 cm，宽 1.5 ~ 3.5 cm，两端均急尖，边缘有细锯齿，下面无毛或有时中脉被微柔毛，多少有斑点，侧脉 5 对，细脉网状，叶纸质至革质；叶柄长 6 ~ 10 mm，被微柔毛。花序腋生或近顶生，花序近伞形，少花，被微绒毛；总梗长 5 mm，花梗长 7 mm；苞片披针形，长 1 mm，被微柔毛或缘毛；花粉红色至白色，长 3 ~ 5 mm；萼片卵圆形，长 1.5 mm，钝或急尖，有缘毛，有时有斑点，无毛；花瓣宽卵形，长 3 ~ 5 mm，急尖，密被黑色斑点；雄蕊与花瓣等长，花药戟形，背面有黑斑；雌蕊与花瓣同

长。果实直径 5 ~ 6 mm，赤色或黑色，多少有斑点，无毛。花期 5 ~ 6 月，果期 11 ~ 12 月。

| 生境分布 | 生于海拔 1 200 m 以下的山间林下或竹林下阴湿的地方。分布于湖北来凤、神农架。

| 资源情况 | 野生资源一般，栽培资源一般。药材来源于野生和栽培。

| 采收加工 | **全株：**全年均可采收，洗净，晒干。

| 功能主治 | 止咳化痰，祛风解毒，活血止痛。用于支气管炎，大叶性肺炎，小儿肺炎，肺结核，肝炎，痢疾，急性肾炎，尿路感染，经闭，跌打损伤，风湿筋骨痛；外用于皮肤瘙痒，漆疮。

紫金牛科 Myrsinaceae 杜茎山属 *Maesa*

湖北杜茎山 *Maesa hupehensis* Rehd.

| 药材名 |

湖北杜茎山。

| 形态特征 |

灌木，高 1 ~ 2（~ 4）m。小枝纤细，圆柱形，无毛。叶片坚纸质，披针形或长圆状披针形，稀卵形，先端渐尖，基部圆形或钝，或广楔形，长 10 ~ 15（~ 21）cm，宽 2 ~ 4（~ 4.5）cm，全缘或具疏离的浅牙齿，稀具疏离的浅锯齿，两面无毛，叶面中脉平整，背面中脉、侧脉明显，隆起，侧脉 8 ~ 10 对，弯曲上升，不成边缘脉，细脉不明显，具明显或不明显的脉状腺条纹；叶柄长 5 ~ 10 mm，无毛。总状花序，稀基部具 1 ~ 2 分枝，腋生，长 4 ~ 8（~ 10）cm，无毛；苞片披针形，全缘，无毛；花梗长 3 ~ 4 mm，无毛；小苞片卵形，贴生于花萼基部，具疏脉状腺条纹；花长 3 ~ 4 mm，萼片广卵形，先端急尖，较萼管长，边缘薄，具微波状齿，具脉状腺条纹，无毛；花冠白色，钟形，长 3 ~ 4 mm，具密脉状腺条纹，裂片广卵形，先端近圆形，与花冠管等长；雄蕊短，内藏，花丝细，与花药等长，花药卵形；雌蕊不超过花冠，子房与花柱等长，柱头微 4 裂。果实球形或近卵圆形，直径约

5 mm，白色或白黄色，具脉状腺条纹及纵行肋纹，宿存萼包果达顶部，带冠宿存花柱。花期 5 ~ 6 月，果期 10 ~ 12 月。

| **生境分布** | 生于海拔 500 ~ 1 700 m 的山间密林下、溪边林下、路边林缘灌丛中湿润的地方。分布于湖北咸丰、利川及神农架。

| **资源情况** | 野生资源一般，栽培资源稀少。药材来源于野生。

| **功能主治** | 活血散瘀。用于热性传染病，水肿，跌打肿痛，外伤出血等。

紫金牛科 Myrsinaceae 杜茎山属 *Maesa*

杜茎山 *Maesa japonica* (Thunb.) Moritzi.

| 药材名 |

杜茎山。

| 形态特征 |

灌木。直立，有时外倾或攀缘，高 1 ~ 3（~ 5）m。小枝无毛，具细条纹，疏生皮孔。叶片革质，有时较薄，椭圆形至披针状椭圆形、倒卵形至长圆状倒卵形或披针形，先端渐尖、急尖或钝，有时尾状渐尖，基部楔形、钝或圆形，一般长约 10 cm，宽约 3 cm，有时长 5 ~ 15 cm，宽 2 ~ 5 cm，几全缘、中部以上具疏锯齿或除基部外均具疏细齿，两面无毛，叶面中脉、侧脉及细脉微隆起，背面中脉明显，隆起，侧脉 5 ~ 8 对，不甚明显，尾端直达齿尖；叶柄长 5 ~ 13 mm，无毛。总状花序或圆锥花序，单生或 2 ~ 3 腋生，长 1 ~ 3（~ 4）cm，仅近基部具少数分枝，无毛；苞片卵形，长不到 1 mm；花梗长 2 ~ 3 mm，无毛或被极疏的微柔毛；小苞片广卵形或肾形，紧贴花萼基部，无毛，具疏细缘毛或腺点；花萼长约 2 mm，萼片长约 1 mm，卵形至近半圆形，先端钝或圆形，具明显的脉状腺条纹，无毛，具细缘毛；花冠白色，长钟形，花冠筒长 3.5 ~ 4 mm，具明显的脉状腺条纹，裂片长为花冠筒的 1/3

或更短，卵形或肾形，先端钝或圆形，边缘略具细齿；雄蕊着生于花冠筒中部略上，内藏，花丝与花药等长，花药卵形，背部具腺点；柱头分裂。果实球形，直径 4 ~ 5 mm，有时达 6 mm，肉质，具脉状腺条纹，宿存萼包裹先端，常冠宿存花柱。花期 1 ~ 3 月，果期 10 月或翌年 5 月。

| 生境分布 | 生于山坡低山林下或灌丛中。分布于湖北来凤、兴山、赤壁、崇阳，以及咸宁。

| 资源情况 | 野生资源较丰富，栽培资源稀少。药材主要来源于野生。

| 采收加工 | **根、叶：**全年均可采收，洗净，切段，晒干或鲜用。

| 功能主治 | 祛风邪，解疫毒，消肿胀。用于热性传染病，寒热发歇不定，身痛，烦躁，口渴，水肿，跌打肿痛，外伤出血。

紫金牛科 Myrsinaceae 铁仔属 *Myrsine*

铁仔 *Myrsine africana* L.

| 药材名 | 大红袍。

| 形态特征 | 灌木，高 0.5 ~ 1 m。小枝圆柱形，叶柄下延处多少具棱角，幼嫩时被锈色微柔毛。叶片革质或坚纸质，通常为椭圆状倒卵形，有时成近圆形、倒卵形、长圆形或披针形，长 1 ~ 2 cm，稀达 3 cm，宽 0.7 ~ 1 cm，先端广钝或近圆形，具短刺尖，基部楔形，边缘常从中部以上具锯齿，齿端常具短刺尖，两面无毛，背面常具小腺点，尤以边缘较多，侧脉很多，不明显，不连成边缘脉；叶柄短或几无，下延至小枝上。花簇生或近伞形花序，腋生，基部具 1 圈苞片；花梗长 0.5 ~ 1.5 mm，无毛或被腺状微柔毛；花 4 数，长 2 ~ 2.5 mm，花萼长约 0.5 mm，基部微微连合或近分离，萼片广卵形至椭圆状卵

形，两面无毛，具缘毛及腺点；花冠在雌花中长为萼的 2 倍或略长于萼，基部连合成管，管长为全长的 1/2 或略长；雄蕊微微伸出花冠，花丝基部连合成管，管与花冠管等长，基部与花冠管合生，上部分离，管口具缘毛，里面无毛，花药长圆形，与花冠裂片等大或略长，雌蕊长过雄蕊，子房长卵形或圆锥形，无毛，花柱伸长，柱头点尖、微裂、2 半裂或边缘流苏状；花冠在雄花中长为萼的 1 倍左右，管长为全长的 1/2 或略短于全长的 1/2，外面无毛，里面与花丝合生部分被微柔毛，裂片卵状披针形，具缘毛及腺毛，雄蕊伸出花冠很多，花丝基部连合成的管与花冠管合生且等长，上部分离，分离部分长为花药的 1/2 或略短于花药，均被微柔毛，花药长圆状卵形，伸出花冠约 2/3，雌蕊在雄花中退化。果实球形，直径达 5 mm，红色变紫黑色，光亮。花期 2 ~ 3 月，有时 5 ~ 6 月，果期 10 ~ 11 月，有时 2 月或 6 月。

| 生境分布 | 生于海拔 1 000 ~ 3 100 m 的石山坡、荒坡疏林中或林缘向阳干燥的地方。分布于湖北来凤、房县。

| 资源情况 | 野生资源一般，栽培资源稀少。药材主要来源于野生。

| 采收加工 | **根、枝、叶**：夏、秋季采收，洗净，切段，晒干。

| 功能主治 | 祛风止痛，清热利湿，收敛止血。用于风湿痹痛，牙痛，泄泻，痢疾，血崩，便血，肺结核咯血。

报春花科 Primulaceae 点地梅属 *Androsace*

点地梅 *Androsace umbellata* (Lour.) Merr.

| 药 材 名 | 点地梅。

| 形态特征 | 一年生或二年生草本。主根不明显，具多数须根。叶全部基生，叶片近圆形或卵圆形，直径 5 ~ 20 mm，先端钝圆，基部浅心形至近圆形，边缘具三角状钝牙齿，两面均被贴伏的短柔毛；叶柄长 1 ~ 4 cm，被开展的柔毛。花葶通常数枚自叶丛中抽出，高 4 ~ 15 cm，被白色短柔毛。伞形花序 4 ~ 15 花；苞片卵形至披针形，长 3.5 ~ 4 mm；花梗纤细，长 1 ~ 3 cm，果时可达 6 cm，被柔毛并杂生短柄腺体；花萼杯状，长 3 ~ 4 mm，密被短柔毛，分裂近达基部，裂片菱状卵圆形，具 3 ~ 6 纵脉，果期增大，呈星状展开；花冠白色，直径 4 ~ 6 mm，筒部长约 2 mm，短于花萼，喉部黄色，

裂片倒卵状长圆形，长 2.5 ~ 3 mm，宽 1.5 ~ 2 mm。蒴果近球形，直径 2.5 ~ 3 mm，果皮白色，近膜质。花期 2 ~ 4 月，果期 5 ~ 6 月。

| **生境分布** | 生于林缘、草地和疏林下。湖北有分布。

| **功能主治** | 用于扁桃体炎，咽喉炎，口腔炎，跌打损伤。

报春花科 Primulaceae 珍珠菜属 *Lysimachia*

虎尾草 *Lysimachia barystachys* Bunge

| 药 材 名 | 狼尾巴花。

| 形态特征 | 多年生草本。具横走的根茎，全株密被卷曲柔毛。茎直立，高30 ~ 100 cm。叶互生或近对生，长圆状披针形、倒披针形至线形，长4 ~ 10 cm，宽6 ~ 22 mm，先端钝或锐尖，基部楔形，近无柄。总状花序顶生，花密集，常转向一侧；花序轴长4 ~ 6 cm，后渐伸长，果时长可达30 cm；苞片线状钻形；花梗长4 ~ 6 mm，通常稍短于苞片；花萼长3 ~ 4 mm，分裂近达基部，裂片长圆形，周边膜质，先端圆形，略呈啮蚀状；花冠白色，长7 ~ 10 mm，基部合生部分长约2 mm，裂片舌状狭长圆形，宽约2 mm，先端钝或微凹，常有暗紫色短腺条；雄蕊内藏，花丝基部约1.5 mm连合并贴生于花

冠基部，分离部分长约 3 mm，具腺毛，花药椭圆形，长约 1 mm，花粉粒具 3 孔沟，长球形，表面近平滑；子房无毛，花柱短，长 3 ～ 3.5 mm。蒴果球形，直径 2.5 ～ 4 mm。花期 5 ～ 8 月，果期 8 ～ 10 月。

| **生境分布** | 生于海拔 2 000 m 以下的草甸、山坡路旁灌丛间。湖北有分布。

| **采收加工** | **全草**：花期采收，阴干或鲜用。

| **功能主治** | 调经散瘀，清热消肿。用于月经不调，痛经血崩，风热感冒，咽喉肿痛，乳痈，跌打损伤。

报春花科 Primulaceae 珍珠菜属 *Lysimachia*

展枝过路黄 *Lysimachia brittenii* R. Knuth

| 药 材 名 | 展枝过路黄。

| 形态特征 | 茎直立，高 60 ~ 100 cm，基部直径达 6 mm，近圆柱形，下部常带暗紫色，节间长 8 ~ 11 cm，被稀疏柔毛，老时近无毛，近中部分枝；枝纤细，通常近水平伸展。叶对生，披针形至长圆状披针形，长 6 ~ 12 cm，宽 1.5 ~ 3.5 cm，先端渐尖或成尾状，基部楔形，下延，上面绿色，无毛，下面粉绿色，沿叶脉被极稀疏的柔毛，其余部分近无毛；叶柄长（5 ~ ）10 ~ 20 mm，具狭翅，基部扩展成小耳状抱茎。花 6 至多朵在茎端和枝端排成伞形花序，在花序下方的 1 对叶腋中，偶有 2 ~ 4 花生于不发育的短枝端；果柄长 10 ~ 15 mm，被稀疏柔毛及腺体；果萼长 6 ~ 7 mm，分裂近达基部，裂片披针形，

宽约 1.5 mm，先端渐尖成钻形，背面中肋隆起。蒴果近球形，直径 3.5 ~ 4 mm。果期 8 月。

| **生境分布** | 生于山坡草地和山谷中。分布于湖北西部。

| **功能主治** | 用于疔疮，肿毒。

报春花科 Primulaceae 珍珠菜属 *Lysimachia*

泽珍珠菜 *Lysimachia candida* Lindl.

| 药 材 名 | 单条草。

| 形态特征 | 一年生或二年生草本，全体无毛。茎直立，高 10 ~ 30 cm。基生叶匙形或倒披针形，长 2.5 ~ 6 cm，宽 0.5 ~ 2 cm，具有狭翅的柄，

开花时存在或早凋；茎生叶互生，叶片倒卵形、倒披针形或线形，长 1 ~ 5 cm，宽 2 ~ 12 mm，两面均有黑色或带红色的小腺点，无柄。总状花序顶生，果时长 5 ~ 10 cm；苞片线形；花梗长约为苞片的 2 倍；花萼长 3 ~ 5 mm，分裂达近基部；花冠白色，筒部长 3 ~ 6 mm，裂片先端圆钝；雄蕊稍短于花冠，花丝贴生至花冠的中下部，花药近线形，长约 1.5 mm；子房无毛，花柱长约 5 mm。蒴果球形，直径 2 ~ 3 mm。花期 3 ~ 6 月，果期 4 ~ 7 月。

| **生境分布** | 生于田边、溪边、山坡路旁潮湿处。湖北有分布。

| **采收加工** | **全草：**4 ~ 6 月采收，鲜用或晒干。

| **功能主治** | 清热解毒，活血止痛，利湿消肿。用于咽喉肿痛，痈肿疮毒，乳痈，毒蛇咬伤，跌打骨折，风湿痹痛，脚气水肿，稻田性皮炎。

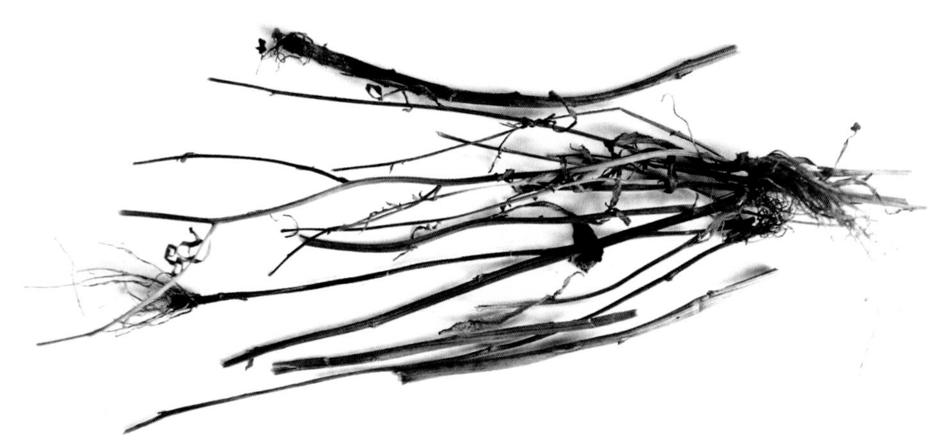

报春花科 Primulaceae 珍珠菜属 *Lysimachia*

细梗香草 *Lysimachia capillipes* Hemsl.

| 药 材 名 | 排草香。

| 形态特征 | 植株高 40 ~ 60 cm，干后有浓郁香气。茎 2 至多条簇生，直立，中部以上分枝，草质，具棱，棱边有时呈狭翅状。叶互生，卵形至卵状披针形，长 1.5 ~ 7 cm，宽 1 ~ 3 cm，先端锐尖，基部短渐狭，侧脉 4 ~ 5 对，在下面稍隆起，网脉不明显；叶柄长 2 ~ 8 mm。花单出，腋生；花梗纤细，丝状，长 1.5 ~ 3.5 cm；花萼长 2 ~ 4 mm，深裂达近基部；花冠黄色，长 6 ~ 8 mm，分裂达近基部；花丝基部与花冠合生部分长约 0.5 mm，分离部分明显，长约 1.25 mm，花药长 3.5 ~ 4 mm，顶孔开裂；花柱丝状，稍长于雄蕊。蒴果近球形，带白色，直径 3 ~ 4 mm，比宿存花萼长。花期 6 ~ 7 月，果期 8 ~ 10 月。

| 生境分布 | 生于海拔 300 ~ 2 000 m 的山谷林下和溪边。湖北有分布。

| 采收加工 | **全草**：夏季花开时采收，晒干。

| 功能主治 | 化痰止咳，祛风除湿，补气养血，缓急止痛。用于燥咳，久咳阴伤，风湿痹痛，虚劳，脘腹挛急作痛。

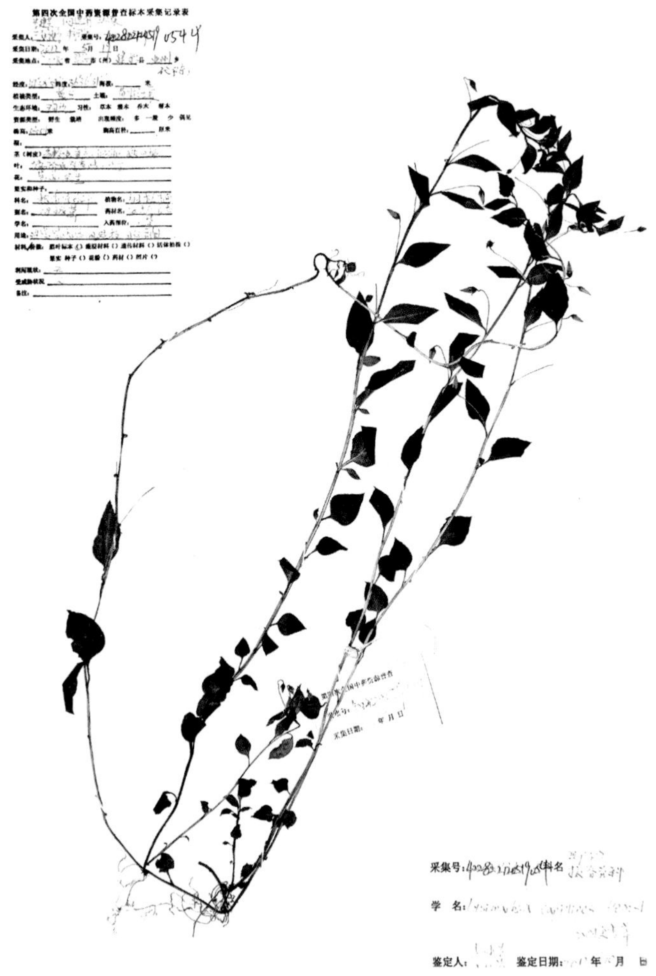

报春花科 Primulaceae 珍珠菜属 *Lysimachia*

长穗珍珠菜 *Lysimachia chikungensis* Bail.

| 药 材 名 | 长穗珍珠菜。

| 形态特征 | 多年生草本。无横走的根茎。茎直立，高 30 ~ 60 cm，较纤细，圆柱形，上部常分枝，密被褐色短柄腺体。叶互生，狭披针形至线状披针形，长 4 ~ 6 cm，宽 5 ~ 7（~ 9）mm，先端锐尖，基部楔形，边缘极狭内卷，上面深绿色，下面粉绿色，两面均有不明显的褐色粒状腺点和短柄小腺体，中肋在下面隆起，侧脉不显著；叶柄极短或无。总状花序顶生，细瘦，果时长可达 25 cm；苞片钻形，长 2.5 ~ 3.5 mm；花梗长 1 ~ 2 mm；花萼长约 1.5 mm，分裂近达基部，裂片椭圆形，具较宽的膜质边缘，有腺状缘毛；花冠白色，长 2 ~ 3 mm，基部合生部分长约 1 mm，裂片倒卵状长圆形，先端

圆钝；雄蕊比花冠短，花丝贴生至花冠裂片的基部，分离部分长约 1 mm；花药卵形，长约 1 mm；子房卵圆形，花柱短，长约 0.8 mm。蒴果球形，直径约 2 mm。花期 6 ~ 7 月，果期 7 ~ 9 月。

| **生境分布** | 生于向阳的山坡草丛和石缝中。分布于湖北北部。

| **功能主治** | 活血调经，解毒消肿。

报春花科 Primulaceae 珍珠菜属 *Lysimachia*

过路黄 *Lysimachia christinae* Hance

| 药材名 | 金钱草。

| 形态特征 | 茎柔弱，平卧延伸，长 20 ~ 60 cm，幼嫩部分密被褐色无柄的腺体，下部节间较短，常发出不定根。叶对生，卵圆形、近圆形至肾圆形，先端锐尖，基部截形，透光可见密布的透明腺条，干时腺条变黑色，两面无毛或密被糙伏毛。花单生于叶腋；花梗长 1 ~ 5 cm，不超过叶长；花萼分裂达近基部；花冠黄色，长 7 ~ 15 mm，基部合生部分长 2 ~ 4 mm，裂片狭卵形至近披针形，先端锐尖或钝，稍厚，具黑色长腺条；花丝长 6 ~ 8 mm，下半部合生成筒，花药卵圆形；子房卵珠形，花柱长 6 ~ 8 mm。蒴果球形，直径 4 ~ 5 mm，无毛，有稀疏黑色腺条。花期 5 ~ 7 月，果期 7 ~ 10 月。

| 生境分布 | 生于沟边、路旁阴湿处和山坡林下。湖北有分布。

| 采收加工 | **全草：**夏、秋季采收，除去杂质，抢水洗，切段，干燥。

| 功能主治 | 利湿退黄，利尿通淋，解毒消肿。用于湿热黄疸，胆胀胁痛，石淋，热淋，小便涩痛，痈肿疔疮，蛇虫咬伤。

报春花科 Primulaceae 珍珠菜属 *Lysimachia*

露珠珍珠菜 *Lysimachia circaeoides* Hemsl.

| 药材名 | 露珠珍珠菜。

| 形态特征 | 多年生草本。全体无毛。茎直立，粗壮，高 45 ~ 70 cm，四棱形，上部分枝。叶对生，在茎上部有时互生，近茎基部的 1 ~ 2 对较小，椭圆形或倒卵形，上部茎叶长圆状披针形至披针形，长 5 ~ 10 cm，宽 1.5 ~ 3 cm，先端锐尖，基部楔形，下延，上面深绿色，下面较淡，有极细密的红色小腺点，近边缘有稀疏暗紫色或黑色粗腺点和腺条，侧脉 6 ~ 7 对，纤细，网脉不明显；叶柄长 5 ~ 15 mm，具狭翅。总状花序生于茎端和枝端，最下方的苞片披针形，比花梗长，向上渐次缩小为钻形，长仅为花梗的一半；花梗长 5 ~ 7 mm；花萼长 3 ~ 4 mm，分裂近达基部，裂片卵状披针形，先端锐尖，边缘具

缘毛，背面有 2 ~ 4 掰胝状粗腺条；花冠白色，阔钟状，长 4.5 ~ 5.5 mm，基部合生部分长约 2 mm，裂片菱状卵形，先端锐尖，具褐色腺条，裂片间的弯缺成锐角；雄蕊内藏，花丝贴生于花冠裂片的基部，分离部分长约 1 mm，花药卵形，长不及 1 mm，药隔先端有红色粗腺体，花粉粒具 3 孔沟，长球形，表面近平滑；子房无毛，花柱稍粗，长约 2 mm。蒴果球形，直径约 3 mm。花期 5 ~ 6 月，果期 7 ~ 8 月。

| 生境分布 | 生于海拔 600 ~ 1 200 m 的山谷湿润处。湖北有分布。

| 功能主治 | 用于肺结核和跌打损伤。

报春花科 Primulaceae 珍珠菜属 *Lysimachia*

矮桃 *Lysimachia clethroides* Duby

| 药 材 名 | 珍珠菜。

| 形态特征 | 多年生草本，全株被黄褐色卷曲柔毛。根茎横走，淡红色。茎直立，高 40 ~ 100 cm，圆柱形，基部带红色，不分枝。叶互生，长椭圆形或阔披针形，长 6 ~ 16 cm，宽 2 ~ 5 cm，两面散生黑色粒状腺点。总状花序顶生，花密集，常转向一侧，后渐伸长，果时长 20 ~ 40 cm；花梗长 4 ~ 6 mm；花萼长 2.5 ~ 3 mm，分裂达近基部，裂片卵状椭圆形，有腺状缘毛；花冠白色，长 5 ~ 6 mm，裂片狭长圆形，先端圆钝；雄蕊内藏，分离部分长约 2 mm，被腺毛，花药长圆形；子房卵珠形，花柱稍粗，长 3 ~ 3.5 mm。蒴果近球形，直径 2.5 ~ 3 mm。花期 5 ~ 7 月，果期 7 ~ 10 月。

| **生境分布** | 生于山坡林缘和草丛中。湖北有分布。

| **采收加工** | **全草：**秋季采收，鲜用或晒干。

| **功能主治** | 清热利湿，活血散瘀，解毒消痈。用于水肿，热淋，黄疸，痢疾，风湿热痹，带下，经闭，跌打骨折，外伤出血，乳痈，疔疮，蛇咬伤。

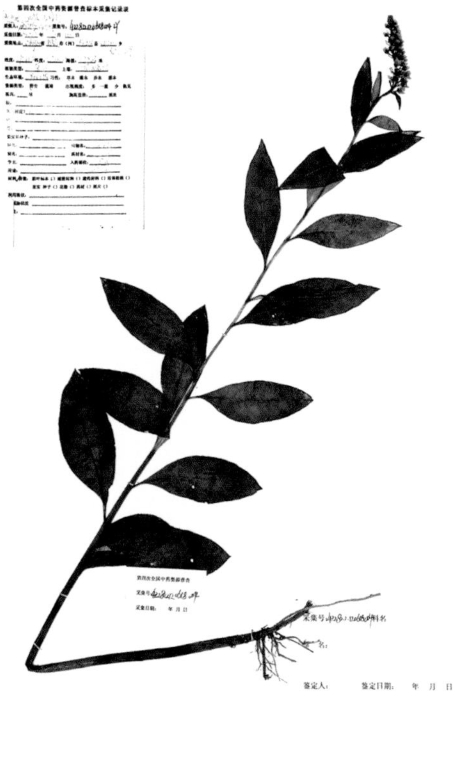

报春花科 Primulaceae 珍珠菜属 *Lysimachia*

临时救 *Lysimachia congestiflora* Hemsl.

| 药 材 名 | 风寒草。

| 形态特征 | 茎下部匍匐，节上生根，地上部分长 6 ~ 50 cm，圆柱形，密被多细胞卷曲柔毛。叶对生，茎端的 2 对叶间距小，近密聚，叶片卵形，近等大，基部近圆形或截形，两面被具节的糙伏毛，侧脉 2 ~ 4 对，在下面稍隆起；叶片长为叶柄的 2 ~ 3 倍，具草质狭边缘。花 2 ~ 4 集生于茎端和枝端成近头状的总状花序；花萼长 5 ~ 8.5 mm，分裂达近基部，裂片披针形，背面被疏柔毛；花冠黄色，内面基部紫红色，5 裂，裂片卵状椭圆形至长圆形，散生暗红色或变黑色的腺点；花丝下部合生成高约 2.5 mm 的筒，花药长圆形；子房被毛，花柱长 5 ~ 7 mm。蒴果球形，直径 3 ~ 4 mm。花期 5 ~ 6 月，果期 7 ~ 10 月。

| 生境分布 | 生于海拔 2 100 m 以下的水沟边、田埂上、山坡林缘或草地等的湿润处。湖北有分布。

| 采收加工 | **全草**：秋季采收，鲜用或晒干。

| 功能主治 | 理脾消积，清热解毒。用于疳积，妇人经闭，疥疮。

报春花科 Primulaceae 珍珠菜属 *Lysimachia*

管茎过路黄 *Lysimachia fistulosa* Hand.-Mazz.

| 药 材 名 | 管茎过路黄。

| 形态特征 | 茎直立或膝曲直立，高 20 ~ 35 cm，钝四棱形，单一或有分枝，节间长 4 ~ 10 cm，被长 1 ~ 1.5 mm 的多细胞柔毛。叶对生，茎端的 2 ~ 3 对密聚成轮生状，常较下部叶大 2 ~ 3 倍，叶片披针形，长 4 ~ 9 cm，宽 1 ~ 2.5（ ~ 3） cm，先端多少渐尖，基部渐狭，下延，上面疏被具节小刚毛或变无毛，下面被柔毛，沿叶脉较密；侧脉每边 3 ~ 5，在下面稍明显；茎端叶仅具极短的柄，下部叶具较长的柄，通常长为叶片的 1/3 ~ 1/2。缩短的总状花序生于茎端和枝端，呈头状花序状；花梗极短或长达 5 mm，疏被柔毛；花萼长 9 ~ 15 mm，分裂近达基部，裂片披针形，先端渐尖成钻形，背面被稀疏多细胞柔毛，中肋微隆起；

花冠黄色，长 10 ~ 13 mm，筒部长 3 ~ 4 mm，裂片倒卵状长圆形，先端圆钝或具小尖头；花丝基部合生成高 4 ~ 5 mm 的筒，分离部分长 3 ~ 5 mm，花药卵状披针形，长 1.5 ~ 2 mm，花柱达 8.5 mm，子房密被柔毛。蒴果球形，直径 3 ~ 3.5 mm。花期 5 ~ 7 月，果期 7 ~ 10 月。

| 生境分布 | 生于海拔 500 ~ 1 650 m 的山谷林下和路边。分布于湖北西部。

| 功能主治 | 清热解毒，利尿排石。用于胆囊炎，黄疸性肝炎，泌尿系结石，胆结石，跌打损伤，毒蛇咬伤，毒蕈及药物中毒；外用于化脓性炎症，烫火伤。

报春花科 Primulaceae 珍珠菜属 *Lysimachia*

红根草 *Lysimachia fortunei* maxim.

| 药 材 名 | 大田基黄。

| 形态特征 | 多年生草本，全株无毛。根茎横走，紫红色。茎直立，高 30 ~ 70 cm，圆柱形，有黑色腺点，基部紫红色，嫩梢和花序轴具褐色腺体。叶互生，近无柄，叶片长圆状披针形至狭椭圆形，长 4 ~ 11 cm，宽 1 ~ 2.5 cm，基部渐狭，干后黑色腺点呈粒状凸起。总状花序顶生，细瘦，长 10 ~ 20 cm；苞片披针形；花萼分裂达近基部，裂片卵状椭圆形；花冠白色，基部合生部分长约 1.5 mm，裂片椭圆形或卵状椭圆形；雄蕊比花冠短，花药卵圆形；子房卵圆形，花柱粗短，长约 1 mm。蒴果球形，直径 2 ~ 2.5 mm。花期 6 ~ 8 月，果期 8 ~ 11 月。

| 生境分布 | 生于沟边、田边等低湿处。湖北有分布。

| 采收加工 | **全草：**夏、秋季采收，洗净，晒干，切段或扎把。

| 功能主治 | 清热利湿，活血调经。用于感冒，咳嗽咯血，肠炎，痢疾，肝炎，疳积，疟疾，风湿关节痛，痛经，闭经，带下，乳腺炎，结膜炎，蛇咬伤，跌打损伤。

报春花科 Primulaceae 珍珠菜属 *Lysimachia*

縫瓣珍珠菜 *Lysimachia glanduliflora* Hanelt

| 药 材 名 | 縫瓣珍珠菜。

| 形态特征 | 多年生草本。全株无毛。茎直立，高 40 ~ 70 cm，四棱形，上部疏生粒状腺点，通常不分枝。单叶对生，很少在茎上部互生，叶片卵形至卵状披针形，长 8 ~ 11 cm，宽 2.5 ~ 3.5 cm，先端渐尖，基部渐狭，边缘呈皱波状，有暗紫色或黑色粒状粗腺点和短腺条；叶柄短，具翅，基部耳状抱茎。总状花序顶生，疏花；苞片线形，长 3 ~ 4.5 mm；花梗长 7 ~ 9 mm；花萼 5 裂，长 3 ~ 3.5 mm，裂片三角状披针形，微反曲，具褐色粗腺条；花冠 5 裂，白色，阔钟形，长 5 ~ 5.5 mm，裂片近圆形或略呈扇形，具红色小腺体；雄蕊 5，内藏，花丝贴生至花冠裂片的基部，花药椭圆形；子房上位，无毛，

花柱长约 2 mm。蒴果球形，直径约 2.5 mm。花期 5 月。

| **生境分布** | 生于岗地、丘陵、低山、中山的山坡阴湿处。湖北有分布。

| **采收加工** | **全草**：夏季采收，除去杂质，洗净，晒干或鲜用。

| **功能主治** | 活血调经，解毒消肿。用于慢性肝炎，月经不调，跌打肿痛，痈肿疮疖，毒蛇咬伤。

报春花科 Primulaceae 珍珠菜属 *Lysimachia*

金爪儿 *Lysimachia grammica* Hance

| 药 材 名 | 金爪儿。

| 形态特征 | 茎簇生，膝曲直立，高 13 ~ 35 cm，圆柱形，密被多细胞柔毛，有黑色腺条，多分枝。叶在茎下部对生，在茎上部互生，卵形至三角状卵形，先端锐尖或稍钝，基部截形，两面均被多细胞柔毛，密布长短不等的黑色腺条；叶柄长 4 ~ 15 mm，具狭翅。花单生于茎上部叶腋；花梗纤细，丝状；花萼分裂达近基部；花冠黄色，长 6 ~ 9 mm，基部合生，裂片卵形或菱状卵圆形，先端稍钝；花丝下部合生成高约 0.5 mm 的环；花药长约 2 mm；子房被毛，花柱长约 4.5 mm。蒴果近球形，淡褐色，直径约 4 mm。花期 4 ~ 5 月，果期 5 ~ 9 月。

| 生境分布 | 生于山脚路旁、疏林下等阴湿处。湖北有分布。

| 采收加工 | **全草**：5 ~ 6 月采收，鲜用或晒干。

| 功能主治 | 理气活血，利尿，拔毒。用于小儿盘肠气痛，痈肿疮毒，毒蛇咬伤，跌打损伤。

报春花科 Primulaceae 珍珠菜属 *Lysimachia*

点腺过路黄 *Lysimachia hemsleyana* Maxim. ex Oliv

| 药材名 | 点腺过路黄。

| 形态特征 | 茎簇生，平铺地面，先端伸长成鞭状，长可达 90 cm，圆柱形，基部直径 1.5 ~ 2 mm，密被多细胞柔毛。叶对生，卵形或阔卵形，长 1.5 ~ 4 cm，宽 1.2 ~ 3 cm，先端锐尖，基部近圆形、截形以至浅心形，上面绿色，密被小糙伏毛，下面淡绿色，毛被较疏或近无毛，两面均有褐色或黑色粒状腺点，极少为透明腺点，侧脉 3 ~ 4 对，在下面稍明显，网脉隐蔽。叶柄长 5 ~ 18 mm。花单生于茎中部叶腋，极少生于短枝上叶腋；花梗长 7 ~ 15 mm，果时下弯，可增长至 2.5 cm；花萼长 7 ~ 8 mm，分裂近达基部，裂片狭披针形，宽 1 ~ 1.5 mm，背面中肋明显，被稀疏小柔毛，散生褐色腺点；花冠

黄色，长 6 ~ 8 mm，基部合生部分长约 2 mm，裂片椭圆形或椭圆状披针形，宽 3.5 ~ 4 mm，先端锐尖或稍钝，散生暗红色或褐色腺点；花丝下部合生成高约 2 mm 的筒，分离部分长 3 ~ 5 mm，花药长圆形，长约 1.5 mm；子房卵珠形，花柱长 6 ~ 7 mm。蒴果近球形，直径 3.5 ~ 4 mm。花期 4 ~ 6 月，果期 5 ~ 7 月。

| **生境分布** | 生于海拔 1 000 m 以下的山谷林缘、溪旁和路边草丛中。湖北有分布。

| **功能主治** | 清热利湿，通经。用于肝炎，肾盂肾炎，膀胱炎，闭经。

报春花科 Primulaceae 珍珠菜属 *Lysimachia*

叶苞过路黄 *Lysimachia hemsleyi* Franch.

| 药 材 名 | 叶苞过路黄。

| 形态特征 | 茎直立或膝曲直立，单生或 2 ~ 3 簇生，高 20 ~ 50 cm，基部圆柱形，上部略具 4 棱，单生或有少数分枝，被褐色多细胞柔毛。叶对生，在茎上部有时互生，近基部的 2 ~ 3 对较小，常为卵圆形，最下方者常缩小为鳞片状，中上部叶大，卵状披针形，稀为卵形，长 3 ~ 7 cm，宽 1 ~ 3 cm，先端锐尖或短渐尖，基部楔状渐狭，稀近圆形，上面绿色，密被小糙伏毛，下面淡绿色，沿叶脉被多细胞柔毛，其余部分被疏毛或近无毛，两面均散生粒状腺点；叶柄长 5 ~ 20 mm，具草质边缘。花单生于茎上部向先端渐次缩小成苞片状的叶腋，成总状花序状；最下方的花梗长达 30 mm，向上渐次缩短；

花萼长 6 ~ 8 mm，分裂近达基部，裂片披针形，宽 1.2 ~ 2 mm，背面被柔毛；花冠黄色，长 1 ~ 1.2 cm，基部合生部分长约 4 mm，裂片倒卵状长圆形，宽 5 ~ 6 mm，先端圆钝，有透明腺点；花丝下部合生成高约 3 mm 的筒，分离部分长 2 ~ 3 mm，花药长圆形，长约 1.5 mm，具 3 孔沟，近长球形，表面具网状纹饰；子房和花柱下部被毛，花柱长 5 ~ 6 mm。蒴果近球形，直径约 4 mm。花期 7 ~ 8 月，果期 8 ~ 11 月。

| 生境分布 | 生于海拔 1 600 ~ 2 600 m 的山坡灌丛中和草地中。湖北有分布。

| 功能主治 | 清热解毒，利尿排石。用于胆囊炎，黄疸性肝炎，泌尿系结石，胆结石，跌打损伤，毒蛇咬伤，毒蕈及药物中毒；外用于化脓性炎症，烫火伤。

报春花科 Primulaceae 珍珠菜属 *Lysimachia*

黑腺珍珠菜 *Lysimachia heterogenea* Klatt.

| 药材名 | 黑腺珍珠菜。

| 形态特征 | 多年生草本，全体无毛。茎直立，高 40 ~ 80 cm，四棱形，棱边有狭翅和黑色腺点。基生叶匙形，早凋；茎生叶对生，无柄，叶片披针形或线状披针形，长 4 ~ 13 cm，宽 1 ~ 3 cm，两面密生黑色粒状腺点。总状花序生于茎端和枝端；苞片叶状；花梗长 3 ~ 5 mm；花萼 4 ~ 5 mm，分裂达近基部，裂片线状披针形；花冠白色，基部合生部分长约 2.5 mm，裂片卵状长圆形；雄蕊与花冠近等长，花丝贴生至花冠中部，花药线形，药隔先端具胼胝状尖头；子房无毛，花柱长约 6 mm，柱头膨大。蒴果球形，直径约 3 mm。花期 5 ~ 7 月，果期 8 ~ 10 月。

| **生境分布** | 生于水边湿地。湖北有分布。

| **采收加工** | **全草：**夏季采收，鲜用或晒干。

| **功能主治** | 活血，调经。用于月经不调，带下，跌打损伤，蛇咬伤等。

报春花科 Primulaceae 珍珠菜属 *Lysimachia*

巴山过路黄 *Lysimachia hypericoides* Hemsl.

| 药 材 名 | 巴山过路黄。

| 形态特征 | 茎通常数条簇生，高 15 ~ 30 cm，钝四棱形，密被褐色短柔毛，通常中上部有分枝。叶对生，在茎端偶有互生，无柄，位于茎中、上部的较大，卵状椭圆形至长圆状披针形，长 3 ~ 6 cm，宽 1 ~ 1.8 cm，先端稍钝或渐尖，基部近圆形或阔楔形，两面均有粒状腺点，初被稍密的小刚毛，老时近无毛，侧脉 4 ~ 5 对，网脉不明显；茎中部叶卵形，向茎基部渐次缩小成圆形或呈鳞片状，先端钝，基部半抱茎。花单生于茎中上部叶腋或在茎端稍密聚；花梗长 5 ~ 20 mm；花萼长约 5 mm，分裂近达基部，裂片线状披针形，宽约 1 mm，背面被短柔毛，中肋显著；花冠黄色，辐状，直径 1 ~ 1.5 cm，基部

合生约 1 mm，裂片倒卵状椭圆形，长约 5 mm，宽 3 ~ 4 mm，先端圆形；花丝基部合生成高约 0.5 mm 的环，分离部分长约 2 mm，花药线形，长 1 ~ 1.5 mm，花粉粒具 3 孔沟，长球形，表面具网状纹饰；子房卵珠形，花柱长约 3 mm。蒴果近球形，直径约 3 mm，褐色。花期 5 ~ 6 月，果期 9 ~ 10 月。

| **生境分布** | 生于海拔 1 700 ~ 2 200 m 的山坡草丛中。湖北有分布。

| **功能主治** | 清热，利湿，消肿，解毒，祛风散寒。用于感冒咳嗽，头痛身痛，腹泻，膀胱癌，前列腺癌。

报春花科 Primulaceae 珍珠菜属 *Lysimachia*

轮叶过路黄 *Lysimachia klattiana* Hance

| 药 材 名 | 黄开口。

| 形态特征 | 多年生直立草本。高 15 ~ 45 cm，全株被锈色长柔毛。叶 6 至多枚在茎端密聚成轮生状，在茎下部各节 3 ~ 4 轮生或对生，很少互生，叶片披针形至狭披针形，长 2 ~ 5.5（~ 11）cm，宽 5 ~ 12（~ 25）mm，先端渐尖或稍钝，基部楔形，无柄或近无柄，两面均被柔毛。花于茎端集生成伞形花序；花梗长 7 ~ 12 mm，被稀疏柔毛，果时下弯；花萼长 9 ~ 10 mm，分裂几达基部，裂片披针形，先端钻形，背面被疏柔毛，中肋明显；花冠黄色，长 11 ~ 12 mm，基部合生，裂片狭椭圆形，宽约 5 mm，先端钝，有棕色或黑色长腺条；雄蕊 5，花药卵形；子房卵球形，花柱长约 5 mm。蒴果近球形，

直径 3 ~ 4 mm，成熟时上部 5 齿裂；种子多数。花期 5 ~ 7 月，果期 8 月。

| 生境分布 | 生于丘陵、低山的林缘、草地。湖北有分布。

| 采收加工 | **全草**：5 ~ 6 月采收，除去杂质，洗净，干燥或鲜用。

| 功能主治 | 凉血止血，平肝，解蛇毒。用于蛇咬伤。

报春花科 Primulaceae 珍珠菜属 *Lysimachia*

山萝过路黄 *Lysimachia melampyroides* R. Knuth

| 药 材 名 | 山萝过路黄。

| 形态特征 | 茎通常 2 至多条簇生，直立或上升，高 15 ~ 50 cm，圆柱形，密被褐色小糙伏毛，通常有分枝。叶对生，茎下部的 2 ~ 3 对叶较小，

卵形至卵状披针形，具基部扩展成耳状的柄，茎上部的叶卵状披针形至狭披针形，长 3 ～ 9 cm，宽 5 ～ 25 mm，侧脉 4 ～ 5 对，网脉不明显。花通常单生于茎中部以上叶腋，有时在茎端和枝端稍密聚成总状花序状；花萼长 6 ～ 8 mm，分裂达近基部，裂片披针形；花冠黄色，长 7 ～ 9 mm，基部合生部分长 1 ～ 2 mm，裂片倒卵状椭圆形，先端圆钝。蒴果近球形，褐色。花期 5 ～ 6 月，果期 7 ～ 11 月。

| **生境分布** | 生于海拔 650 ～ 1 200 m 的山谷林缘和灌丛中。湖北有分布。

| **采收加工** | **全草**：夏季采收，晒干或鲜用。

| **功能主治** | 清利湿热，排石退黄，消肿解毒。

报春花科 Primulaceae 珍珠菜属 *Lysimachia*

小果香草 *Lysimachia microcarpa* C. Y. Wu

| **药材名** | 小果香草。

| **形态特征** | 株高 10 ~ 25 cm，干后芳香。茎通常多条丛生，近直立或上升，下部常匍地生根，圆柱形或微具肋，基部直径约 1.5 mm，上部密被红

褐色短柄腺体。叶互生，位于茎下部的退化成鳞片状，中部叶卵形、菱状卵形或卵状椭圆形，向上渐次变狭成卵状披针形，长 1.5 ~ 3（~ 6）cm，宽 0.7 ~ 3 cm，先端渐尖，基部楔形或阔楔形，很少近圆形，边缘微呈波状，无毛或幼时上面疏被小刚毛，下面被短柄腺体，两面网脉明显；叶柄长 4 ~ 8 mm，被褐色短柄腺体。花单生于茎上部叶腋；花梗纤细，长 2 ~ 4 cm，疏被短柄腺体；花萼长 3.5 ~ 4 mm，分裂近达基部，裂片自卵圆形的基部渐尖成钻形；花冠黄色，长 7 ~ 10 mm，分裂近达基部，裂片狭长圆形，宽 2.7 ~ 4 mm，先端圆钝；花丝基部连合成高约 0.75 mm 的环并与花冠基部合生，分离部分不明显，约与花药的心形基部等长，花药长 3 ~ 4 mm，顶孔开裂，花柱纤细，长 3.5 ~ 5 mm。蒴果直径 3 ~ 4 mm，与萼片近等长。花期 5 月，果期 10 月。

| 生境分布 | 生于海拔 1 540 ~ 2 150 m 的林下、溪边和草丛中。湖北有分布。

| 功能主治 | 解表宣肺，止咳平喘。用于感冒，咳嗽，哮喘。

报春花科 Primulaceae 珍珠菜属 *Lysimachia*

南川过路黄 *Lysimachia nanchuanensis* C. Y. Wu

| 药 材 名 | 南川过路黄。

| 形态特征 | 茎下部倾卧，节上生根，上部直立，高 25 ~ 40 cm，直径 2 ~ 3.5 mm，近圆柱形，无毛，上部密被褐色无柄腺体，节部稍膨大，紫红色，节间长 6 ~ 11cm，通常不分枝。叶对生，近基部的 1 ~ 2 对较小，早凋，上部叶近等大，卵形至卵状披针形，长 4 ~ 9.5 cm，宽 2 ~ 4 cm，先端渐尖，基部近圆形，上面深绿色，密被小刚毛，渐变无毛，下面淡绿色，除沿叶脉被小糙伏毛外，近无毛，两面密生红色粒状腺点，侧脉 6 ~ 9 对，在下面隆起，网脉在两面不明显；叶柄长 1.3 ~ 2 cm，具极窄的草质边缘，基部耳状。总状花序由 2 ~ 4 花组成，腋生，疏松，伞房状；总梗长 1 ~ 4 cm；苞片钻形，长

4 ~ 7 mm；花梗长 8 ~ 20 mm，有稀疏褐色腺点；花萼长 7 ~ 9 mm，分裂近达基部，裂片披针形，无毛，背面中肋隆起，两面密生红色腺点；花冠黄色，长 8 ~ 10（~ 13）mm，基部合生约 1.7 mm，裂片椭圆形，先端圆形，上半部密生红色腺点；花丝下部合生成高 2.5 mm 的筒，分离部分长 2.5 ~ 4.5 mm，花药长约 1.5 mm；子房无毛，花柱长达 6 mm。蒴果近球形，直径约 4 mm，比宿存花萼短。花期 7 ~ 8 月，果期 10 月。

| 生境分布 | 生于海拔 1 600 ~ 1 850 m 的林下。湖北有分布。

| 功能主治 | 清热解毒，利尿排石。用于胆囊炎，黄疸性肝炎，泌尿系结石，胆结石，跌打损伤，毒蛇咬伤，毒蕈及药物中毒；外用于化脓性炎症，烫火伤。

报春花科 Primulaceae 珍珠菜属 *Lysimachia*

峨眉过路黄 *Lysimachia omeiensis* Hemsl.

| **药 材 名** | 峨眉过路黄。

| **形态特征** | 株高 30 ~ 60 cm。茎基部匍匐生根，上部直立，圆柱形，通常带红褐色，被多细胞柔毛，极少分枝，中部节间长 4 ~ 10 cm。叶对生，有时在茎端互生，近基部的 2 ~ 3 对较小，卵圆形或退化成鳞片状，上部叶卵状披针形至披针形，长 4 ~ 8 cm，宽 1 ~ 4 cm，先端渐尖，基部圆形，无柄或近无柄，上面幼时疏被小刚毛，老时近无毛，仅下面沿叶脉被毛，两面均有红色或黑色粒状腺点，侧脉 3 ~ 4 对，网脉纤细，不明显。花单生叶腋；花梗丝状，长 1.5 ~ 7 cm，密被柔毛；花萼长 5 ~ 7 mm，分裂近达基部，裂片线状披针形，先端渐尖，背面被短毛；花冠金黄色，辐状，直径 1.2 ~ 2 cm，基部合生

约 1.5 mm，裂片卵状椭圆形至椭圆状披针形，长 6 ～ 8 mm，宽 3.5 ～ 6 mm，先端锐尖，有稀疏红色或褐色腺点；花丝长 3 ～ 4 mm，基部合生成宽而浅的环；花药线形，长约 2 mm；花粉粒具 3 孔沟，近长球形，表面具网状纹饰；子房无毛，花柱长约 5 mm。蒴果褐色，直径约 3 mm。花期 6 月，果期 10 月。

| **生境分布** | 生于海拔 1 800 ～ 3 500 m 的山坡林缘草丛中和山谷溪边。湖北有分布。

| **功能主治** | 清热解毒，利尿排石。用于胆囊炎，黄疸性肝炎，泌尿系结石，胆结石，跌打损伤，毒蛇咬伤，毒蕈及药物中毒；外用于化脓性炎症，烫火伤。

报春花科 Primulaceae 珍珠菜属 *Lysimachia*

落地梅 *Lysimachia paridiformis* Franch.

| 药 材 名 | 四块瓦。

| 形态特征 | 根茎粗短或呈块状；根簇生，纤维状，密被黄褐色绒毛。茎通常2至数条簇生，直立，高10～45 cm，不分枝，节部稍膨大。叶4～6在茎端轮生，下部叶退化成鳞片状，叶片倒卵形至椭圆形，长5～17 cm，宽3～10 cm，先端短渐尖，基部楔形，无柄，干时坚纸质，两面散生黑色腺条，侧脉4～5对。花于茎端集生成伞形花序；花梗长5～15 mm；花萼分裂达近基部；花冠黄色，基部合生部分长约3 mm，裂片狭长圆形，先端钝或圆形；花丝基部合生成高2 mm的筒，花药椭圆形；子房无毛，花柱长约8.5 mm。蒴果近球形，直径3.5～4 mm。花期5～6月，果期7～9月。

| 生境分布 | 生于海拔 1 400 m 以下的山谷林下湿润处。湖北有分布。

| 采收加工 | **全草**：全年均可采收，晒干或鲜用。

| 功能主治 | 祛风除湿，活血止痛，止咳，解毒。用于风热咳嗽，胃痛，风湿痛，跌打损伤，毒蛇咬伤，疖肿等。

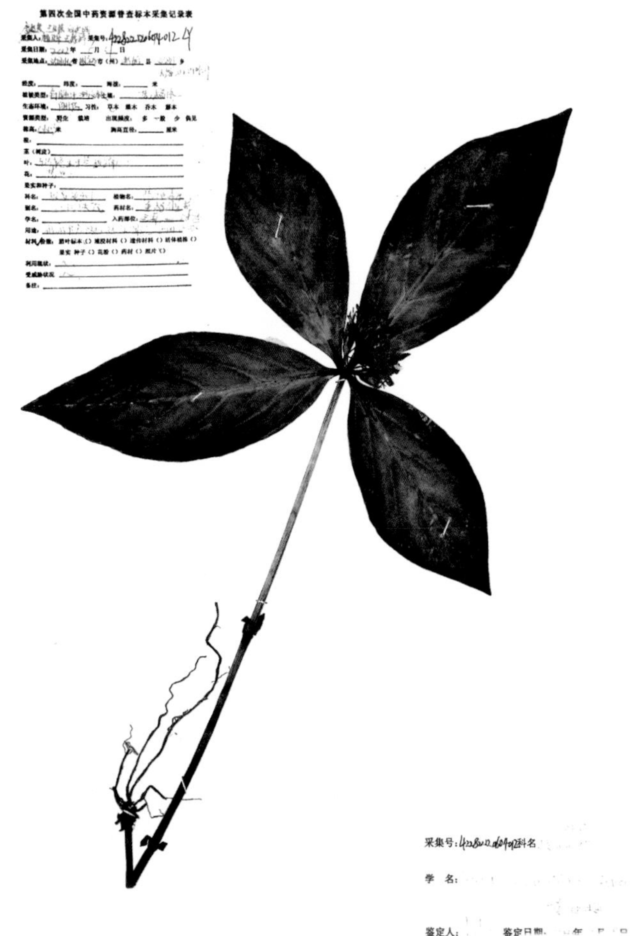

报春花科 Primulaceae 珍珠菜属 *Lysimachia*

小叶珍珠菜 *Lysimachia parvifolia* Franch. ex Hemsl.

| 药 材 名 | 小叶星宿菜。

| 形态特征 | 多年生草本。全体无毛。茎直立，簇生，高 10 ~ 50 cm，常自基部发出鞭状匍匐枝。叶互生，近无柄，叶片狭椭圆形、倒披针形或匙形，长 1 ~ 4.5 cm，宽 5 ~ 10 mm，两面均散生暗紫色或黑色腺点。总状花序顶生，初时密集，后渐疏松；苞片钻形；花梗长于苞片，果期增长；花萼 5 深裂达近基部，裂片狭披针形，背面有黑色腺点；花冠白色，狭钟形，5 裂至中部；雄蕊短于花冠，花药狭长圆形，长 1.5 ~ 2 mm；子房球形，花柱自花蕾中伸出，长约 6 mm。蒴果球形。花期 4 ~ 6 月，果期 7 ~ 9 月。

| 生境分布 | 生于岗地、低山的林下、溪边湿地。湖北有分布。

| 采收加工 | **全草：**5 ~ 8 月采收，除去杂质，洗净，晒干。

| 功能主治 | 清热解毒。用于行气止痛，消肿散瘀。

报春花科 Primulaceae 珍珠菜属 *Lysimachia*

巴东过路黄原变型 *Lysimachia patungensis* Hand.-Mazz. f. *patungensis*

| 药 材 名 | 巴山过路黄。

| 形态特征 | 茎纤细，匍匐伸长，节上生根，长 10 ~ 40 cm，密被铁锈色多细胞柔毛；分枝上升，长 3 ~ 10 cm，节间长 1 ~ 3.5 cm。叶对生，茎端的 2 对（其中 1 对常缩小成苞片状）密聚，呈轮生状，叶片阔卵形或近圆形，极少近椭圆形，长 1.3 ~ 3.8 cm，宽 8 ~ 30 mm，先端钝圆、圆形或有时微凹，基部宽截形，稀为楔形，草质而稍厚，上面绿色，下面粉绿色，两面密布具节的糙伏毛，边缘透光可见透明粗腺条，中肋稍宽，在下面微隆起，侧脉不明显；叶柄长约为叶片的一半或与叶片近等长，密被柔毛。花 2 ~ 4 集生于茎和枝的先端，无苞片；花梗长 6 ~ 25 mm，密被铁锈色柔毛；花萼长 6 ~ 7 mm，

分裂近达基部，裂片披针形，宽约 1.5 mm，先端稍钝，具极狭的膜质边缘，背面被疏柔毛；花冠黄色，内面基部橙红色，长 12 ~ 14 mm，基部合生部分长 2 ~ 3 mm，裂片长圆形，宽 3 ~ 5 mm，先端圆钝，有少数透明粗腺条（干后有时呈淡褐色）；花丝下部合生成高 2 ~ 3 mm 的筒，分离部分长 4 ~ 6 mm，花药卵状长圆形，长约 1.5 mm，花粉粒具 3 孔沟，近球形，表面具网状纹饰；子房上部被毛，花柱长达 6 mm。蒴果球形，直径 4 ~ 5 mm。花期 5 ~ 6 月，果期 7 ~ 8 月。

| 生境分布 | 生于海拔 1 000 m 以下的山谷溪边和林下。湖北有分布。

| 功能主治 | 清热，利湿，消肿，解毒，祛风散寒。用于感冒咳嗽，头痛身痛，腹泻，膀胱癌，前列腺癌。

报春花科 Primulaceae 珍珠菜属 *Lysimachia*

狭叶珍珠菜 *Lysimachia pentapetala* Bunge

| 药 材 名 | 狭叶珍珠菜。

| 形态特征 | 一年生草本。全株无毛。茎直立，高 30 ~ 60 cm，圆柱形，多分枝。叶互生，狭披针形至线形，长 2 ~ 7 cm，宽 2 ~ 8 mm，先端锐尖，基部楔形，全缘，叶有褐色腺点；叶柄极短。苞片钻形；总状花序顶生，果时长 4 ~ 13 cm；花梗长 5 ~ 10 mm；花萼长 2.5 ~ 3 mm，下部合生，裂片狭三角形，边缘膜质；花冠白色，基部合生不明显，近分离，裂片匙形或倒披针形；雄蕊 5，比花冠短，花药卵圆形；子房无毛，花柱长约 2 mm。蒴果球形，直径 2 ~ 3 mm。花期 7 ~ 8 月，果期 8 ~ 9 月。

| 生境分布 | 生于岗地、丘陵的山坡、路旁、田边及疏林下。湖北有分布。

| 采收加工 | **全草：**花期采收，除去杂质，干燥。

| 功能主治 | 疏风清热，利尿消肿。用于毒虫咬伤，风肿。

湖北省大悟县

全国中药资源普查标本采集记录表

采 集 号：	420922180807011LY	采 集 人：	曾凡奇、孙立敏、张炯、徐教田
采集日期：	2018年08月07日	海 拔(m)：	390.8
采集地点：	大悟县吕王镇仙居顶		
经 度：	114°25′30.4″	纬 度：	31°32′15.9″
植被类型：	草丛	生 活 型：	一年生草本植物
水分生态类型：	旱生植物	光生态类型：	阳性植物
土壤生态类型：		温度生态类型：	中温植物
资源类型：	野生植物	出现多度：	一般
株高(cm)：		直径(cm)：	
根：		茎（树皮）：	
叶：		芽：	
花：		果实和种子：	
植物名：	狭叶珍珠菜	科 名：	报春花科
学 名：	Lysimachia pentapetala Bunge.		
药材名：	狭叶珍珠菜	药材别名：	
药用部位：	全草类	标本类型：	腊叶标本
用 途：	珍珠菜性味辛、涩、平，内服具有活血、调经之功效，可治疗月经不调、白带过多、跌打损伤等症，外用可治疗蛇咬伤等症		
备 注：			
条形码：	420922LY0223		

第四次全国中药资源普查

采集号 420922180807011LY

采集时期：2018年08月07日

标本鉴定签

采集号：420922180807011LY 科名：报春花科

学 名：Lysimachia pentapetala Bunge.

种中文名：狭叶珍珠菜

鉴定人：黎钟强 鉴定时间：2018年08月15日

第四次全国中药资源普查

中国中医科学院中药资源中心 标本馆

报春花科 Primulaceae 珍珠菜属 *Lysimachia*

叶头过路黄 *Lysimachia phyllocephala* Hand.-Mazz.

| 药材名 | 大过路黄。

| 形态特征 | 多年生草本。茎通常簇生，膝曲直立，高 10 ~ 30 cm，在阴湿生境中，茎下部常长匍匐，节上生根，上部曲折上升，长可达 60 cm。叶对生，密聚成轮生状，叶片卵形至卵状椭圆形，长 1.5 ~ 8 cm，宽 8 ~ 40 mm，基部阔楔形，上面深绿色，下面较淡，侧脉纤细；叶柄比叶片短 2 ~ 12 倍，密被柔毛。花序顶生，头状，多花；花梗长 1 ~ 7 mm，密被柔毛；花萼长 6 ~ 9 mm，分裂近达基部，裂片披针形，先端渐尖，背面被柔毛；花冠黄色，长 10 ~ 13 mm，基部合生部分长约 3 mm，裂片倒卵形或长圆形，宽 4 ~ 6 mm，先端锐尖或圆形，有透明腺点；花丝基部合生成高 3 ~ 4 mm 的筒；花药卵状披针形，

长达 2 mm；花粉粒具 3 孔沟，近球形，表面具网状纹饰；花柱长达 8 mm。蒴果褐色，直径 3.5 ~ 4 mm。花期 5 ~ 6 月，果期 8 ~ 9 月。

| 生境分布 | 生于海拔 300 ~ 1 700 m 的阔叶林、山谷溪边或路旁。湖北有分布。

| 采收加工 | **全草：**夏季采收，晒干或鲜用。

| 功能主治 | 散风，清热，解毒。用于风热咳嗽，咽喉疼痛，热毒疮疥。

报春花科 Primulaceae 珍珠菜属 *Lysimachia*

疏头过路黄 *Lysimachia pseudohenryi* Pamp.

| 药 材 名 | 疏头过路黄。

| 形态特征 | 茎通常 2 ~ 4 簇生，直立或膝曲直立，基部圆柱形，密被多细胞柔毛。叶对生，茎下部的叶较小，菱状卵形或卵圆形，茎上部的叶较大，茎端的 2 ~ 3 对叶通常稍密聚，叶片卵形，稀卵状披针形，长 2 ~ 8 cm，宽 8 ~ 25 mm，先端锐尖或稍钝，两面均密被小糙伏毛，散生粒状半透明腺点，侧脉 2 ~ 3 对，纤细。花序为顶生、缩短成近头状的总状花序；花有时稍疏离，单生于茎端稍密聚的苞片状叶腋；花萼长 8 ~ 11 mm，裂片披针形，宽 1 ~ 1.5 mm，背面被柔毛；花冠黄色，长 10 ~ 15 mm，具透明腺点。蒴果近球形。花期 5 ~ 6 月，果期 6 ~ 7 月。

| **生境分布** | 生于海拔 1 500 m 以下的山地林缘和灌丛中。湖北有分布。

| **采收加工** | **全草：**夏季采收，晒干或鲜用。

| **功能主治** | 清热解毒，利尿排石。用于肾结石。

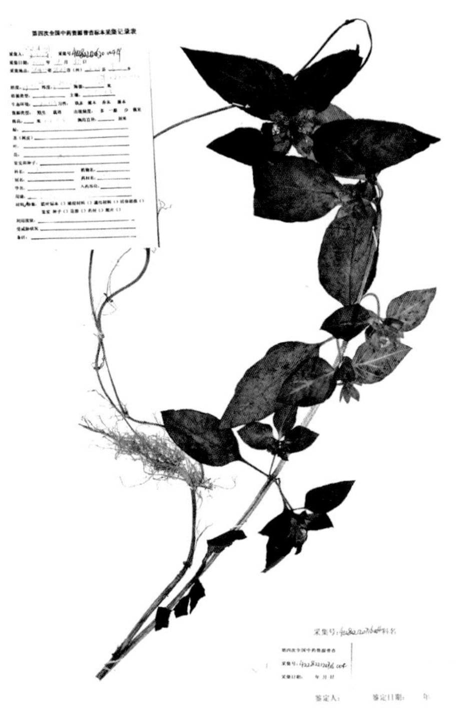

报春花科 Primulaceae 珍珠菜属 *Lysimachia*

点叶落地梅 *Lysimachia punctatilimba* C. Y. Wu

| 药 材 名 | 点叶落地梅。

| 形态特征 | 茎常自匍匐生根的基部直立，长达 45 cm，圆柱形，肥厚多汁，下部光滑，上部密被秕鳞状腺体，单一或有分枝，节间长 1.5 ~ 6 cm。叶对生，近等大，茎端的 2 对间距短，有时近密聚，叶片卵圆形或卵状椭圆形，长 3.5 ~ 8 cm，宽 1.8 ~ 5 cm，先端锐尖，基部阔楔形至近圆形，上面绿色，疏被具节的糙伏毛或近无毛，下面淡绿色，无毛，两面密布黑色腺点，侧脉 4 ~ 6 对，细脉隐蔽；叶柄长 1 ~ 2 cm，具狭翅。花 2 ~ 6 在茎端簇生成头状花序状；花梗长约 3 mm，密被秕鳞状腺体；苞片卵圆形，长于花萼；花萼长 8 ~ 13 mm，分裂近达基部，裂片披针形或狭披针形，宽 2.5 ~ 3.5 mm，具 3 脉，

中肋明显隆起，密布黑色腺点；花冠黄色，长 1.3 ~ 1.6 cm，基部合生部分长约 5 mm，裂片长圆形，宽 3 ~ 6 mm，先端圆钝，内面被秕鳞状腺体；花丝下部合生成高约 4 mm 的筒，分离部分长 2 ~ 3 mm，花药卵圆形，长约 2 mm，子房无毛，花柱长 7 ~ 8 mm。蒴果近球形，直径达 7 mm。花期 5 ~ 7 月。

| 生境分布 | 生于海拔 1 300 ~ 1 800 m 的山坡密林下和溪边。湖北有分布。

| 功能主治 | 用于风热咳嗽，胃痛，风湿痛；外用于跌打损伤，毒蛇咬伤，疖肿等。

报春花科 Primulaceae 珍珠菜属 *Lysimachia*

显苞过路黄 *Lysimachia rubiginosa* Hemsl.

| 药 材 名 | 显苞过路黄。

| 形态特征 | 茎直立或基部倾卧生根，被铁锈色柔毛；枝纤细，仅先端具叶状苞片及花。叶对生，卵形至卵状披针形，边缘具缘毛，两面疏被糙伏毛，

密布黑色或棕褐色腺条，侧脉约5对；叶柄长8～20 mm，具草质狭边缘。花3～5，单生于枝端密集的苞腋；苞片叶状，卵形；花萼长8～9 mm，分裂达近基部，裂片狭披针形，有黑色腺条；花冠黄色，长13～15 mm，裂片狭长圆形，先端钝或锐尖，具黑色或褐色腺条；花丝基部合生成高约3 mm的筒，花药长圆形，长约1.5 mm；子房上部被毛，花柱长约7 mm。蒴果直径约3 mm。花期5月，果期7～8月。

| 生境分布 | 生于海拔140 m以上的山谷溪旁、林下等的阴湿处。湖北有分布。

| 采收加工 | **全草**：全年均可采收，鲜用或晒干。

| 功能主治 | 清热解毒，利尿排石，活血散瘀。用于肝结石，胆结石，尿路结石，黄疸性肝炎，水肿，跌打损伤，毒蛇咬伤，毒蕈及药物中毒，化脓性炎症，烫火伤等。

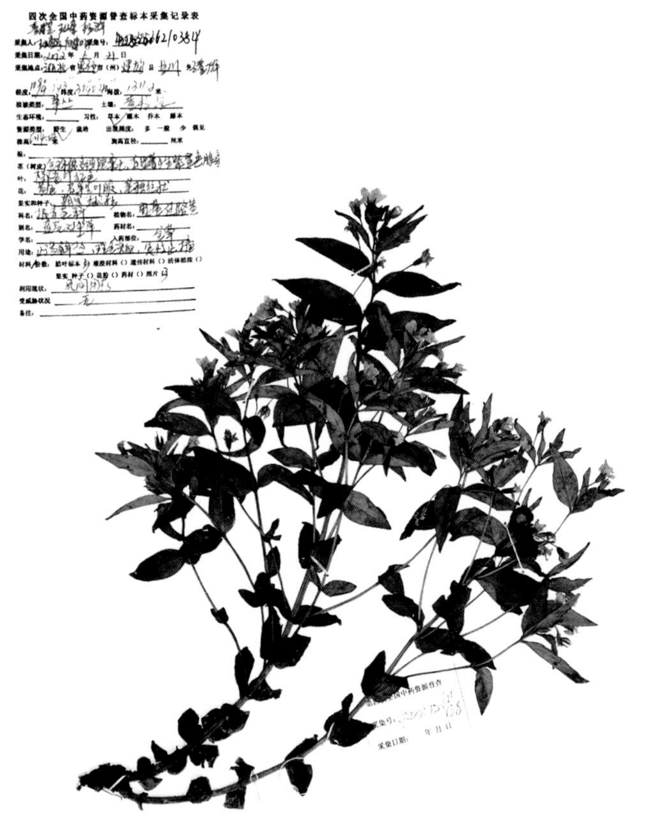

报春花科 Primulaceae 珍珠菜属 *Lysimachia*

北延叶珍珠菜 *Lysimachia silvestrii* (Pamp.) Hand.-Mazz.

| 药 材 名 | 长穗珍珠菜。

| 形态特征 | 一年生草本。全体无毛。茎直立，稍粗壮，高 30 ~ 75 cm，圆柱形，单一或上部分枝。叶互生，卵状披针形或椭圆形，稀为卵形，长 3 ~ 7 cm，宽 1 ~ 3.5 cm，先端渐尖，基部渐狭，干时近膜质，上面绿色，下面淡绿色，边缘和先端有暗紫色或黑色粗腺条；叶柄长 1.5 ~ 3 cm。总状花序顶生，疏花；花序最下方的苞片叶状，上部的渐次缩小成钻形，长约 6 mm；花梗长 1 ~ 2 cm；花萼长约 6 mm，分裂近达基部，裂片披针形，先端渐尖，常向外反曲，背面有暗紫色或黑色短腺条，先端尤密；花冠白色，长约 6 mm，基部合生部分长约 2 mm，裂片倒卵状长圆形，先端钝或稍锐尖，裂片间的

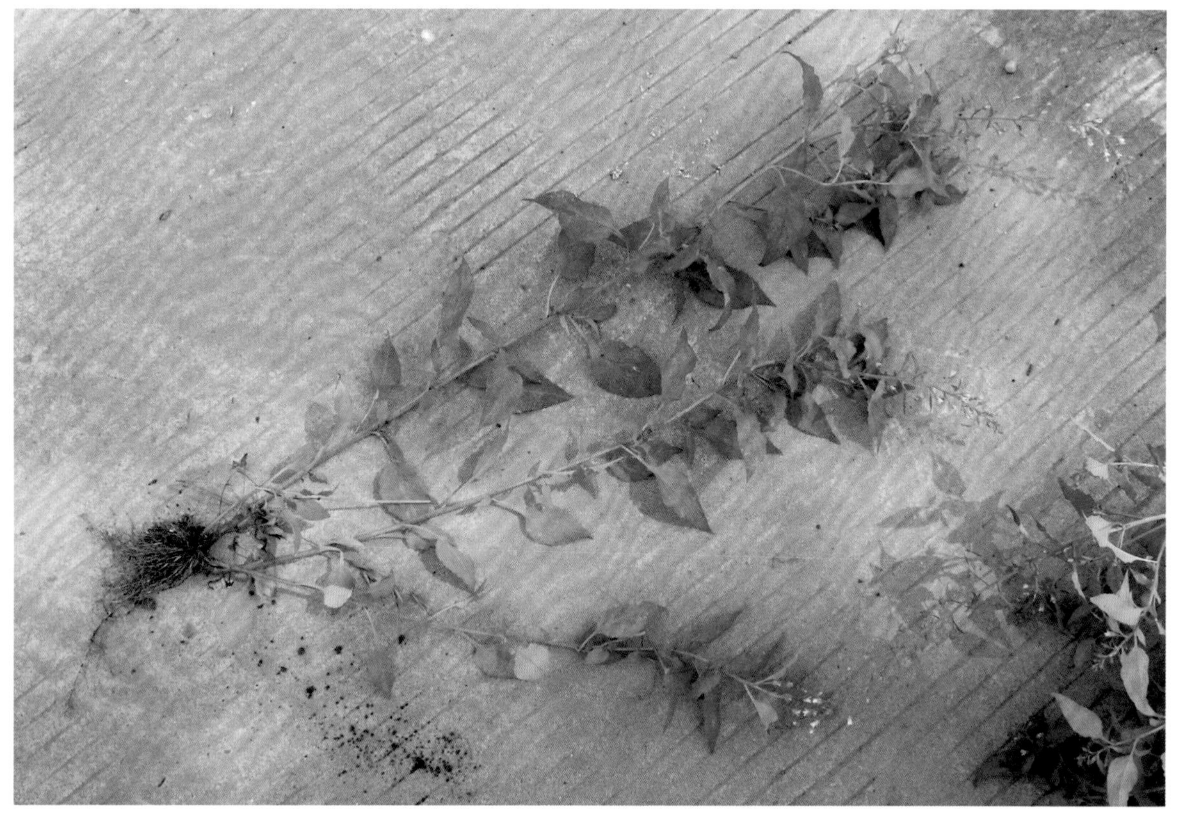

弯缺圆钝；雄蕊比花冠略短或花药先端露出花冠外，花丝贴生于花冠裂片的基部，分离部分长约 2.5 mm，花药狭椭圆形，长约 1 mm，花粉粒具 3 孔沟，长球形，表面具网状纹饰；子房无毛，花柱长约 4 mm。蒴果球形，直径 3 ~ 4 mm。花期 5 ~ 7 月，果期 8 月。

| **生境分布** | 生于海拔 2 400 m 以下的山坡草地、沟边和疏林下。湖北有分布。

| **功能主治** | 活血调经，解毒消肿。

报春花科 Primulaceae 珍珠菜属 *Lysimachia*

腺药珍珠菜 *Lysimachia stenosepala* Hemsl.

| 药 材 名 | 水伤药。

| 形态特征 | 多年生草本，全体光滑无毛。茎直立，高 30 ~ 65 cm，下部近圆柱形，上部四棱形，有分枝。叶对生，茎上部叶常互生，叶片披针形至长圆状披针形，长 4 ~ 10 cm，宽 0.8 ~ 4 cm，基部渐狭，边缘微呈皱波状，无柄。总状花序顶生，具疏花；苞片线状披针形；花梗长 2 ~ 7 mm，果时稍伸长；花萼分裂达近基部，裂片线状披针形，边缘膜质；花冠白色，钟状，基部合生部分长约 2 mm，裂片倒卵状长圆形，先端圆钝；雄蕊与花冠近等长，花丝贴生于花冠裂片的中下部，花药线形，药隔先端有红色腺体；子房无毛，花柱细长。蒴果球形。花期 5 ~ 6 月，果期 7 ~ 9 月。

| **生境分布** | 生于海拔 850 ~ 1 500 m 的山谷林缘、溪边和山坡草地的湿润处。湖北有分布。

| **采收加工** | **全草：**夏、秋季采收，晒干或鲜用。

| **功能主治** | 行气破血，消肿，解毒。用于经闭，劳伤，疔疮。

报春花科 Primulaceae 报春花属 *Primula*

无粉报春 *Primula efarinosa* Pax

| 药材名 | 报春花。

| 形态特征 | 多年生草本。根茎粗短，向下发出成丛之长根。花期叶丛基部有少数近膜质鳞片；叶片矩圆形、狭倒卵形至披针形，长 2.5 ~ 5 cm，宽 6 ~ 16 mm，果期长可达 8 cm，宽达 2.8 cm，先端圆形或钝，基部渐狭窄，边缘具啮蚀状小牙齿，两面绿色，无粉，仅下面散布少数小腺体，中肋宽扁，侧脉 8 ~ 12 对，在下面明显；叶柄甚短或长达叶片的 1/2，具翅。花葶高 10 ~ 20 cm，果期可达 40 cm，近先端被小腺毛；伞形花序 6 ~ 20 花；苞片卵状披针形或披针形，长 5 ~ 6 mm，基部稍下延成圆形；花梗长 8 ~ 12 mm，果期可达 15 mm，密被小腺毛；花萼筒状至狭钟状，长 6 ~ 7.5 mm，基部稍

缢缩，外面疏被小腺体，分裂深达全长的 1/3，裂片卵形或矩圆形，先端稍钝；花冠堇蓝色，花冠筒与花萼等长，喉部具环状附属物，冠檐直径 1.2 ～ 1.5 cm，裂片阔倒卵形，先端 2 深裂；长花柱花的雄蕊着生于花冠筒中部，花柱长近达花冠筒口；短花柱花的雄蕊着生于花冠筒中上部，花药先端距花冠筒口约 0.5 mm，花柱长 1 ～ 1.5 mm。蒴果长圆形，稍长于花萼。花期 5 月，果期 6 月。

| 生境分布 | 生于海拔 2 100 ～ 2 800 m 的山地草坡和林下。分布于湖北巴东、兴山、房县。

| 功能主治 | 清热燥湿，泻肝胆火，止血。用于肺热咳嗽，咽喉红肿，口舌糜烂，肝炎目赤，痈肿疮疖，小儿高热抽风，急性胃肠炎，痢疾等。

报春花科 Primulaceae 报春花属 *Primula*

鄂报春 *Primula obconica* Hance

| 药 材 名 |

鄂报春。

| 形态特征 |

多年生草本。根茎粗短或有时伸长，向下发出棕褐色长根。叶卵圆形、椭圆形或矩圆形，长 3 ~ 14（~ 17）cm，宽 2.5 ~ 11 cm，先端圆形，基部心形或圆形，近全缘、具小牙齿或呈浅波状而具圆齿状裂片，干时纸质或近膜质，上面近无毛或被毛，毛极短，呈小刚毛状或为多细胞柔毛，下面沿叶脉被多细胞柔毛，其余部分无毛或疏被柔毛，中肋及 4 ~ 6 对侧脉在下面显著；叶柄长 3 ~ 14 cm，被白色或褐色的多细胞柔毛，基部增宽，多少呈鞘状。花葶 1 至多枚自叶丛中抽出，高 6 ~ 28 cm，被毛同叶柄，但通常较稀疏；伞形花序 2 ~ 13 花，在栽培条件下可出现第二轮花序；苞片线形至线状披针形，长 5 ~ 10 mm，被柔毛；花梗长 5 ~ 20（~ 25）mm，被柔毛；花萼杯状或阔钟状，长 5 ~ 10 mm，具 5 脉，外面被柔毛，通常基部毛较长且稍密，5 浅裂，裂片长 0.5 ~ 2 mm，阔三角形或半圆形而具小骤尖头；花冠玫瑰红色，稀白色，花冠筒长于花萼 0.5 ~ 1 倍，喉部具环状附属物，冠檐

直径 1.5 ～ 2.5 cm，裂片倒卵形，先端 2 裂；花异型或同型；长花柱花的雄蕊靠近花冠筒基部着生，花柱长近达花冠筒口；短花柱花的雄蕊着生于花冠筒中上部，花柱长 2 ～ 2.5 mm；同型花的雄蕊着生处和花柱长均近达花冠筒口。蒴果球形，直径约 3.5 mm。花期 3 ～ 6 月。

| **生境分布** | 生于海拔 500 ～ 2 200 m 的林下、水沟边和湿润岩石上。分布于湖北西部。

| **功能主治** | 清热燥湿，泻肝胆火，止血。用于肺热咳嗽，咽喉红肿，口舌糜烂，肝炎目赤，痈肿疮疖，小儿高热抽风，急性胃肠炎，痢疾等。

报春花科 Primulaceae 报春花属 *Primula*

卵叶报春 *Primula ovalifolia* Franch.

| 药材名 | 卵叶报春。

| 形态特征 | 多年生草本，全株无粉。根茎粗短，具多数纤维状须根。开花期叶丛基部外围有红色鳞片；叶片阔椭圆形至阔倒卵形，侧脉 10 ~ 14 对，与网脉在下面均明显隆起；叶柄具狭翅，密被多细胞柔毛。花葶高 5 ~ 18 cm，被柔毛；伞形花序具 2 ~ 9 花；苞片近膜质；花梗长 5 ~ 20 mm，被柔毛；花萼钟状，外面被微柔毛；花冠紫色或蓝紫色，喉部具环状附属物，冠檐直径 1.5 ~ 2.5 cm，裂片倒卵形，先端具深凹缺；长柱花的花冠筒略长于花萼，雄蕊着生于花冠筒中部，花柱与花冠筒等长，短柱花的花冠筒长约为花萼的 1/2，雄蕊着生于近花冠筒口，花柱长 3.5 ~ 5 mm。蒴果球形，藏于萼筒中。花

期 3 ~ 4 月，果期 5 ~ 6 月。

| 生境分布 | 生于海拔 600 ~ 1 800 m 的林下和山谷的背阴处。湖北有分布。

| 采收加工 | **全草**：全年均可采收，鲜用或晒干。

| 功能主治 | 清热解毒，消肿止痛。用于酒精中毒，腹痛便泄，肺热咳嗽，风湿病，食积。

报春花科 Primulaceae 报春花属 *Primula*

藏报春 *Primula sinensis* Sabine ex Lindl.

| 药 材 名 | 报春花。

| 形态特征 | 多年生草本。全株被多细胞柔毛。根茎稍粗壮，有时具分枝。叶多数簇生；叶片阔卵圆形至椭圆状卵形或近圆形，长 3 ~ 13 cm，宽 2 ~ 10 cm，先端钝圆，基部心形或近截形，边缘 5 ~ 9 裂，深约达叶片半径的 1/2，裂片矩圆形，每边具 2 ~ 5 缺刻状粗齿，鲜时稍厚，干时近膜质，中肋稍宽扁，侧脉 3 ~ 4 对，最下方的 1 对基出；叶柄长 4 ~ 15 cm，鲜时肥厚多汁，常带淡紫红色。花葶高 4 ~ 15（~ 20）cm，稍粗壮，绿色或淡紫红色；伞形花序 1 ~ 2 轮，每轮 3 ~ 14 花；苞片线形至线状披针形，长 5 ~ 15 mm；花梗长 2 ~ 5 cm；花萼长 8 ~ 15（~ 20）mm，基部膨大成半球形，直径 7 ~

10 mm，果时达 15 ~ 20 mm，5 裂（栽培品种中有时 10 裂或具不整齐的裂齿），深约达全长的 2/5，裂片三角形或卵形；花冠淡蓝紫色或玫瑰红色，外面被柔毛，花冠筒口周围黄色，喉部无环状附属物，冠檐直径 2 ~ 3 cm，裂片阔倒卵形，先端 2 深裂；长花柱花的花冠筒长 10 ~ 11 mm，雄蕊近花冠筒中部着生，花柱长近达花冠筒口；短花柱花的花冠筒长 13 ~ 14 mm，雄蕊近花冠筒口着生，花柱长 4 ~ 5 mm。蒴果卵球形，直径 9 ~ 10 mm。花期 12 月至翌年 3 月，果期翌年 2 ~ 4 月。

| 生境分布 | 生于海拔 200 ~ 1 500 m 的荫蔽和湿润的石灰岩缝中。分布于湖北宜昌。

| 功能主治 | 清热燥湿，泻肝胆火，止血。用于肺热咳嗽，咽喉红肿，口舌糜烂，肝炎目赤，痈肿疮疖，小儿高热抽风，急性胃肠炎，痢疾等。

报春花科 Primulaceae 报春花属 *Primula*

云南报春 *Primula yunnanensis* Franch.

| 药 材 名 | 报春花。

| 形态特征 | 多年生小草本。根茎极短，具多数纤维状长根。叶丛稍紧密，基部外围有枯叶；叶片椭圆形、倒卵状椭圆形或匙形，连柄长 0.5 ~ 3.5 cm，宽 2 ~ 7 mm，先端圆钝或稍锐尖，基部渐狭窄，边缘具锐尖或钝牙齿，有时仅上半部具齿，下半部全缘，上面无粉或近无粉，下面通常密被黄粉，中肋和侧脉在下面明显；叶柄通常甚短，少数与叶片近等长，具狭翅。花葶高 1.5 ~ 6（~ 8）cm，先端多少被粉，花 1 ~ 5 生于花葶端；苞片卵状披针形至近线形，长 2 ~ 7 mm，通常腹面被粉；花梗长 1 ~ 10 mm，微被粉；花萼钟状，长（2 ~）4 ~ 5（~ 7）mm，具 5 棱，外面无粉或微被粉，内面密被黄粉，分裂达

中部或稍超过中部，裂片披针形或三角形，先端锐尖或稍钝；花冠玫瑰红色至堇蓝色，花冠筒口周围黄色，花冠筒长 9 ～ 10 mm，喉部无环状附属物；冠檐直径 1 ～ 1.5 cm，裂片阔倒卵形，先端具深凹缺；长花柱花的雄蕊着生处距花冠筒基部约 2 mm，花柱长达花冠筒口；短花柱花的雄蕊着生于花冠筒中上部，花柱长约 1.5 mm。蒴果通常短于花萼。花期 6 月。

| 生境分布 | 生于海拔 2 800 ～ 3 100 m 的石灰岩上。湖北有分布。

| 功能主治 | 清热燥湿，泻肝胆火，止血。用于肺热咳嗽，咽喉红肿，口舌糜烂，肝炎目赤，痈肿疮疖，小儿高热抽风，急性胃肠炎，痢疾等。

柿科 Ebenaceae 柿属 *Diospyros*

柿 *Diospyros kaki* Thunb.

| 药 材 名 | 柿叶、柿蒂、柿霜。

| 形态特征 | 落叶大乔木。树冠球形，枝开展。叶纸质，卵状椭圆形至倒卵形，较大；叶柄有浅槽。花雌雄异株，聚伞花序腋生。雄花序小，弯垂，有短柔毛；花 3 ~ 5，小；花萼钟状，4 深裂；花冠钟状，黄白色，裂片卵形；雄蕊 16 ~ 24；子房退化。雌花单生于叶腋；花萼绿色，4 深裂，萼管近球状钟形，肉质，裂片开展；花冠淡黄白色；退化雄蕊 8，带白色；子房近扁球形，具 4 棱，8 室；花柱 4 深裂，柱头 2 浅裂。果实球形、扁球形等，老熟时果肉柔软多汁，呈橙红色，有种子数颗；种子褐色，椭圆状，侧扁；宿存萼在花后增大增厚，裂片革质。花期 5 ~ 6 月，果期 9 ~ 10 月。

| 生境分布 | 栽培于阳光充足，土壤深厚、肥沃、湿润、排水良好处。湖北有分布。

| 采收加工 | **柿叶：**霜降后采收，除去杂质，洗净，稍润，切丝，干燥。

柿蒂：采收后除去杂质，洗净，除去果柄，干燥或打碎。

柿霜：取近成熟的果实，剥去外皮，日晒夜露，制成柿饼，用竹片刮下柿饼外表所生的白色粉霜。

| 功能主治 | **柿叶：**止咳定喘，生津止渴，活血止血。用于咳喘，消渴，各种内出血，臁疮。

柿蒂：降逆止呃。用于呃逆。

柿霜：润肺止咳，生津利咽，止血。用于肺热燥咳，咽干喉痛，口舌生疮，吐血，咯血，消渴。

湖北省洪山区
标本鉴定签
第四次全国中药资源普查
标本馆

柿科 Ebenaceae 柿属 *Diospyros*

野柿 *Diospyros kaki* Thunb. var. *silvestris* Makino

| 药 材 名 | 野柿叶、野柿蒂、野柿霜、野柿根。

| 形态特征 | 落叶大乔木。树冠球形，枝开展。叶纸质，卵状椭圆形至倒卵形，较小，背面密被柔毛。小枝及叶柄密被黄褐色柔毛。花雌雄异株，

聚伞花序腋生。雄花序小，弯垂，有短柔毛；花 3 ~ 5，小；花萼钟状，4 深裂；花冠钟状，黄白色，裂片卵形；雄蕊 16 ~ 24；子房退化。雌花单生于叶腋；花萼绿色，4 深裂，萼管近球状钟形，肉质，裂片开展；花冠淡黄白色；退化雄蕊 8，带白色；子房近扁球形，具 4 棱，8 室，花柱 4 深裂，柱头 2 浅裂。果实球形、扁球形等，较小，直径 2 ~ 5 cm，老熟时果肉柔软多汁，呈橙红色，有种子数颗；种子褐色，椭圆状，侧扁；宿存萼在花后增大增厚，裂片革质。花期 5 ~ 6 月，果期 9 ~ 10 月。

| 生境分布 | 生于海拔 1 600 m 以下的山地自然林、次生林或山坡灌丛中。湖北有分布。

| 采收加工 | **野柿叶：**霜降后采收，除去杂质，洗净，稍润，切丝，干燥。

野柿蒂：采收后除去杂质，洗净，除去果柄，干燥或打碎。

野柿霜：取近成熟的果实，剥去外皮，日晒夜露，制成柿饼，用竹片刮下柿饼外表所生的白色粉霜。

野柿根：9 ~ 10 月采挖，洗净，鲜用或晒干。

| 功能主治 | **野柿叶：**止咳定喘，生津止渴，活血止血。用于咳喘，消渴，各种内出血，臁疮。

野柿蒂：降逆止呃。用于呃逆。

野柿霜：润肺止咳，生津利咽，止血。用于肺热燥咳，咽干喉痛，口舌生疮，吐血，咯血，消渴。

野柿根：凉血止血。用于血崩，血痢，痔疮。

采集人：
采集日期： 年 月 日
采集地点：

柿科 Ebenaceae 柿属 *Diospyros*

君迁子 *Diospyros lotus* L.

| 药材名 | 君迁子。

| 形态特征 | 落叶乔木。树冠近球形。树皮灰黑色，深裂或呈不规则的厚块状剥落。叶近膜质，椭圆形至长椭圆形，长 5 ~ 13 cm，宽 2.5 ~ 6 cm。雄花 1 ~ 3，腋生，簇生；花萼钟形，4 裂；花冠壶形，红色或淡黄色；雄蕊 16，每 2 连生成对，花药披针形；子房退化。雌花单生，淡绿色或带红色；花冠壶形，裂片近圆形，反曲；退化雄蕊 8，着生于花冠基部，有白色粗毛；子房除先端外无毛，花柱 4。果实近球形或椭圆形，初熟时为淡黄色，后变为蓝黑色，被白色薄蜡层，8 室；种子长圆形，褐色；宿存萼 4 裂，深裂至中部，裂片卵形。花期 5 ~ 6 月，果期 10 ~ 11 月。

| 生境分布 | 生于海拔 500 ~ 1 500 m 的山地、山坡、山谷的灌丛中或林缘。湖北有分布。

| 采收加工 | **果实**：10 ~ 11 月果实成熟时采收。

| 功能主治 | 滋补肝肾，润燥生津。用于消渴，烦热。

柿科 Ebenaceae 柿属 *Diospyros*

油柿 *Diospyros oleifera* Cheng

| 药 材 名 | 油柿叶、油柿蒂、油柿霜、油柿根。

| 形态特征 | 落叶乔木。树皮呈薄片状剥落。树冠阔卵形。冬芽卵形。叶纸质，长圆形，两面有灰黄色柔毛。花雌雄异株或杂性。雄花的聚伞花序生于当年生枝下，腋生，单生，每花序有花 3 ~ 5；花萼 4 裂；花冠壶形；雄蕊 16 ~ 20，着生于花冠管的基部，花药线形；退化子房微小，密生长柔毛。雌花单生于叶腋，较雄花大；花萼钟形，4 深裂；花冠壶形，先端向后反曲；退化雄蕊 12 ~ 14，近线形；子房球形，8 室，花柱 4，基部合生。果实卵形，成熟时暗黄色，有易脱落的软毛，有种子 3 ~ 8；种子近长圆形，棕色；宿存花萼在花后增大，厚革质。花期 4 ~ 5 月，果期 8 ~ 10 月。

| 生境分布 | 栽培于村中、果园、路边、河畔等温暖湿润、土壤肥沃处。湖北有分布。

| 采收加工 | **油柿叶：**霜降后采收，除去杂质，洗净，稍润，切丝，干燥。

油柿蒂：采收后除去杂质，洗净，除去果柄，干燥或打碎。

油柿霜：取近成熟的果实，剥去外皮，日晒夜露，制成柿饼，用竹片刮下柿饼外表所生的白色粉霜。

油柿根：9 ~ 10 月采挖，洗净，鲜用或晒干。

| 功能主治 | **油柿叶：**止咳定喘，生津止渴，活血止血。用于咳喘，消渴，各种内出血，臁疮。

油柿蒂：降逆止呃。用于呃逆。

油柿霜：润肺止咳，生津利咽，止血。用于肺热燥咳，咽干喉痛，口舌生疮，吐血，咯血，消渴。

油柿根：清热，凉血，通经，利水。用于肺热咳嗽，吐血，肠风下血，停经。

山矾科 Symplocaceae 山矾属 *Symplocos*

薄叶山矾 *Symplocos anomala* Brand

| 药 材 名 | 薄叶山矾。

| 形态特征 | 小乔木或灌木，顶芽、嫩枝被褐色柔毛。叶薄革质，窄椭圆形、椭圆形或卵形，长 5 ~ 7 cm，先端渐尖，基部楔形，全缘或具锐锯齿，中脉和侧脉在上面凸起，侧脉 7 ~ 10 对。总状花序腋生，长 0.8 ~ 1.5 cm，有时基部有 1 ~ 3 分枝，被柔毛；苞片与小苞片先端尖，有缘毛；花萼长 2 ~ 2.3 mm，被微柔毛，5 裂，裂片半圆形，与萼筒等长，有缘毛；花冠白色，有桂花香，长 4 ~ 5 mm，5 深裂达近基部；雄蕊约 30，花丝基部稍合生；花盘环状，被柔毛；子房 3 室。核果褐色，长圆形，被柔毛，有纵棱；宿存萼裂片直立或向内伏。花果期 4 ~ 12 月，边开花边结果。

| 生境分布 | 生于海拔 1 000 ~ 1 700 m 的山地林中。湖北有分布。

| 采收加工 | **果实**：果熟期采摘，鲜用或晒干。

| 功能主治 | 活血消肿。用于跌打肿痛。

山矾科 Symplocaceae 山矾属 *Symplocos*

总状山矾 *Symplocos botryantha* Franch.

| 药 材 名 | 总状山矾。

| 形态特征 | 常绿乔木。嫩枝黄绿色，老枝褐色，无毛。叶厚革质，长圆状椭圆形、卵形或倒卵形，长 6 ~ 9 cm，宽 2.5 ~ 3.5 cm，先端尾状渐尖，基部楔形或宽楔形，边缘具波状齿，中脉在叶面凹下，侧脉不明显；叶柄长 0.8 ~ 1 cm。总状花序长 2 ~ 4 cm，被展开的长柔毛；小苞片条状披针形，长约 5 mm，被绢状长毛和缘毛；花萼无毛，长 2 ~ 3 mm，裂片三角状卵形，短于萼筒，长 0.5 ~ 0.7 mm；花冠长 5 ~ 6 mm，5 深裂达近基部；雄蕊 24 ~ 30，花丝扁平，基部稍连合；花盘无毛。核果坛形，先端宿存萼裂片直立或稍向内弯。

| 生境分布 | 生于海拔 1 700 m 以下的山林间。湖北有分布。

| 采收加工 | **果实：**果熟期采摘，鲜用或晒干。

| 功能主治 | 补肝益肾，强筋壮骨。

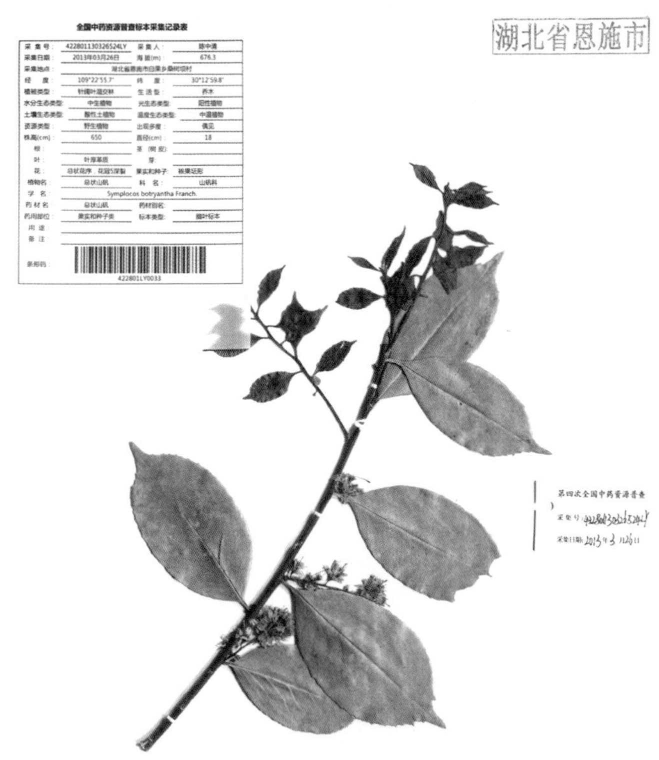

全国中药资源普查标本采集记录表

采集号：	422801130326524LY	采集人：	陈中通
采集日期：	2013年03月26日	海拔(m)：	676.3
采集地点：	湖北省恩施市白果乡桑树坝村		
经度：	109°22′55.7″	纬度：	30°12′59.8″
植被类型：	针阔叶混交林	生活型：	乔木
水分生态类型：	中生植物	光生态类型：	阳性植物
土壤生态类型：	酸性土植物	温度生态类型：	中温植物
资源类型：	野生植物	出现多度：	偶见
株高(cm)：	650	直径(cm)：	18
根：		茎（树皮）：	
叶：	叶厚革质	芽：	
花：	总状花序，花冠5深裂	果实和种子：	核果坛形
植物名：	总状山矾	科名：	山矾科
学名：	Symplocos botryantha Franch.		
药材名：	总状山矾	药材别名：	
药用部位：	果实和种子类	标本类型：	腊叶标本
用途：			
备注：			
条形码：	422801LY0033		

标本鉴定签

采集号：	422801130326524LY	科名：	山矾科
学名：	Symplocos botryantha Franch.		
种中文名：	总状山矾		
鉴定人：	史河	鉴定时间：	2013年03月26日

第四次全国中药资源普查

山矾科 Symplocaceae 山矾属 *Symplocos*

华山矾 *Symplocos chinensis* (Lour.) Druce

| 药 材 名 | 华山矾。

| 形态特征 | 灌木，嫩叶、叶柄、叶下面均被灰黄色皱曲柔毛。叶纸质，椭圆形或倒卵形，长 4 ~ 7 cm，先端急尖或短尖，有时圆，基部楔形或圆

形，有细尖锯齿，上面有柔毛，中脉凹下，侧脉 4 ~ 7 对。圆锥花序长 4 ~ 7 cm，花序轴、苞片、花萼外面均被灰黄色皱曲柔毛；苞片早落；花萼长 2 ~ 3 mm，裂片长圆形，长于萼筒；花冠白色，芳香，长约 4 mm，5 深裂达近基部；雄蕊 50 ~ 60，花丝基部合生成五体雄蕊；花盘具 5 凸起腺点；子房 2 室。核果卵状球形，歪斜，长 5 ~ 7 mm，被紧贴柔毛，成熟时蓝色，宿存萼裂片内伏。花期 4 ~ 5 月，果期 8 ~ 9 月。

| **生境分布** | 生于海拔 1 000 m 以下的丘陵、山坡或林中。湖北有分布。

| **采收加工** | **根**：全年均可采挖，晒干。

叶：夏、秋季采摘，切碎，晒干或鲜用。

| **功能主治** | **根**：解表退热，解毒除烦。用于感冒发热，心烦口渴，疟疾，腰腿痛，狂犬咬伤，毒蛇咬伤。

叶：止血生肌。用于外伤出血，蛇咬伤。

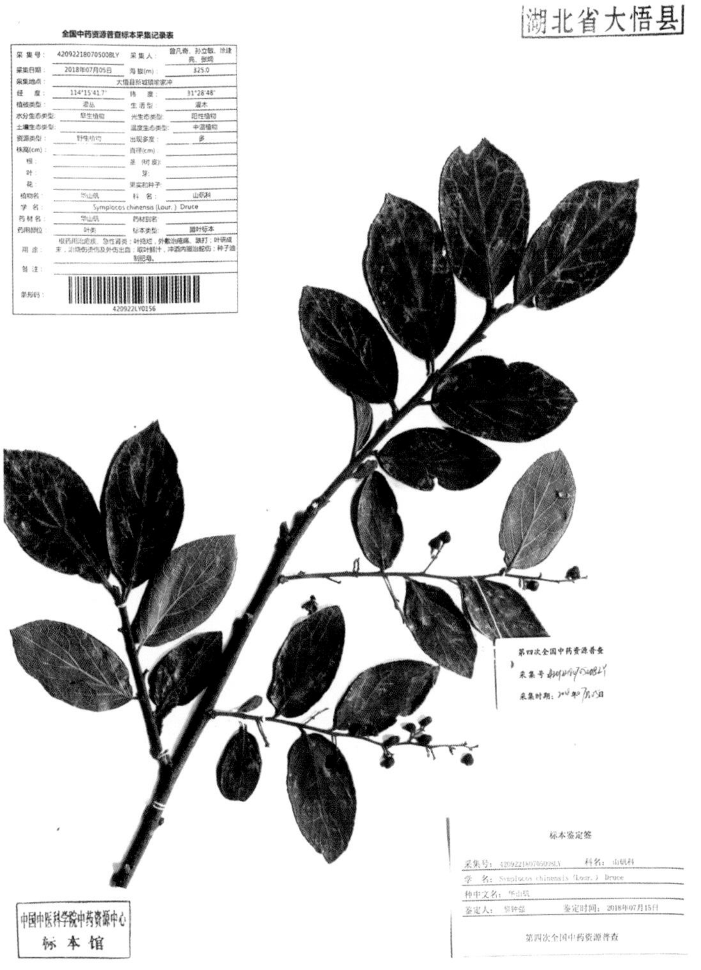

湖北省大悟县

全国中药资源普查标本采集记录表

采集号：	420922180705008LY	采集人：	曾凡爵、孙立敏、涂建亮、张娟
采集日期：	2018年07月05日	海拔(m)：	325.0
采集地点：	大悟县新城镇雷家冲		
经度：	114°15′41.7″	纬度：	31°28′48″
植被类型：	灌丛	生活型：	灌木
水分生态类型：	旱生植物	光生态类型：	阳性植物
土壤生态类型：		温度生态类型：	中温植物
资源类型：	野生植物	出现多度：	多
株高(cm)：		直径(cm)：	
根：		茎（树皮）：	
叶：		芽：	
花：		果实和种子：	
植物名：	华山矾	科名：	山矾科
学名：	Symplocos chinensis (Lour.) Druce		
药材名：	华山矾	药材别名：	
药用部位：	叶类	标本类型：	腊叶标本
用途：	根药用治疟疾、急性肾炎；叶捣烂，外敷治疮痈、跌打；叶研成末，治烧伤烫伤及外伤出血；取叶鲜汁，冲酒内服治蛇伤；种子油制肥皂。		
备注：			
条形码：	420922LY0156		

第四次全国中药资源普查

采集号：420922180705008LY

采集时期：2018年7月5日

标本鉴定签

采集号：	420922180705008LY	科名：	山矾科
学名：	Symplocos chinensis (Lour.) Druce		
种中文名：	华山矾		
鉴定人：	黎钟毅	鉴定时间：	2018年07月15日

第四次全国中药资源普查

中国中医科学院中药资源中心
标本馆

山矾科 Symplocaceae 山矾属 *Symplocos*

光叶山矾 *Symplocos lancifolia* Sieb. et Zucc.

| 药 材 名 | 光叶山矾。

| 形态特征 | 小乔木。芽、嫩枝、嫩叶背面脉上、花序均被黄褐色柔毛。小枝细长，黑褐色，无毛。叶互生；叶柄长约 5 mm；叶片纸质或近膜质，干后有时呈红褐色，卵形至阔披针形，长 3 ~ 6（~ 9）cm，宽 1.5 ~ 2.5（~ 3.5）cm，先端尾状渐尖，基部阔楔形或稍圆，边缘具疏的浅钝锯齿，中脉在叶面平坦，侧脉纤细，每边 6 ~ 9。穗状花序长 1 ~ 4 cm；苞片椭圆状卵形，长约 2 mm，小苞片三角状阔卵形，长约 1.5 mm，宽达 2 mm，背面均被短柔毛，有缘毛；花萼长 1.6 ~ 2 mm，5 裂，裂片卵形，先端圆，背面被微柔毛，与萼筒等长或稍长于萼筒，萼筒无毛；花冠淡黄色，5 深裂几达基部，裂

片椭圆形，长 2.5 ~ 4 mm；雄蕊约 25，花丝基部稍合生；子房 3 室，花盘无毛。核果近球形，直径约 4 mm，先端宿萼裂片直立。花期 3 ~ 11 月，果期 6 ~ 12 月。

| 生境分布 | 生于海拔 1 200 m 以下的林中。湖北有分布。

| 采收加工 | 全年均可采收，根洗净、切片、晒干，叶鲜用。

| 功能主治 | 止血生肌，和肝健脾。用于外伤出血，吐血，咯血，疮疖，疳积，结膜炎。

山矾科 Symplocaceae 山矾属 *Symplocos*

光亮山矾 *Symplocos lucida* (Thunb.) Siebold et Zucc.

| 药 材 名 | 光亮山矾。

| 形态特征 | 乔木。小枝无毛，黄褐色。叶纸质，长圆形或长圆状椭圆形，长 15 ~ 20 cm，宽 5 ~ 6 cm，先端短渐尖。基部楔形，近全缘或具锯齿，两面均无毛；中脉、侧脉、网脉在叶面均凸起，侧脉每边 9 ~ 10；叶柄长约 2 cm。总状花序腋生，长约 2 cm；花萼无毛，裂片圆形，绿色，稍长于萼筒；花冠白色。核果未见。

| 生境分布 | 生于海拔 1 700 m 的林中。湖北有分布。

| 功能主治 | 清热利湿，止血生肌。用于痢疾，泄泻，创伤出血，烫火伤，溃疡。

山矾科 Symplocaceae 山矾属 *Symplocos*

白檀 *Symplocos paniculata* (Thunb.) Miq.

| 药 材 名 | 白檀。

| 形态特征 | 落叶灌木或小乔木。嫩枝有灰白色柔毛，老枝无毛。叶膜质或薄纸质，先端急尖或渐尖，基部阔楔形或近圆形，边缘有细尖锯齿，叶面无毛或有柔毛，叶背通常有柔毛或仅脉上有柔毛；中脉在叶面凹下；叶柄长 3 ~ 5 mm。圆锥花序长 5 ~ 8 cm，通常有柔毛；苞片早落，通常呈条形，有褐色腺点；花萼长 2 ~ 3 mm，萼筒褐色，无毛或有疏柔毛，裂片半圆形或卵形，稍长于萼筒，淡黄色，有纵脉纹，边缘有毛；花冠白色，长 4 ~ 5 mm，5 深裂几达基部；雄蕊 40 ~ 60，子房 2 室，花盘具 5 凸起的腺点。核果成熟时蓝色，卵状球形，稍偏斜，先端宿存萼裂片直立。

| 生境分布 | 生于海拔 760 ~ 2 000 m 的山坡、路边、疏林或密林中。湖北有分布。

| 采收加工 | **根**：秋、冬季采挖，晒干。

叶：春、夏季采摘，晒干。

花、种子：5 ~ 7 月花果期采收，晒干。

| 功能主治 | 清热解毒，调气散结，祛风止痒。用于乳腺炎，淋巴结炎，肠痈，疮疖，疝气，荨麻疹，皮肤瘙痒。

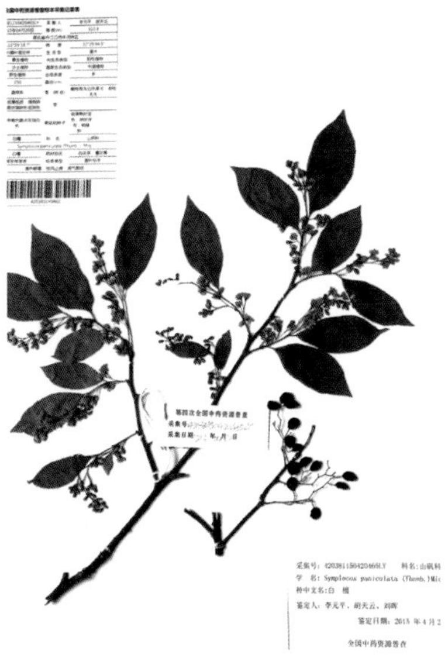

山矾科 Symplocaceae 山矾属 *Symplocos*

老鼠矢 *Symplocos stellaris* Brand

| 药 材 名 | 小药木。

| 形态特征 | 常绿乔木，芽、嫩枝、嫩叶柄、苞片和小苞片均被红褐色绒毛。小枝粗，髓心中空。叶厚革质，上面有光泽，下面粉褐色，长 6 ～ 20 cm，宽 2 ～ 5 cm，先端急尖或短渐尖，基部宽楔形或圆形，通常全缘，稀有细齿，中脉在上面凹下，侧脉 9 ～ 15 对；叶柄有纵沟，长 1.5 ～ 2.5 cm。团伞花序着生于二年生枝的叶痕上；苞片有缘毛；花萼长约 3 mm，裂片长不及 1 mm，有长缘毛；花冠白色，长 7 ～ 8 mm，5 深裂几达基部，裂片椭圆形，先端有缘毛；雄蕊 18 ～ 25，花丝基部合生成 5 束；花盘圆柱形；子房 3 室。核果窄卵状圆柱形，宿存萼裂片直立；核具 6 ～ 8 纵棱。花期 4 ～ 5 月，果期 6 月。

| 生境分布 | 生于海拔 1 100 m 的山地、路旁、疏林中。湖北有分布。

| 采收加工 | **叶**：春、夏季采摘，鲜用或晒干。

根：秋、冬季采挖，洗净，鲜用或晒干。

| 功能主治 | 活血，止血。用于跌打损伤，内出血。

山矾科 Symplocaceae 山矾属 *Symplocos*

山矾 *Symplocos sumuntia* Buch.-Ham. ex D. Don

| 药 材 名 | 山矾叶、山矾根、山矾花。

| 形态特征 | 乔木。嫩枝褐色。叶薄革质，卵形或窄倒卵形，先端尾尖，基部楔形或圆形，具浅锯齿或波状齿，有时近全缘，上面中脉凹下，侧脉

和网脉在两面均凸起，侧脉 4 ~ 6 对；叶柄长 0.5 ~ 1 cm。总状花序长 2.5 ~ 4 cm，被展开的柔毛；苞片早落，长约 1 mm，密被柔毛，小苞片与苞片同形；花萼长 2 ~ 2.5 mm，萼筒倒圆锥形，裂片三角状卵形，与萼筒等长或稍短于萼筒，背面有微柔毛；花冠白色，5 深裂几达基部，长 4 ~ 4.5 mm，裂片背面有微柔毛；雄蕊 25 ~ 35，花丝基部稍合生；花盘环状；子房 3 室。核果卵状坛形，外果皮薄而脆，宿存萼裂片直立，有时脱落。花期 2 ~ 3 月，果期 6 ~ 7 月。

| 生境分布 | 生于海拔 200 ~ 1 500 m 的山林间。湖北有分布。

| 采收加工 | **山矾叶：**夏、秋季采收，鲜用或晒干。

山矾根：夏、秋季采挖，洗净，切片，晒干。

山矾花：2 ~ 3 月采收，晒干。

| 功能主治 | **山矾叶：**清热解毒，收敛止血。用于久痢，风火赤眼，扁桃体炎，中耳炎，咯血，便血，鹅口疮。

山矾根：清热利湿，凉血止血，祛风止痛。用于黄疸，泄泻，痢疾，血崩，风火牙痛，头痛，风湿痹痛。

山矾花：化痰解郁，生津止渴。用于咳嗽胸闷，小儿消渴。

安息香科 Styracaceae 安息香属 *Styrax*

野茉莉 *Styrax japonicus* Sieb. et Zucc.

| 药 材 名 | 野茉莉。

| 形态特征 | 灌木或小乔木。高 4 ~ 8 m，少数高达 10 m，树皮暗褐色或灰褐色，平滑；嫩枝稍扁，开始时被淡黄色星状柔毛，以后脱落变为无毛，暗紫色，圆柱形。叶互生，纸质或近革质，椭圆形或长圆状椭圆形至卵状椭圆形，长 4 ~ 10 cm，宽 2 ~ 5（~ 6）cm，先端急尖或钝渐尖，常稍弯，基部楔形或宽楔形，近全缘或仅于上半部具疏离锯齿，上面除叶脉疏被星状毛外，其余无毛而稍粗糙，下面除主脉和侧脉汇合处有白色长髯毛外无毛，侧脉每边 5 ~ 7，第三级小脉网状，较密，两面均明显隆起；叶柄长 5 ~ 10 mm，上面有凹槽，疏被星状短柔毛。总状花序顶生，有花 5 ~ 8，长 5 ~ 8 cm；有时

下部的花生于叶腋；花序梗无毛；花白色，长 2 ~ 2.8（~ 3）cm，花梗纤细，开花时下垂，长 2.5 ~ 3.5 cm，无毛；小苞片线形或线状披针形，长 4 ~ 5 mm，无毛，易脱落；花萼漏斗状，膜质，高 4 ~ 5 mm，宽 3 ~ 5 mm，无毛，萼齿短而不规则；花冠裂片卵形、倒卵形或椭圆形，长 1.6 ~ 2.5 mm，宽 5 ~ 7（~ 9）mm，两面均被星状细柔毛，花蕾时作覆瓦状排列，花冠筒长 3 ~ 5 mm；花丝扁平，下部连合成管，上部分离，分离部分的下部被白色长柔毛，上部无毛，花药长圆形，边缘被星状毛，长约 5 mm。果实卵形，长 8 ~ 14 mm，直径 8 ~ 10 mm，先端具短尖头，外面密被灰色星状绒毛，有不规则皱纹；种子褐色，有深皱纹。花期 4 ~ 7 月，果期 9 ~ 11 月。

| **生境分布** | 生于海拔 400 ~ 1 804 m 的林中或土层较深厚的土壤中。湖北有分布。

| **功能主治** | **花**：清火。用于喉痛，牙痛。

虫瘿、叶、果：祛风除湿。

木犀科 Oleaceae 流苏树属 *Chionanthus*

流苏树 *Chionanthus retusus* Lindl. et Paxt.

| 药 材 名 | 流苏。

| 形态特征 | 落叶灌木或乔木。高可达 20 m。小枝灰褐色或黑灰色，圆柱形，开展，无毛，幼枝淡黄色或褐色，疏被或密被短柔毛。叶片革质或薄革质，长圆形、椭圆形或圆形，有时卵形或倒卵形至倒卵状披针形，长 3 ~ 12 cm，宽 2 ~ 6.5 cm，先端圆钝，有时凹入或锐尖，基部圆或宽楔形至楔形，稀浅心形，全缘或有小锯齿，叶缘稍反卷，幼时上面沿脉被长柔毛，下面密被或疏被长柔毛，叶缘具睫毛，老时上面沿脉被柔毛，下面沿脉密被长柔毛，稀被疏柔毛，其余部分疏被长柔毛或近无毛，中脉在上面凹入，下面凸起，侧脉 3 ~ 5 对，在两面微凸起或在上面微凹入，细脉在两面常微凸起；叶柄长 0.5 ~

2 cm，密被黄色卷曲柔毛。聚伞状圆锥花序，长 3 ~ 12 cm，顶生于枝端，近无毛；苞片线形，长 2 ~ 10 mm，疏被或密被柔毛，花长 1.2 ~ 2.5 cm，单性而雌雄异株或为两性花；花梗长 0.5 ~ 2 cm，纤细，无毛；花萼长 1 ~ 3 mm，4 深裂，裂片尖三角形或披针形，长 0.5 ~ 2.5 mm；花冠白色，4 深裂，裂片线状倒披针形，长（1 ~）1.5 ~ 2.5 cm，宽 0.5 ~ 3.5 mm，花冠筒短，长 1.5 ~ 4 mm；雄蕊藏于管内或稍伸出，花丝长 0.5 mm 之内，花药长卵形，长 1.5 ~ 2 mm，药隔突出；子房卵形，长 1.5 ~ 2 mm，柱头球形，稍 2 裂。果实椭圆形，被白粉，长 1 ~ 1.5 cm，直径 6 ~ 10 mm，呈蓝黑色或黑色。花期 3 ~ 6 月，果期 6 ~ 11 月。

｜生境分布｜ 生于海拔 3 000 m 以下的稀疏混交林中、灌丛中、山坡、河边。湖北有分布。

｜功能主治｜ 消暑止渴。用于中暑。

木犀科 Oleaceae 连翘属 *Forsythia*

连翘 *Forsythia suspensa* (Thunb.) Vahl

| 药 材 名 | 连翘。

| 形态特征 | 落叶灌木。枝条棕色、棕褐色或淡黄褐色，小枝土黄色或灰褐色，略呈四棱形，疏生皮孔，节间中空，节部具实心髓。叶对生，单叶或 3 裂至三出复叶，叶片卵形、宽卵形或椭圆状卵形至椭圆形，长 2 ~ 10 cm，宽 1.5 ~ 5 cm，先端锐尖，基部圆形、宽楔形至楔形，边缘除基部外具锐锯齿或粗锯齿，两面无毛；叶柄长 0.8 ~ 1.5 cm，无毛。花通常单生或 2 至数朵着生于叶腋，先于叶开放；花梗长 5 ~ 6 mm；花萼绿色，裂片 4，长圆形或长圆状椭圆形，先端钝或锐尖，边缘具睫毛；花冠黄色，裂片 4，倒卵状长圆形或长圆形；雄蕊 2，着生于花冠管基部；花柱细长，柱头 2 裂。蒴果卵球形，

长 1.2 ~ 2.5 cm，直径 0.6 ~ 1.2 cm。花期 3 ~ 4 月，果期 7 ~ 9 月。

| 生境分布 | 生于岗地、丘陵的山坡草地、灌丛及疏林中。湖北有分布。

| 采收加工 | 果实初熟或熟透时采收。初熟的果实采下后，蒸熟，晒干，商品称“青翘”；熟透的果实采下后晒干，除去杂质，商品称“老翘”。

| 功能主治 | 清热解毒，散结消肿。用于温热病，丹毒，斑疹，痈疡肿毒，瘰疬，小便淋闭。

木犀科 Oleaceae 连翘属 *Forsythia*

金钟花 *Forsythia viridissima* Lindl.

| 药 材 名 | 金钟花。

| 形态特征 | 落叶灌木，全株除花萼裂片边缘具睫毛外，余无毛。小枝具片状髓。单叶，长椭圆形或披针形，长 3.5 ~ 15 cm，宽 1 ~ 4 cm，先端锐尖，基部楔形，上部常具不规则锐齿或粗齿，稀近全缘，两面无毛；叶柄长 0.6 ~ 1.2 cm。花 1 ~ 3 生于叶腋，先于叶开放；花梗长 3 ~ 7 mm；花萼裂片卵形或长圆形，长 2 ~ 4 mm，具睫毛；花冠深黄色，长 1.1 ~ 2.5 cm，花冠筒长 5 ~ 6 mm，裂片窄长圆形，反卷；在雄蕊长 3.5 ~ 5 mm 的花中，雌蕊长 5.5 ~ 7 mm，在雄蕊长 6 ~ 7 mm 的花中，雌蕊长约 3 mm。果实卵圆形或宽卵圆形，长 1 ~ 1.5 cm，先端喙状渐尖，具皮孔。花期 3 ~ 4 月，果期 8 ~ 11 月。

| 生境分布 | 生于海拔 300 ～ 1 400 m 的山地、溪边或灌丛中。湖北有分布。

| 采收加工 | **果壳**：夏、秋季采收，鲜用或晒干。

根：全年均可采挖，洗净，切段，鲜用或晒干。

叶：春、夏、秋季均可采收，鲜用或晒干。

| 功能主治 | 清热，解毒，散结。用于感冒发热，目赤肿痛。

木犀科 Oleaceae 梣属 *Fraxinus*

白蜡树 *Fraxinus chinensis* Roxb.

| 药材名 | 白蜡树皮、白蜡树叶、白蜡花。

| 形态特征 | 落叶乔木。树皮灰褐色，纵裂。小枝无毛或疏被长柔毛，旋即脱落。羽状复叶长 12 ~ 35 cm；小叶 3 ~ 7，硬纸质，卵形、长圆形或披

针形，长 3 ～ 12 cm，先端锐尖或渐尖，基部圆钝或楔形，具整齐锯齿，上面无毛，下面沿中脉被白色长柔毛或无毛；小叶柄长 3 ～ 5 mm。圆锥花序的花序轴无毛或被细柔毛；花雌雄异株；雄花密集，花萼长约 1 mm，无花冠；雌花疏离，花萼长 2 ～ 3 mm，无花冠。翅果匙形，长 3 ～ 4 cm，宽 4 ～ 6 mm，先端锐尖，常呈梨头状，翅下延至坚果中部。花期 4 ～ 5 月，果期 7 ～ 9 月。

| **生境分布** | 生于海拔 800 ～ 1 800 m 的山地林中。湖北有分布。

| **采收加工** | **白蜡树皮**：春、秋季采收，除去杂质，洗净，切成长 30 ～ 60 cm 的短节，晒干。

白蜡树叶：春、秋季采收，洗净，晒干。

白蜡花：春季采收，洗净，晒干。

| **功能主治** | **白蜡树皮**：清热燥湿，清肝明目，止咳平喘。用于湿热泻痢，带下，目赤肿痛，睛生疮翳，肺热气喘、咳嗽。

白蜡树叶：调经，止血生肌。

白蜡花：用于咳嗽，哮喘。

木犀科 Oleaceae 梣属 *Fraxinus*

光蜡树 *Fraxinus griffithii* C. B. Clarke

| 药材名 | 光蜡树。

| 形态特征 | 半落叶乔木。树皮灰白色，粗糙，呈薄片状剥落。芽裸露，在枝梢两侧平展，被锈色糠秕状毛。小枝灰白色，被细短柔毛或无毛，具疣点状凸起的皮孔。羽状复叶长 10 ~ 25 cm；叶柄长 4 ~ 8 cm，基部略扩大；小叶 5 ~ 11，革质，卵形至长卵形，长 2 ~ 14 cm，宽 1 ~ 5 cm。圆锥花序顶生于当年生枝枝端，长 10 ~ 25 cm，具多花；叶状苞片匙状线形；花序梗圆柱形，被细柔毛；花萼杯状，萼齿阔三角形；花冠白色，裂片舟形，具钝头并卷曲；两性花的花冠裂片与雄蕊等长，花药大，长于花丝，雌蕊短，花柱稍长，柱头点状。翅果阔披针状匙形；坚果圆柱形。花期 5 ~ 7 月，果期 7 ~ 11 月。

| 生境分布 | 生于海拔 100 ~ 2 000 m 的干燥山坡、林缘、村旁、河边。栽培于土层深厚、地下水位低、盐渍化程度低的壤土中。湖北有分布。

| 采收加工 | **树皮**：秋、冬季整枝时采收，切片，晒干。

| 功能主治 | 清热燥湿，止痢，明目。用于肠炎，痢疾，带下，慢性支气管炎，急性结膜炎；外用于牛皮癣等。

木犀科 Oleaceae 梣属 *Fraxinus*

湖北梣 *Fraxinus hupehensis* Ch'ü, Shang et Su

| 药 材 名 | 湖北梣。

| 形态特征 | 落叶大乔木。树皮深灰色，老时纵裂；营养枝常呈棘刺状。羽状复叶长 7 ~ 15 cm；叶柄长 3 cm，基部不增厚；叶轴具狭翅，小叶着生处有关节，至少在节上被短柔毛；小叶 7 ~ 11，革质，披针形至卵状披针形，长 1.7 ~ 5 cm，宽 0.6 ~ 1.8 cm，先端渐尖，基部楔形，边缘具锐锯齿，下面沿中脉基部被短柔毛，侧脉 6 ~ 7 对。花杂性，密集簇生于去年生枝上，呈甚短的聚伞圆锥花序，长约 1.5 cm；两性花花萼钟状，雄蕊 2，花药长 1.5 ~ 2 mm，花丝较长，长 5.5 ~ 6 mm，雌蕊具长花柱，柱头 2 裂。翅果匙形，长 4 ~ 5 cm，宽 5 ~ 8 mm，中上部最宽，先端急尖。花期 2 ~ 3 月，果期 9 月。

| 生境分布 | 生于海拔 600 m 以下的低山丘陵地。湖北有分布。

| 采收加工 | **叶**：春、夏季采收，晒干。

| 功能主治 | 解毒，凉血。用于疟疾。

木犀科 Oleaceae 梣属 *Fraxinus*

苦枥木 *Fraxinus insularis* Hemsl.

| 药 材 名 | 秦皮。

| 形态特征 | 落叶大乔木。树皮灰色，平滑。嫩枝扁平，棕色至褐色，皮孔细小，点状凸起，节膨大。羽状复叶长 10 ~ 30 cm；叶柄长 5 ~ 8 cm，叶轴平坦，具不明显浅沟；小叶 5 ~ 7，长圆形或椭圆状披针形，长 6 ~ 9 cm，宽 2 ~ 3.5 cm。圆锥花序生于当年生枝先端，长 20 ~ 30 cm，分枝细长，具多花，叶后开放；花梗丝状，长约 3 mm；花芳香；花萼钟状，齿平截，上方膜质；花冠白色，裂片匙形；雄蕊伸出花冠外，花药长 1.5 mm；花柱与柱头近等长，柱头 2 裂。翅果红色至褐色，长 2 ~ 4 cm，宽 3.5 ~ 4 mm，翅下延至坚果上部，坚果近扁平；花萼宿存。花期 4 ~ 5 月，果期 7 ~ 9 月。

| 生境分布 | 生于山地、河谷、石灰岩裸坡上等。湖北有分布。

| 采收加工 | **树皮：**春、秋季采收，除去杂质，洗净，切成长 30 ~ 60 cm 的短节，晒干。

| 功能主治 | 清热燥湿，清肝明目，止咳平喘。用于湿热泻痢，带下，目赤肿痛，睛生疮翳，肺热气喘、咳嗽。

木犀科 Oleaceae 素馨属 *Jasminum*

探春花 *Jasminum floridum* Bunge

| 药 材 名 | 小柳拐。

| 形态特征 | 灌木。小叶扭曲，具 4 棱，无毛。羽状复叶互生，小叶 3 或 5，小枝基部常有单叶，叶柄长 0.2 ~ 1 cm，叶两面无毛，稀沿中脉被微柔毛，小叶卵形或椭圆形，长 0.7 ~ 3.5 cm，先端具小尖头，基部楔形或圆形；顶生小叶具小叶柄，长 0.2 ~ 1.2 cm，侧生小叶近无柄。聚伞花序顶生，有 3 ~ 25 花；苞片锥形，长 3 ~ 7 mm；花梗长不及 2 cm；花萼无毛，具 5 肋，萼筒长 1 ~ 2 mm，裂片锥状线形，长 1 ~ 3 mm；花冠黄色，近漏斗状，花冠筒长 0.9 ~ 1.5 cm，裂片卵形或长圆形，长 4 ~ 8 mm，边缘具纤毛。果实长圆形或球形，成熟时黑色。花期 5 ~ 9 月，果期 9 ~ 10 月。

| 生境分布 | 生于海拔 2 000 m 以下的坡地、山谷或林中。湖北有分布。

| 采收加工 | **根**：全年均可采收，洗净，切片，鲜用或晒干。

叶：夏、秋季生长茂盛时，割下有叶枝条，鲜用或晒干，打下叶片，除去枝梗。

| 功能主治 | 清热解毒，散瘀，消食。用于咽喉肿痛，疮疡肿毒，跌打损伤，烫伤，刀伤，食积腹胀。

木犀科 Oleaceae 素馨属 *Jasminum*

矮探春 *Jasminum humile* L.

| 药 材 名 | 败火草。

| 形态特征 | 灌木或小乔木。有时攀缘，高 0.5 ~ 3 m。小枝无毛或疏被短柔毛，棱明显。叶互生，复叶，有小叶 3 ~ 7，通常 5，小枝基部常具单叶；叶柄长 0.5 ~ 2 cm，具沟，无毛或被短柔毛；叶片和小叶片革质或薄革质，无毛或上面疏被短刚毛，下面脉上被短柔毛；小叶片卵形至卵状披针形或椭圆状披针形至披针形，稀倒卵形，先端锐尖至尾尖，基部圆形或楔形，全缘，叶缘反卷，有时多少具紧贴的刺状睫毛，侧脉 2 ~ 4 对，有时不明显；顶生小叶片长 1 ~ 6 cm，宽 0.4 ~ 2 cm，侧生小叶片长 0.5 ~ 4.5 cm，宽 0.3 ~ 2 cm。伞状、伞房状或圆锥状聚伞花序顶生，有花 1 ~ 10（~ 15）；稀有苞片，苞

片线形，通常长 2 ~ 4 mm；花梗长 0.5 ~ 3 cm，无毛或被微柔毛；花多少芳香；花萼无毛或被微柔毛，裂片三角形，较萼管短；花冠黄色，近漏斗状，花冠筒长 0.8 ~ 1.6 cm，裂片圆形或卵形，长 3 ~ 7 mm，先端圆或稍尖。果实椭圆形或球形，长 0.6 ~ 1.1 cm，直径 4 ~ 10 mm，成熟时呈紫黑色。花期 4 ~ 7 月，果期 6 ~ 10 月。

| 生境分布 | 生于海拔 1 100 ~ 3 100 m 的疏、密林中。湖北有分布。

| 采收加工 | 夏、秋季采收，鲜用或晒干。

| 功能主治 | 清热解毒。用于烫火伤，热毒疮疡。

木犀科 Oleaceae 素馨属 *Jasminum*

清香藤 *Jasminum lanceolarium* Roxb.

| 药 材 名 | 破骨风。

| 形态特征 | 攀缘灌木。小枝圆柱形。叶对生或近对生，三出复叶；叶柄长1 ~ 4.5 cm，具沟，沟内常被微柔毛；叶片光滑或疏被至密被柔毛，具凹陷的小斑点；小叶片长椭圆形至卵圆形，长3.5 ~ 16 cm，宽1 ~ 9 cm，顶生小叶柄与侧生小叶柄等长或稍长于侧生小叶柄。复聚伞花序常呈圆锥状排列，顶生或腋生；苞片线形，长1 ~ 5 mm；花梗短或无；花芳香；花萼筒状，光滑或被短柔毛，果时增大，萼齿三角形，不明显；花冠白色，呈高脚碟状，裂片4 ~ 5；花柱异长。果实球形或椭圆形，长0.6 ~ 1.8 cm，直径0.6 ~ 1.5 cm，2心皮基部相连或仅1心皮成熟，黑色，干时呈橘黄色。花期4 ~ 10月，果

期 6 月至翌年 3 月。

| 生境分布 | 生于海拔 2 000 m 以下的山坡、灌丛、山谷密林中。湖北有分布。

| 采收加工 | **根：**秋、冬季采挖，洗净，切片，鲜用或晒干。

茎叶：夏、秋季采收，切段，鲜用或晒干。

| 功能主治 | 祛风除湿，凉血解毒。用于风湿痹痛，跌打损伤，头痛，外伤出血，无名毒疮，蛇咬伤。

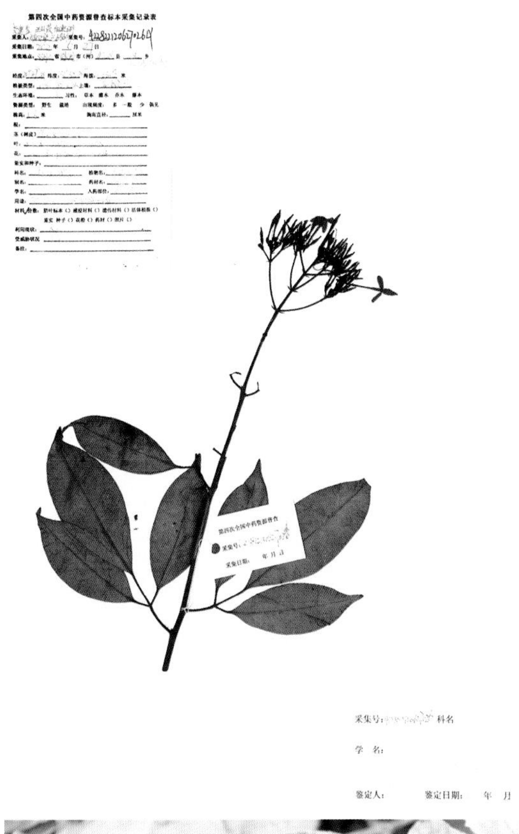

木犀科 Oleaceae 素馨属 *Jasminum*

野迎春 *Jasminum mesnyi* Hance

| 药 材 名 | 云南黄素馨。

| 形态特征 | 常绿亚灌木。枝条下垂，小枝无毛。叶对生，三出复叶或小枝基部具单叶；叶柄长 0.5 ~ 1.5 cm，无毛；叶两面无毛，边缘反卷，具睫毛，侧脉不明显；小叶长卵形或披针形，先端具小尖头，基部楔形，顶生小叶长 2.5 ~ 6.5 cm，具短柄，侧生小叶长 1.5 ~ 4 cm，无柄。花单生于叶腋，花叶同放；苞片叶状，长 0.5 ~ 1 cm；花梗长 3 ~ 8 mm；花萼钟状，裂片 6 ~ 8，小叶状；花冠黄色，漏斗状，直径 2 ~ 5 cm，花冠筒长 1 ~ 1.5 cm，裂片 6 ~ 8，宽倒卵形或长圆形。果实椭圆形，2 心皮基部愈合，直径 6 ~ 8 mm。花期 11 月至翌年 8 月，果期 3 ~ 5 月。

| **生境分布** | 生于海拔 500 ~ 1 600 m 的峡谷、林中。栽培于排水性好、肥沃的酸性砂壤土中。湖北有分布。

| **采收加工** | **花：**花开时采收，鲜用或晒干。

| **功能主治** | 清热解毒，发汗。用于肿毒，跌打损伤。

木犀科 Oleaceae 素馨属 *Jasminum*

迎春花 *Jasminum nudiflorum* Lindl.

| 药 材 名 | 迎春花。

| 形态特征 | 落叶灌木。枝条下垂，小枝无毛，棱上多少具窄翼。叶对生，为三出复叶，小枝基部常具单叶；叶柄长 0.3 ~ 1 cm，无毛，具窄翼；幼叶两面稍被毛，老叶仅边缘具睫毛；小叶卵形或椭圆形，先端具短尖头，基部楔形，顶生小叶长 1 ~ 3 cm，无柄或有短柄，侧生小叶长 0.6 ~ 2.3 cm，无柄。花单生于去年生小枝的叶腋；苞片小叶状，长 3 ~ 8 mm；花梗长 2 ~ 3 mm；花萼绿色，裂片 5 ~ 6，长 4 ~ 6 mm，窄披针形；花冠黄色，直径 2 ~ 2.5 cm，花冠筒长 0.8 ~ 2 cm，裂片 5 ~ 6，椭圆形。花期 6 月。

| **生境分布** | 生于海拔 800 ~ 2 000 m 的山坡灌丛中。栽培于排水良好、肥沃的酸性砂壤土中。湖北有分布。

| **采收加工** | **叶、花**：6 月花开时采收花，夏季采收叶，鲜用或晒干。

| **功能主治** | **叶**：解毒消肿，止血，止痛。用于跌打损伤，外伤出血，口腔炎，痈疖肿毒，外阴瘙痒。

花：清热利尿，解毒。用于发热头痛，小便热痛，下肢溃疡。

木犀科 Oleaceae 素馨属 *Jasminum*

茉莉花 *Jasminum sambac* (L.) Ait.

|药 材 名| 茉莉花。

|形态特征| 直立或攀缘灌木。小枝被疏柔毛。单叶对生，纸质，圆形或卵状椭圆形，长 4 ~ 12.5 cm，两端圆或钝，基部有时微心形，下面脉腋常具簇毛，余无毛；叶柄长 2 ~ 6 mm，被柔毛，具关节。聚伞花序顶生，通常具 3 花；苞片锥形，长 4 ~ 8 mm；花梗长 0.3 ~ 2 cm；花萼无毛或疏被柔毛，裂片 8 ~ 9，线形，长 5 ~ 7 mm；花冠白色，花冠筒长 0.7 ~ 1.5 cm，裂片长圆形或近圆形。果实球形，直径约 1 cm，成熟时紫黑色。花期 5 ~ 8 月，果期 7 ~ 9 月。

|生境分布| 生于岗地、丘陵岗地、低山。栽培于微酸性砂壤土中。湖北有分布。

| **采收加工** | **花**：7 月前后花初开时，择晴天采收，晒干。

| **功能主治** | 理气止痛，辟秽开郁。用于湿浊中阻，胸膈不舒，泻痢腹痛，头晕，头痛，目赤，疮毒。

木犀科 Oleaceae 女贞属 *Ligustrum*

长叶女贞 *Ligustrum compactum* (Wall. ex G. Don) Hook. f. et Thoms. ex Brandis

| 药材名 | 长叶女贞。

| 形态特征 | 灌木或小乔木，高可达 12 m。树皮灰褐色。叶片纸质，椭圆状披针形、卵状披针形或长卵形，花枝上叶片有时为狭椭圆形或卵状椭圆形，长 5 ~ 15 cm，宽 3 ~ 6 cm，基部近圆形或宽楔形，有时呈楔形；叶柄长 5 ~ 25 mm。圆锥花序疏松，顶生或腋生，长 7 ~ 20 cm，宽 7 ~ 16 cm；花序梗长 0 ~ 3 cm；花序轴及分枝轴具棱，果时尤明显，无毛或被微柔毛；苞片小叶状，匙形或披针形；花无梗或近无梗；花萼长 1 ~ 1.5 mm，花冠长 3.5 ~ 4 mm，花冠管长 1.5 ~ 2.5 mm，裂片长 1.2 ~ 2.5 mm；花丝长 1 ~ 3 mm，花药长圆状椭圆形，长 1 ~ 2 mm；花柱内藏，稍短于花冠管。果实椭圆形或

近球形，长 7 ~ 10 mm，直径 4 ~ 6 mm，常弯生，蓝黑色或黑色；果柄长约 6 mm。花期 3 ~ 7 月，果期 8 ~ 12 月。

| 生境分布 | 生于海拔 680 ~ 1 600 m 的河边或路旁林中。湖北有分布。

| 采收加工 | **树皮：** 全年或秋、冬季剥取树皮，除去杂质，切片，晒干。

种子： 冬季果实成熟时采收种子，除去枝叶，稍蒸或置沸水中略烫后，干燥，或直接干燥。

叶： 全年均可采收叶，鲜用或晒干。

| 功能主治 | **树皮、叶：** 清热除烦。

种子： 滋阴补血。用于肝肾亏损。

木犀科 Oleaceae 女贞属 *Ligustrum*

扩展女贞 *Ligustrum expansum* Rehd.

| 药 材 名 | 扩展女贞。

| 形态特征 | 直立灌木。高约 3 m。小枝淡灰棕色，疏被短柔毛或无毛，疏生皮孔。叶片厚纸质，长圆状椭圆形、长圆状披针形或倒卵状椭圆形至倒卵形，长 2.5 ~ 12 cm，宽 1.5 ~ 5.5 cm，先端锐尖至渐尖，基部楔形，上面无毛，下面被柔毛，通常脉上较密，有时无毛或仅沿叶脉或中脉基部被柔毛；叶柄长 0.5 ~ 1.2 cm，疏被短柔毛或无毛。圆锥花序宽大，顶生，长 10 ~ 18 cm，宽 8 ~ 16 cm，下部常具叶状苞片；花序轴被短柔毛；花梗长 0 ~ 1 mm，无毛；小苞片披针形；花萼无毛，长约 2 mm，截形或萼齿浅而钝；花冠高脚碟状，长 8 ~ 10 mm，花冠筒长 5 ~ 6 mm，裂片卵形，长 3 ~ 4 mm，先端锐尖，略呈兜状，

后反折；雄蕊不伸出花冠裂片外，花丝较花冠筒长，花药长圆形，长约 3 mm。果实长圆状椭圆形，长约 1 cm，宽约 5 mm。果期 9 月。

| 生境分布 | 生于海拔 1 300 m 左右的溪旁。分布于湖北宣恩、咸丰、鹤峰、恩施、利川、建始、兴山、神农架、通山等地。

| 功能主治 | 收敛，利尿。

木犀科 Oleaceae 女贞属 *Ligustrum*

丽叶女贞 *Ligustrum henryi* Hemsl.

| 药材名 | 四川苦丁茶。

| 形态特征 | 常绿灌木，高达 4 m。小枝紫红色，密被锈色或灰色柔毛。叶宽卵形、椭圆形或近圆形，长 1.5 ~ 4.5 cm，宽 1 ~ 2.5 cm，先端尖、渐尖或短尾尖，基部圆形或宽楔形，有时上面沿中脉被微毛，余无毛；叶柄长 1 ~ 5 mm，被微柔毛或无毛。圆锥花序顶生，柱形，花序轴密被柔毛；花梗长不及 1 mm，无毛；花萼长约 1 mm，无毛；花冠筒长 6 ~ 9 mm，花冠筒比裂片长 2 ~ 3 倍；雄蕊长达花冠裂片顶部。果实肾形，弯曲，长 0.6 ~ 1 cm，直径 3 ~ 5 mm，成熟时黑色或紫红色。花期 5 ~ 6 月，果期 7 ~ 10 月。

| **生境分布** | 生于海拔 1 800 m 以下的山坡灌丛中或林中。湖北有分布。

| **采收加工** | **叶**：春、夏季采收，晒干或烘干。

| **功能主治** | 散风热，清头目，除烦渴。用于头痛，牙痛，咽痛，唇疮，耳鸣，目赤，咯血，暑热烦渴。

木犀科 Oleaceae 女贞属 *Ligustrum*

日本女贞 *Ligustrum japonicum* Thunb.

| 药 材 名 | 苦茶叶。

| 形态特征 | 大型常绿灌木。高 3 ~ 5 m，无毛。小枝灰褐色或淡灰色，圆柱形，疏生圆形或长圆形皮孔，幼枝圆柱形，稍具棱，节处稍压扁。叶片厚革质，椭圆形或宽卵状椭圆形，稀卵形，长 5 ~ 8（~ 10）cm，宽 2.5 ~ 5 cm，先端锐尖或渐尖，基部楔形、宽楔形至圆形，叶缘平或微反卷，上面深绿色，光亮，下面黄绿色，具不明显腺点，两面无毛，中脉在上面凹入，在下面凸起，呈红褐色，侧脉 4 ~ 7 对，在两面凸起；叶柄长 0.5 ~ 1.3 cm，上面具深而窄的沟，无毛。圆锥花序塔形，无毛，长 5 ~ 17 cm，宽几与长相等或略短；花序轴和分枝轴具棱，第二级分枝长达 9 cm；花梗极短，长不超过

2 mm；小苞片披针形，长 1.5 ～ 10 mm；花萼长 1.5 ～ 1.8 mm，先端近截形或具不规则齿裂；花冠长 5 ～ 6 mm，花冠筒长 3 ～ 3.5 mm，裂片与花冠筒近等长或稍短，长 2.5 ～ 3 mm，先端稍内折，盔状；雄蕊伸出花冠筒外，花丝几与花冠裂片等长，花药长圆形，长 1.5 ～ 2 mm；花柱长 3 ～ 5 mm，稍伸出于花冠筒外，柱头棒状，先端 2 浅裂。果实长圆形或椭圆形，长 8 ～ 10 mm，宽 6 ～ 7 mm，直立，呈紫黑色，外被白粉。花期 6 月，果期 11 月。

| 生境分布 | 生于低海拔的林中或灌丛中。湖北有分布。

| 采收加工 | 夏、秋季采收，鲜用或晒干。

| 功能主治 | 清肝火，解热毒。用于头目眩晕，风火眼，口疳，无名肿毒，烫火伤。

木犀科 Oleaceae 女贞属 *Ligustrum*

蜡子树 *Ligustrum leucanthum* (S. Moore) P. S. Green

| 药 材 名 | 蜡子树。

| 形态特征 | 落叶灌木或小乔木。小枝常开展，被硬毛、柔毛或无毛。叶椭圆形或披针形，长 4 ~ 7 cm，宽 2 ~ 3 cm，先端尖、短渐尖或钝，基部楔形或近圆形，两面疏被柔毛或无毛，沿中脉被硬毛或柔毛；叶柄长 1 ~ 3 mm，被硬毛、柔毛或无毛。花序轴被硬毛、柔毛或无毛；花梗长不及 2 mm；花萼 5 ~ 2 mm，被微柔毛或无毛；花冠长 0.6 ~ 1 cm，花冠筒较裂片长 2 倍；雄蕊长可达花冠裂片中部。果实近球形或宽长圆形，长 0.5 ~ 1 cm，成熟时蓝黑色。花期 6 ~ 7 月，果期 8 ~ 11 月。

| 生境分布 | 生于海拔 300 ～ 1 600 m 的山坡林下或路边。湖北有分布。

| 采收加工 | **树皮：**春末夏初采收，切段，晒干。

叶：全年均可采收，鲜用或晒干。

| 功能主治 | 清热泻火，除湿。用于头痛，牙痛，水肿，湿疮，疥癣。

木犀科 Oleaceae 女贞属 *Ligustrum*

女贞 *Ligustrum lucidum* Ait.

| 药材名 | 女贞叶、女贞子、女贞根、女贞皮。

| 形态特征 | 常绿乔木或灌木，高达 25 m。叶卵形或椭圆形，长 6 ~ 17 cm，宽 3 ~ 8 cm，先端尖或渐尖，基部近圆形，边缘平，两面无毛，侧脉 4 ~ 9 对；叶柄长 1 ~ 3 cm。圆锥花序顶生，塔形；花梗长不及 1 mm；花萼长 1.5 ~ 2 mm，与花冠筒近等长；花冠长 4 ~ 5 mm；雄蕊长达花冠裂片顶部。果实肾形，多少弯曲，长 0.7 ~ 1 cm，直径 4 ~ 6 mm，成熟时蓝黑色或红黑色，被白粉。花期 5 ~ 7 月，果期 7 月至翌年 5 月。

| 生境分布 | 生于海拔 2 000 m 以下的林中。栽培于土壤肥沃、排水良好的壤土、

砂壤土中。湖北有分布。

| **采收加工** | **女贞叶：** 全年均可采收，鲜用或晒干。

女贞子： 冬季果实成熟时采收，除去枝叶，晒干或置热水中烫后晒干。

女贞根： 全年均可采挖，洗净，切片，晒干。

女贞皮： 全年均可采收，除去杂质，切片，晒干。

| **功能主治** | **女贞叶：** 清热明目，解毒散瘀，消肿止咳。用于头目昏痛，风热赤眼，口舌生疮，牙龈肿痛，疮肿溃烂，烫火伤，肺热咳嗽。

女贞子： 滋补肝肾，明目乌发。用于眩晕耳鸣，腰膝酸软，须发早白，目暗不明。

女贞根： 行气活血，止咳喘，祛湿浊。用于哮喘，咳嗽，经闭，带下。

女贞皮： 强筋健骨。用于腰膝酸痛，两脚无力，烫火伤。

木犀科 Oleaceae 女贞属 *Ligustrum*

总梗女贞 *Ligustrum pricei* Hayata

| 药 材 名 | 四川苦丁茶。

| 形态特征 | 灌木或小乔木。高 1 ～ 7 m，树皮灰褐色。枝开展，细；当年生枝黑灰色或褐色，圆柱形，疏被或密被圆形皮孔，密被短柔毛；去年生枝黄灰色、黑灰色或褐色，渐变无毛。叶片革质，常绿，长圆状披针形、椭圆状披针形或椭圆形，稀披针形或近菱形，长 3 ～ 9 cm，宽 1 ～ 3.5（～ 4）cm，先端渐尖至长渐尖，或锐尖，稀圆钝，基部楔形，有时近圆形，叶缘平坦或稍反卷，上面绿色，光亮，下面淡绿色，干时常呈黄褐色，两面光滑无毛，中脉在上面明显凹入，在下面凸起，侧脉 4 ～ 7 对，在上面不明显或微凹入，在下面微凸起，连接成网状，通常不明显；叶柄长 2 ～ 8 mm，具槽，无毛或被短柔毛。

圆锥花序顶生或腋生，长 2 ~ 6.5 cm，宽 1.5 ~ 4.5 cm；花序梗通常长 1 ~ 2 cm，有时缺；花序轴和分枝轴圆柱形，纤细，果时具棱，密被短柔毛，花序最下面分枝长 0.5 ~ 1.5 cm，有花 3 ~ 7，上部花单生或簇生；苞片线形或披针形，长 2 ~ 6 mm；花梗长 0 ~ 3 mm，无毛或被微柔毛；花萼无毛，长 1.5 ~ 2.5 mm，先端具宽三角形齿或近截形；花冠长 0.7 ~ 1.1 cm，花冠筒长 5 ~ 7 mm，裂片卵形，长 2 ~ 3 mm，先端尖，盔状；花丝短，长 0.5 ~ 2 mm，花药长圆形，长 2 ~ 3 mm，与花冠裂片近等长；花柱长 2 ~ 4 mm，达花冠筒的 1/2 处。果实椭圆形或卵状椭圆形，黑色，长 7 ~ 10 mm，宽 5 ~ 7 mm。花期 5 ~ 7 月，果期 8 ~ 12 月。

| 生境分布 | 生于海拔 300 ~ 2 600 m 的山地、沟谷林中或灌丛中。湖北有分布。

| 功能主治 | 散风热，清头目，除烦渴。用于头痛，齿痛，咽痛，唇疮，耳鸣，目赤，咯血，暑热烦渴。

木犀科 Oleaceae 女贞属 *Ligustrum*

小叶女贞 *Ligustrum quihoui* Carr.

| 药材名 | 小白蜡条。

| 形态特征 | 半常绿灌木，高达 3 m。小枝圆，密被微柔毛，后毛脱落。叶薄革质，披针形、椭圆形、倒卵状长圆形或倒卵状披针形，长 1 ~ 4 cm，宽 0.5 ~ 2 cm，先端尖、钝或微凹，基部楔形，边缘反卷，两面无毛，下面常具腺点；叶柄长不及 5 mm，无毛或被微柔毛。圆锥花序顶生，紧缩，近圆柱形，长为宽的 2 ~ 5 倍；小苞片卵形，具睫毛；花近无梗；花萼长 1.5 ~ 2 mm，无毛；花冠长 4 ~ 5 mm，花冠筒与裂片近等长；雄蕊伸出花冠裂片。果实倒卵圆形、椭圆形或近球形，长 5 ~ 9 mm，成熟时黑紫色。花期 5 ~ 7 月，果期 8 ~ 11 月。

| 生境分布 | 生于海拔 1 500 m 以下的山坡、沟边、路边或河边灌丛中。栽培于排水良好的疏松砂壤土中。湖北有分布。

| 采收加工 | **根皮：**全年均可采收，去除杂质，切段，晒干或鲜用。

叶：夏、秋季采收，晒干或鲜用。

果实：秋、冬季采收，晒干或鲜用。

| 功能主治 | 清热解毒。用于小儿口腔炎，烫火伤，黄水疮。

木犀科 Oleaceae 女贞属 *Ligustrum*

小蜡 *Ligustrum sinense* Lour.

| 药 材 名 | 小蜡树。

| 形态特征 | 落叶灌木或小乔木。幼枝被黄色柔毛，老时近无毛。叶纸质或薄革质，卵形、长圆形或披针形，长 2 ~ 7 cm，宽 1 ~ 3 cm，先端尖或渐尖，或钝而微凹，基部宽楔形或近圆形，两面疏被柔毛或无毛，常沿中脉被柔毛；侧脉在叶上面平或微凹下；叶柄长 2 ~ 8 mm，被柔毛。花序塔形，花序轴被较密的黄色柔毛或近无毛，基部有叶；花梗长 1 ~ 3 mm；花萼长 1 ~ 1.5 mm，无毛；花冠长 3.5 ~ 5.5 mm，裂片长于花冠筒；雄蕊与花冠裂片等长或长于花冠裂片。果实近球形，直径 5 ~ 8 mm。花期 5 ~ 6 月，果期 9 ~ 12 月。

| 生境分布 | 生于海拔 200 ~ 1 800 m 的山坡、山谷、溪边、河旁、路边的密林、疏林或混交林中。栽培于肥沃的砂壤土中。湖北有分布。

| 采收加工 | **树皮、枝叶：** 夏、秋季采收，鲜用或晒干。

| 功能主治 | 清热利湿，解毒消肿。用于感冒发热，肺热咳嗽，咽喉肿痛，口舌生疮，湿热黄疸，痢疾，痈肿疮毒，湿疹，皮炎，跌打损伤，烫伤。

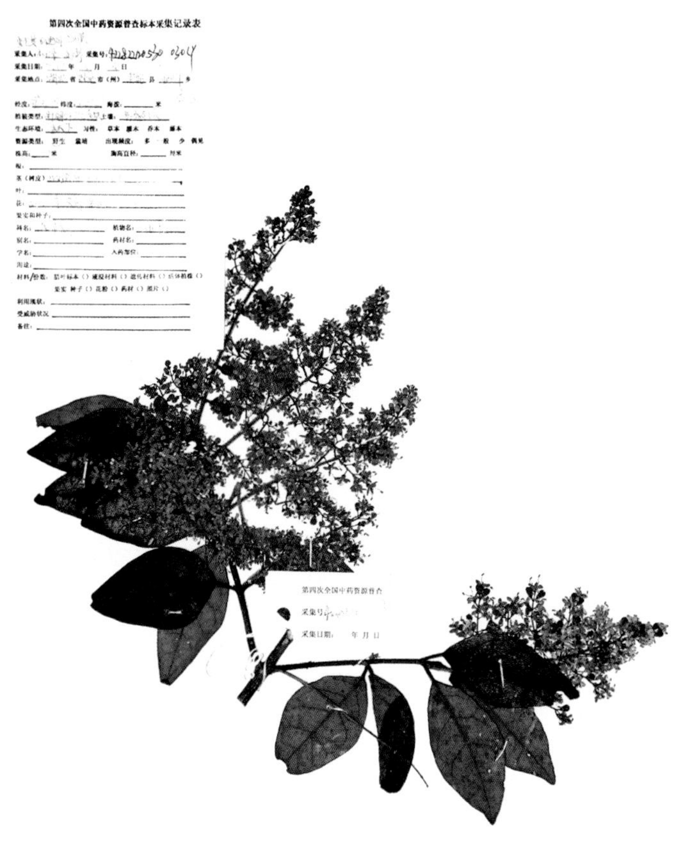

木犀科 Oleaceae 女贞属 *Ligustrum*

宜昌女贞 *Ligustrum strongylophyllum* Hemsley

| 药材名 | 女贞。

| 形态特征 | 灌木。高 1 ~ 4 m，树皮灰褐色或灰黑色。枝褐色或灰褐色，圆柱形，被短柔毛或近无毛，疏生皮孔，小枝黄褐色，纤细，圆柱形或稍具棱，密被短柔毛。叶片厚革质，卵形、卵状椭圆形或近圆形，稀倒卵形，长 1.5 ~ 3 cm，宽 1.5 ~ 2 cm，先端钝或近锐尖，基部近圆形、宽楔形至楔形，叶缘反卷，上面光亮，干时常具横皱纹，下面淡绿色，两面无毛或上面中脉被微柔毛，中脉在上面凹入，在下面凸起，侧脉 3 ~ 5 对，在上面不明显，在下面略凸起或不明显；叶柄长 0.2 ~ 0.7 cm，被微柔毛。圆锥花序疏松，开展，顶生，长 4.5 ~ 12 cm，宽 4 ~ 9 cm；花序轴和分枝轴具棱，果时尤明显，主

轴被微柔毛，向上渐疏，分枝轴无毛；花序梗长 0 ~ 2 cm；花序基部具 1 对叶状苞片，长 0.7 ~ 1.3 cm，小苞片常凋落；花萼长 1 ~ 1.5 mm，先端截形或浅裂；花冠长 4 ~ 5 mm，花冠筒长 1 ~ 3 mm，裂片长 2 ~ 3 mm，与花冠筒近等长或稍长，常反折；花丝长 1 ~ 3 mm，稍短于裂片，花药长 1 ~ 2 mm；花柱长 1.5 ~ 3 mm。果实倒卵形，长 6 ~ 9 mm，直径 3 ~ 5 mm，两侧不对称，略弯，呈黑色。花期 6 ~ 8 月，果期 8 ~ 10 月。

| 生境分布 | 生于海拔 300 ~ 2 500 m 的山谷林中、山顶灌丛中或河边沟旁。湖北有分布。

| 功能主治 | **果实**：补益肝肾，明目，清虚热。用于头昏目眩，腰膝酸软，遗精，须发早白，目暗不明，骨蒸潮热等。**叶**：清热明目，解毒散瘀，消肿止咳。用于头昏目痛，风热赤眼，口舌生疮，牙龈肿痛，肺热咳嗽等。皮：强筋健骨。用于腰膝酸痛，两腿乏力，烫火伤。**根**：行气活血，止咳，祛湿，用于哮喘，咳嗽，闭经，带下等。

木犀科 Oleaceae 木犀榄属 *Olea*

木犀榄 *Olea europaea* L.

| 药材名 | 木犀榄。

| 形态特征 | 常绿小乔木。高可达 10 m，树皮灰色。枝灰色或灰褐色，近圆柱形，散生圆形皮孔，小枝具棱角，密被银灰色鳞片，节处稍压扁。叶片革质，披针形、长圆状椭圆形或卵形，长 1.5 ～ 6 cm，宽 0.5 ～ 1.5 cm，先端锐尖至渐尖，具小凸尖，基部渐窄或楔形，全缘，叶缘反卷，上面深绿色，稍被银灰色鳞片，下面浅绿色，密被银灰色鳞片，两面无毛，中脉在两面凸起或上面微凹入，侧脉不甚明显，5 ～ 11 对，在上面微凸起；叶柄长 2 ～ 5 mm，密被银灰色鳞片，两侧下延于茎上成狭棱，上面具浅沟。圆锥花序腋生或顶生，长 2 ～ 4 cm，较叶为短；花序梗长 0.5 ～ 1 cm，被银灰色鳞片；苞片披针形或卵形，

长 0.5 ~ 2 mm；花梗短，长 0 ~ 1 mm；花芳香，白色，两性；花萼杯状，长 1 ~ 1.5 mm，浅裂或几近截形；花冠长 3 ~ 4 mm，深裂几达基部，裂片长圆形，长 2.5 ~ 3 mm，宽约 1.5 mm，先端钝或锐尖，边缘内卷；花丝扁平，长约 1 mm，花药卵状三角形，长 1.8 ~ 2 mm；子房球形，无毛，花柱短，长约 0.3 mm，柱头头状，2 裂。果实椭圆形，长 1.6 ~ 2.5 cm，直径 1 ~ 2 cm，成熟时呈蓝黑色。花期 4 ~ 5 月，果期 6 ~ 9 月。

| 生境分布 | 湖北有栽培。

| 功能主治 | 用于小便不利，淋漓涩痛。

木犀科 Oleaceae 木犀属 *Osmanthus*

红柄木犀 *Osmanthus armatus* Diels

| 药 材 名 | 红柄木犀。

| 形态特征 | 常绿灌木或乔木。小枝灰白色，幼时被柔毛，老时光滑。叶片厚革质，长圆状披针形至椭圆形，先端渐尖，有锐尖头，基部近圆形至浅心形，边缘具硬而尖的刺状牙齿 6 ~ 10 对，长 2 ~ 4 mm，两面无毛，仅上面中脉被柔毛，中脉在上面凸起，侧脉 8 ~ 10 对；叶柄短，长 2 ~ 5 mm，密被柔毛。聚伞花序簇生于叶腋，每叶腋内有花 4 ~ 12；苞片宽卵形，先端锐尖，被短柔毛；花梗细弱，长 6 ~ 10 mm；花芳香；花冠白色，长 4 ~ 5 mm，花冠管与裂片等长；雄蕊着生于花冠管中部，药隔在花药先端延伸成 1 明显的小尖头；雄花中不育雌蕊为狭圆锥形。果实呈黑色。花期 9 ~ 10 月，果期翌年 4 ~ 6 月。

| 生境分布 | 生于海拔 1 400 m 左右的山坡灌木林中。湖北有分布。

| 采收加工 | **根**：全年均可采收，洗净，晒干。

| 功能主治 | 清热解毒。

木犀科 Oleaceae 木犀属 *Osmanthus*

木犀 *Osmanthus fragrans* (Thunb.) Lour.

| 药 材 名 |

桂花子、桂花、桂花根。

| 形态特征 |

常绿乔木或灌木。小枝无毛。叶椭圆形、长圆形或椭圆状披针形，长 7 ～ 15 cm，宽 3 ～ 5 cm，先端渐尖，基部楔形，全缘或上部具细齿，两面无毛，腺点在两面连成小水泡状突起，叶脉在上面凹下，在下面凸起；叶柄长 0.8 ～ 1.2 cm，无毛。花梗细弱，无毛，长 0.4 ～ 1 cm；花极芳香；花萼长约 1 mm，裂片稍不整齐；花冠黄白色、淡黄色、黄色或橘红色，长 3 ～ 4 mm，花冠筒长 0.5 ～ 1 mm；雄蕊着生于花冠筒中部。果实斜椭圆形，长 1 ～ 1.5 cm，成熟时紫黑色。花期 9 ～ 10 月，果期翌年 3 ～ 5 月。

| 生境分布 |

生于丘陵岗地和低山、中山的阔叶林中。栽培于疏松透气的微酸性土壤中。湖北有分布。

| 采收加工 |

桂花子：4 ～ 5 月果实成熟时采收，用温水浸泡后晒干。

桂花：9 ～ 10 月花开时采收，阴干，除去

杂质，密闭贮藏。

桂花根：全年均可采收，晒干。

| 功能主治 | **桂花子**：温中行气止痛。用于胃寒疼痛，肝胃气痛。

桂花：散寒破结，化痰止咳。用于牙痛，咳喘痰多，经闭腹痛。

桂花根：祛风湿，散寒。用于风湿筋骨疼痛，腰痛，肾虚牙痛。

木犀科 Oleaceae 木犀属 *Osmanthus*

野桂花 *Osmanthus yunnanensis* (Franch.) P. S. Green

| 药 材 名 | 野桂花。

| 形态特征 | 常绿乔木或灌木，高 3 ~ 6 m，最高可达 10 m。树皮灰色。小枝光滑，淡棕黄色或灰白色，具稀疏皮孔，幼时被柔毛。叶片革质，卵状披针形或椭圆形，长 8 ~ 14 cm，宽 2.5 ~ 4 cm，全缘或具 20 ~ 25 对尖齿状锯齿，腺点在两面均呈针尖状突起；叶柄长 0.6 ~ 1 cm。花序簇生于叶腋，每腋内有花 5 ~ 12；苞片形大，长 2 ~ 4 mm，无毛，边缘具明显睫毛，干时常呈黄色；花梗长约 1 cm，无毛；花芳香；花萼长约 1 mm，裂片极短，先端啮蚀状或全缘；花冠黄白色，长约 5 mm，花冠管极短，椭圆形或宽卵形；雄蕊着生于花冠裂片基部，花丝长约 1.5 mm，花药长约 2.5 mm，药隔在花药先端

延伸成极小突起；雌花中雌蕊长约 3.5 mm，花柱长 1 ~ 1.5 mm。果实长卵形，长 1 ~ 1.5 cm，呈紫黑色。花期 4 ~ 5 月，果期 7 ~ 8 月。

| **生境分布** | 生于海拔 1 100 ~ 1 800 m 的山坡或沟边密林中，或混交林中。湖北有分布。

| **采收加工** | **花**：花期花盛开时采收花，阴干。

叶：夏、秋季采收叶，洗净，晒干。

| **功能主治** | 解表。

木犀科 Oleaceae 丁香属 *Syringa*

紫丁香 *Syringa oblata* Lindl.

| 药 材 名 | 紫丁香。

| 形态特征 | 灌木或小乔木。高可达 5 m，树皮灰褐色或灰色。小枝、花序轴、花梗、苞片、花萼、幼叶两面以及叶柄均无毛而密被腺毛。小枝较粗，疏生皮孔。叶片革质或厚纸质，卵圆形至肾形，宽常大于长，长 2 ~ 14 cm，宽 2 ~ 15 cm，先端短凸尖至长渐尖或锐尖，基部心形、截形至近圆形或宽楔形，上面深绿色，下面淡绿色；萌枝上叶片常呈长卵形，先端渐尖，基部截形至宽楔形；叶柄长 1 ~ 3 cm。圆锥花序直立，由侧芽抽生，近球形或长圆形，长 4 ~ 16（~ 20）cm，宽 3 ~ 7（~ 10）cm；花梗长 0.5 ~ 3 mm；花萼长约 3 mm，萼齿渐尖、锐尖或钝；花冠紫色，长 1.1 ~ 2 cm，花冠筒圆柱形，长

0.8 ~ 1.7 cm，裂片呈直角开展，卵圆形、椭圆形至倒卵圆形，长 3 ~ 6 mm，宽 3 ~ 5 mm，先端内弯略呈兜状或不内弯；花药黄色，位于距花冠筒喉部 0 ~ 4 mm 处。果实倒卵状椭圆形、卵形至长椭圆形，长 1 ~ 1.5（~ 2）cm，宽 4 ~ 8 mm，先端长渐尖，光滑。花期 4 ~ 5 月，果期 6 ~ 10 月。

| **生境分布** | 生于海拔 300 ~ 2 400 m 的山坡丛林、山沟溪边、山谷路旁及滩地水边。长江以北各庭园普遍栽培。湖北有分布。

| **功能主治** | 清热，解毒，利湿，退黄。用于急性泻痢，黄疸性肝炎，风火眼，疮疡。

马钱科 Loganiaceae 醉鱼草属 *Buddleja*

巴东醉鱼草 *Buddleja albiflora* Hemsl.

| 药 材 名 | 巴东醉鱼草。

| 形态特征 | 多年生草本或灌木，小枝、叶柄、花萼及花冠幼时均被星状毛及腺毛，后毛脱落。叶对生，纸质，披针形或长椭圆形，长 7 ~ 30 cm，先端渐尖，基部楔形或圆形，具重锯齿，下面被灰白色或淡黄色星状短绒毛，侧脉 10 ~ 17 对；叶柄长 0.2 ~ 1.5 cm。圆锥形聚伞花序顶生，长 7 ~ 25 cm；花梗被长硬毛；花萼钟状，长 3 ~ 3.5 mm，萼筒长约 2 mm，裂片长 1 ~ 1.5 mm；花冠蓝紫色、淡紫色至白色，喉部橙黄色，芳香，长 6.5 ~ 8 mm，内面花冠筒中部以上及喉部被长髯毛，花冠筒长约 5 mm，裂片长 1 ~ 1.5 mm；雄蕊着生于花冠筒喉部。蒴果长圆形，长 5 ~ 8 mm，无毛；种子褐色，两端具长翅。

花期 2 ~ 9 月，果期 8 ~ 12 月。

| 生境分布 | 生于海拔 500 ~ 1 800 m 的山地灌丛中或林缘。湖北有分布。

| 采收加工 | **全草**：全年均可采收，洗净，晒干。

| 功能主治 | 祛风除湿，止咳化痰，散瘀，杀虫。用于支气管炎，咳嗽，哮喘，风湿性关节炎，跌打损伤；外用于创伤出血，烫火伤等。

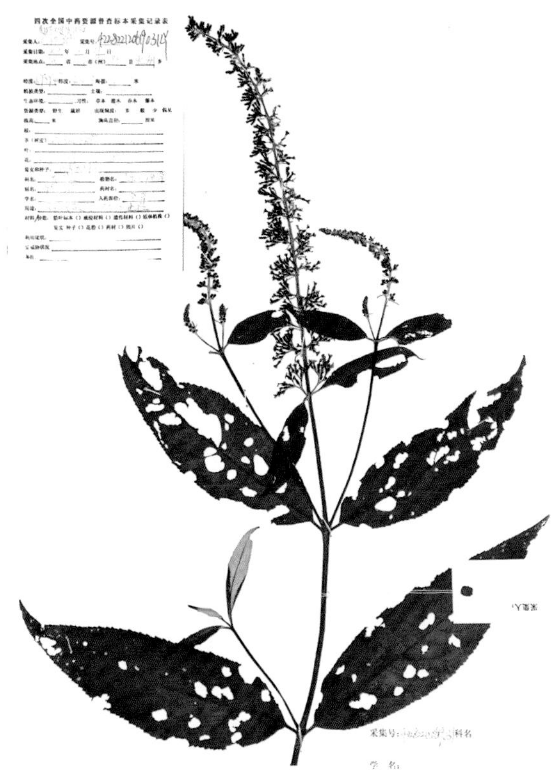

马钱科 Loganiaceae 醉鱼草属 *Buddleja*

大叶醉鱼草 *Buddleja davidii* Franch

| 药 材 名 | 大叶醉鱼草。

| 形态特征 | 灌木。高 1 ~ 5 m。小枝外展而下弯，略呈四棱形；幼枝、叶片下面、叶柄和花序均密被灰白色星状短绒毛。叶对生，叶片膜质至薄纸质，狭卵形、狭椭圆形至卵状披针形，稀宽卵形，长 1 ~ 20 cm，宽 0.3 ~ 7.5 cm，先端渐尖，基部宽楔形至钝，有时下延至叶柄基部，边缘具细锯齿，上面深绿色，疏被星状短柔毛，后变无毛；侧脉每边 9 ~ 14，在上面扁平，在下面微凸起；叶柄长 1 ~ 5 mm；叶柄间具有 2 卵形或半圆形的托叶，有时托叶早落。总状或圆锥状聚伞花序，顶生，长 4 ~ 30 cm，宽 2 ~ 5 mm；花梗长 0.5 ~ 5 mm；小苞片线状披针形，长 2 ~ 5 mm；花萼钟状，长 2 ~ 3 mm，外面被

星状短绒毛，后变无毛，内面无毛，花萼裂片披针形，长 1 ~ 2 mm，膜质；花冠淡紫色，后变黄白色至白色，喉部橙黄色，芳香，长 7.5 ~ 14 mm，外面疏被星状毛及鳞片，后变光滑无毛，花冠筒细长，长 6 ~ 11 mm，直径 1 ~ 1.5 mm，内面被星状短柔毛，花冠裂片近圆形，长和宽均 1.5 ~ 3 mm，内面无毛，全缘或具不整齐的齿；雄蕊着生于花冠筒内壁中部，花丝短，花药长圆形，长 0.8 ~ 1.2 mm，基部心形；子房卵形，长 1.5 ~ 2 mm，直径约 1 mm，无毛，花柱圆柱形，长 0.5 ~ 1.5 mm，无毛，柱头棍棒状，长约 1 mm。蒴果狭椭圆形或狭卵形，长 5 ~ 9 mm，直径 1.5 ~ 2 mm，2 瓣裂，淡褐色，无毛，基部有宿存花萼；种子长椭圆形，长 2 ~ 4 mm，直径约 0.5 mm，两端具尖翅。花期 5 ~ 10 月，果期 9 ~ 12 月。

| 生境分布 | 生于海拔 800 ~ 3 000 m 的山沟、路边、岩石山脚或灌丛中。湖北有分布。

| 资源情况 | 野生资源丰富，栽培资源较少。药材主要来源于野生。

| 采收加工 | **枝叶：**夏、秋季采收，鲜用或晒干。

根皮：春、秋季采挖，洗净，剥皮，晒干。

| 功能主治 | 祛风散寒，活血止痛。用于风湿关节痛，跌打损伤，骨折；外用于足癣。

马钱科 Loganiaceae 醉鱼草属 *Buddleja*

紫花醉鱼草 *Buddleja fallowiana* Balf. f. et W. W. Sm.

| 药 材 名 | 紫花醉鱼草。

| 形态特征 | 灌木。高 1 ~ 5 m。枝条圆柱形；枝条、叶片下面、叶柄、花序、苞片、花萼和花冠的外面均密被白色或黄白色星状绒毛及腺毛。叶对生，叶片纸质，窄卵形、披针形或卵状披针形，长 5 ~ 14 cm，宽 2 ~ 5 cm，先端渐尖或急尖，基部圆形、宽楔形或楔形，有时下延至叶柄基部，叶缘具细齿，齿端有凸尖，上面深绿色，幼时疏被星状毛，后变无毛；侧脉每边 8 ~ 10，在上面扁平，干后稍凹陷，在下面略凸起；叶柄长 5 ~ 10 mm。花芳香，数朵组成顶生的穗状聚伞花序；花序长 5 ~ 15 cm，宽 2 ~ 3 cm；花梗极短或几无；苞片线状披针形，长 1 ~ 2.5 cm；小苞片线形，长约 6 mm；花萼钟状，长 3 ~ 4.5 mm，

内面无毛，花萼裂片狭三角形，长 1.5 ~ 2 mm，宽 0.5 ~ 1 mm；花冠紫色，喉部橙色，长 9 ~ 14 mm，花冠筒长 8 ~ 10 mm，内面除基部无毛外均被星状柔毛，花冠裂片卵形或近圆形，长 2 ~ 4 mm，宽 1.5 ~ 3 mm，边缘啮蚀状，内面和花冠筒喉部密被小鳞片状腺体；雄蕊着生于花冠筒内壁上部，花丝长 0.5 mm，花药长圆形，长约 1.5 mm，先端不达花冠筒喉部；子房卵形，长约 2 mm，被星状毛，花柱长约 1.5 mm，基部被星状毛，柱头棍棒状，长约 1 mm。蒴果长卵形，长 6 ~ 9 mm，直径 3 ~ 4 mm，疏被星状毛，基部有宿存花萼；种子长圆形，长约 0.5 mm，褐色，周围有翅，翅宽约 0.5 mm。花期 5 ~ 10 月，果期 7 ~ 12 月。

| 生境分布 | 生于海拔 1 200 ~ 3 100 m 的山地疏林中或山坡灌丛中。湖北有分布。

| 功能主治 | 祛风明目，退翳，止咳。用于咳嗽，眼疾等。

马钱科 Loganiaceae 醉鱼草属 *Buddleja*

醉鱼草 *Buddleja lindleyana* Fortune

| 药材名 | 醉鱼草花、醉鱼草。

| 形态特征 | 直立灌木。小枝具 4 棱，具窄翅。幼枝、幼叶下面、叶柄及花序均被星状毛及腺毛。叶对生，膜质，卵形、椭圆形或长圆状披针形，长 3 ~ 11 cm；叶柄长 0.2 ~ 1.5 cm。穗状聚伞花序顶生，长 4 ~ 40 cm；苞片长达 1 cm，小苞片长 2 ~ 3.5 mm；花紫色，芳香；花萼钟状，长约 4 mm，与花冠均被星状毛及小鳞片，花萼裂片长约 1 mm；花冠长 1.3 ~ 2 cm，内面被柔毛，花冠筒弯曲，长 1.1 ~ 1.7 cm，裂片长约 3.5 mm；雄蕊着生于花冠筒基部。蒴果长圆形或椭圆形，长 5 ~ 6 mm，无毛，被鳞片，花萼宿存；种子小，淡褐色，无翅。花期 4 ~ 10 月，果期 8 月至翌年 4 月。

| 生境分布 | 生于海拔 200 ~ 1 700 m 的山地灌丛中、林缘、水边或旷地。湖北有分布。

| 采收加工 | **醉鱼草花：** 4 ~ 7 月采收，晒干。

醉鱼草： 全年均可采收，洗净，晒干。

| 功能主治 | **醉鱼草花：** 祛痰，截疟，解毒。用于痰饮喘促，疟疾，疳积，烫伤。

醉鱼草： 祛风除湿，止咳化痰，散瘀，杀虫。用于支气管炎，咳嗽，哮喘，风湿性关节炎，跌打损伤；外用于创伤出血，烫火伤。

马钱科 Loganiaceae 醉鱼草属 *Buddleja*

密蒙花 *Buddleja officinalis* Maxim.

| 药 材 名 | 密蒙花。

| 形态特征 | 灌木。小枝稍具 4 棱，密被灰白色星状毛。叶对生，纸质，窄椭圆形、长卵形或卵状披针形，长 4 ~ 19 cm，常全缘，稀疏生锯齿，上面疏被星状毛，下面密被白色或褐黄色星状毛，中脉及侧脉凸起；叶柄长 0.2 ~ 2 cm，两叶柄基部之间具托叶线。圆锥形聚伞花序花密集，长 5 ~ 15 cm，密被灰白色柔毛；小苞片披针形；花萼钟状，长 2.5 ~ 4.5 mm，裂片长 0.6 ~ 1.2 mm，花萼及花冠密被星状毛；花冠白色或淡紫色，喉部橘黄色，长 1 ~ 1.3 cm，花冠筒长 0.8 ~ 1.1 cm，裂片长 1.5 ~ 3 mm；雄蕊着生于花冠筒中部。蒴果椭圆形，2 瓣裂，被星状毛，花被宿存；种子两端具翅。花期 2 ~ 4

月，果期 4 ～ 8 月。

| 生境分布 | 生于海拔 200 ～ 1 800 m 的向阳山坡灌丛中或林缘。湖北有分布。

| 采收加工 | **花蕾、花序：** 2 ～ 3 月花未开放时采摘，除净枝梗等杂质，晒干。

| 功能主治 | 祛风，凉血，润肝，明目。用于目赤肿痛，多泪羞明，青盲翳障，风弦烂眼。

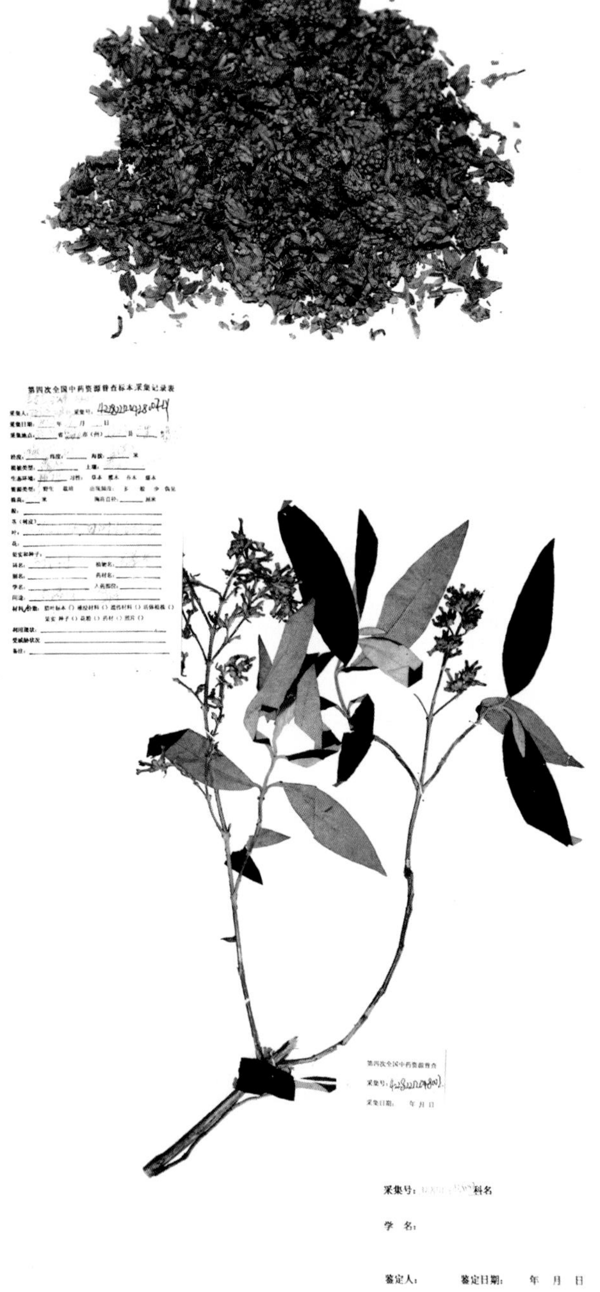

马钱科 Loganiaceae 灰莉属 *Fagraea*

灰莉 *Fagraea ceilanica* Thunb.

| 药材名 | 灰莉。

| 形态特征 | 乔木，有时附生于其他树上呈攀缘状灌木。高达 15 m，树皮灰色。小枝粗厚，圆柱形，老枝上有凸起的叶痕和托叶痕；全株无毛。叶片稍肉质，干后变纸质或近革质，椭圆形、卵形、倒卵形或长圆形，有时长圆状披针形，长 5 ~ 25 cm，宽 2 ~ 10 cm，先端渐尖、急尖或圆而有小尖头，基部楔形或宽楔形，叶面深绿色，干后绿黄色；叶面中脉扁平，叶背微凸起，侧脉每边 4 ~ 8，不明显；叶柄长 1 ~ 5 cm，基部具有由托叶形成的腋生鳞片，鳞片长约 1 mm，宽约 4 mm，常与叶柄合生。花单生或组成顶生二歧聚伞花序；花序梗短而粗，基部有长约 4 mm 披针形的苞片；花梗粗壮，长达 1 cm，中

部以上有 2 宽卵形的小苞片；花萼绿色，肉质，干后革质，长 1.5 ~ 2 cm，裂片卵形至圆形，长约 1 cm，边缘膜质；花冠漏斗状，长约 5 cm，质薄，稍带肉质，白色，芳香，花冠筒长 3 ~ 3.5 cm，上部扩大，裂片张开，倒卵形，长 2.5 ~ 3 cm，宽达 2 cm，上部内侧有凸起的花纹；雄蕊内藏，花丝丝状，花药长圆形至长卵形，长 5 ~ 7 mm；子房椭圆状或卵状，长约 5 mm，光滑，2 室，每室有胚珠多颗，花柱纤细，柱头倒圆锥状或稍呈盾状。浆果卵状或近圆球状，长 3 ~ 5 cm，直径 2 ~ 4 cm，先端有尖喙，淡绿色，有光泽，基部有宿萼；种子椭圆状肾形，长 3 ~ 4 mm，藏于果肉中。花期 4 ~ 8 月，果期 7 月至翌年 3 月。

| 生境分布 | 生于海拔 500 ~ 1 800 m 的山地密林中或石灰岩地区阔叶林中。湖北有分布。

| 资源情况 | 野生资源一般，栽培资源较少。药材主要来源于野生。

| 功能主治 | 消炎止痛。用于各种皮肤病。

马钱科 Loganiaceae 蓬莱葛属 *Gardneria*

蓬莱葛 *Gardneria multiflora* Makino

|药材名| 蓬莱葛。

|形态特征| 常绿藤本。枝条无毛，叶痕明显。叶纸质或薄革质，椭圆形、披针形或卵形，长 5 ~ 15 cm，两面无毛；叶柄长 1 ~ 1.5 cm，叶柄间托叶线明显。二至三歧聚伞花序腋生，长 2 ~ 4 cm，花序梗基部具 2 三角形苞片；花梗长约 5 mm，基部具小苞片；花 5 基数；花萼裂片长约 1.5 mm，边缘具睫毛；花冠黄色或黄白色，花冠筒短，肉质；雄蕊着生于花冠筒内近基部，花丝短，花药离生，长 2.5 mm，基部 2 裂，4 室；子房 2 室，每室有 1 胚珠，花柱长 5 ~ 6 mm，柱头 2 浅裂。浆果球形，直径约 7 mm，红色，有时花柱宿存；种子球形，黑色。花期 3 ~ 7 月，果期 7 ~ 11 月。

| **生境分布** | 生于海拔 300 ~ 2 000 m 的山坡林中。湖北有分布。

| **采收加工** | **根**：全年均可采收，洗净，切片，晒干或鲜用。

种子：果实成熟时采收，鲜用。

| **功能主治** | 祛风通络，止血。用于风湿痹痛，创伤出血。

马钱科 Loganiaceae 度量草属 *Mitreola*

大叶度量草 *Mitreola pedicellata* Benth.

| 药 材 名 | 大叶度量草。

| 形态特征 | 多年生草本。高达 60 cm。茎下部呈匍匐状；幼枝四棱形，老枝圆柱形；除幼叶下面、幼叶柄和花冠筒喉部被短柔毛外，其余均无毛。叶片膜质至薄纸质，椭圆形、长椭圆形或披针形，有时倒披针形，长 5 ~ 15 cm，宽 2 ~ 5 cm，先端渐尖至钝，基部楔形；侧脉每边 8 ~ 10；叶柄长 1 ~ 2 mm；托叶退化或叶柄间成窄的叶鞘。三歧聚伞花序腋生或顶生，着花多朵；花序梗长 3 ~ 7 cm；花梗长 1 ~ 3 mm；苞片和小苞片披针形，长约 1 mm；花萼 5 深裂，裂片卵状披针形，长约 1 mm，宽约 0.5 mm，边缘膜质；花冠白色，坛状，花冠筒长约 1.5 mm，花冠裂片 5，卵形，长约 0.5 mm；雄蕊 5，着

生于花冠筒近中部；子房近圆球形，光滑，花柱长约 0.5 mm，基部分离，柱头头状。蒴果近圆球状，直径 2 ~ 2.5 mm，先端有 2 尖角，基部有宿存花萼；种子圆球形，淡褐色，表面具小瘤状凸起。花期 3 ~ 5 月，果期 6 ~ 7 月。

| **生境分布** | 生于海拔 400 ~ 2 100 m 的山地疏林下。湖北有分布。

| **功能主治** | 消肿止痛，清热解毒。

龙胆科 Gentianaceae 龙胆属 *Gentiana*

华南龙胆 *Gentiana loureiroi* (G. Don) Griseb.

| 药 材 名 | 龙胆地丁。

| 形态特征 | 多年生草本。高 3 ～ 8 cm。根略肉质，粗壮，根皮易剥落。茎少数丛生，紫红色，直立，密被乳突，有少数分枝。基生叶发达或无，花期不枯萎，莲座状，狭椭圆形，长 15 ～ 30 mm，宽 3.5 ～ 5 mm，先端钝，边缘有不明显的软骨质，密生短睫毛，上面具细乳突，下面光滑，中脉细，在下面明显，叶柄宽，边缘密生短睫毛，长 4 ～ 7 mm；茎生叶疏离，远短于节间，椭圆形或椭圆状披针形，长 5 ～ 7 mm，宽 1 ～ 2.5 mm，先端钝，边缘有不明显的软骨质，密生短睫毛，上面密被极细乳突，下面光滑，叶柄边缘具短睫毛，背面具乳突，连合成长 1 ～ 1.5 mm 的筒。花数朵，单生于小枝先端；花梗紫红色，

密被乳突，长 5 ~ 12 mm，裸露；花萼钟形，长 5 ~ 6 mm，裂片直立或开展，披针形或线状披针形，长 2.5 ~ 3.5 mm，先端急尖或钝，具小尖头，边缘有不明显的膜质，密生短睫毛，中脉细，不明显，弯缺狭，楔形；花冠紫色，漏斗形，长 12 ~ 14 mm，裂片卵形，长 2 ~ 2.5 mm，先端钝，褶卵状椭圆形，长 1 ~ 1.5 mm，先端截形，边缘有不整齐、不明显的细齿；雄蕊着生于花冠筒中下部，整齐，花丝丝状，长 4.5 ~ 5.5 mm，花药线形，长 1.8 ~ 2 mm；子房椭圆形，长 5 ~ 6 mm，两端渐狭，柄长 2.5 ~ 3 mm，花柱线形，长约 2.5 mm，柱头 2 裂，裂片矩圆形。蒴果倒卵形，先端圆形，有宽翅，两侧边缘有狭翅。花果期 2 ~ 9 月。

| 生境分布 | 生于海拔 300 ~ 2 300 m 的山坡路旁、荒山坡或林下。湖北有分布。

| 资源情况 | 野生资源一般，栽培资源较少。药材主要来源于野生。

| 采收加工 | **带根全草：**春、夏季花初开时采收，晒干。

| 功能主治 | 清热利湿，解毒消痈。用于肝炎，痢疾，小儿发热，咽喉肿痛，肠痈，尿血；外用于疮疡肿毒。

龙胆科 Gentianaceae 龙胆属 *Gentiana*

条叶龙胆 *Gentiana manshurica* Kitag.

| 药 材 名 | 龙胆。

| 形态特征 | 多年生草本。根茎平卧或直立。花枝单生。茎下部叶淡紫红色，鳞形，长 5 ~ 8 mm，中部以下连合成鞘状抱茎；中上部叶线状披

针形或线形，长 3 ~ 10 cm，无柄。花 1 ~ 2，顶生或腋生，无梗或具短梗，每花具 2 苞片；苞片线状披针形，长 1.5 ~ 2 cm；萼筒钟状，长 0.8 ~ 1 cm，裂片线形或线状披针形，长 0.8 ~ 1.5 cm，先端尖；花冠蓝紫色或紫色，筒状钟形，长 4 ~ 5 cm，裂片卵状三角形，长 7 ~ 9 mm，先端渐尖，褶偏斜，卵形，长 3.5 ~ 4 mm，具不整齐细齿。蒴果内藏，宽椭圆形；种子具粗网纹，两端具翅。花果期 8 ~ 11 月。

| 生境分布 | 生于海拔 100 ~ 1 100 m 的山坡草地、湿草地、路边。湖北有分布。

| 采收加工 | **根、根茎：**春、秋季采挖，选大的除去茎叶，洗净，干燥。

| 功能主治 | 清热燥湿，泻肝定惊。用于湿热黄疸，小便淋痛，阴肿，阴痒，湿热带下，肝胆实火之头胀、头痛、目赤肿痛、耳聋、耳肿、胁痛、口苦，热病惊风抽搐。

龙胆科 Gentianaceae 龙胆属 *Gentiana*

流苏龙胆 *Gentiana panthaica* Prain et Burk.

| 药 材 名 | 流苏龙胆。

| 形态特征 | 一年生草本，高 6 ~ 15 cm。茎近直立，分枝具棱，光滑。茎基部的叶排列成辐状，卵形或卵状长椭圆形，长 1 ~ 2 cm，宽 0.5 ~ 0.8 cm，先端尖，具 1 ~ 3 脉，基部具短柄；茎上部的叶小，三角状卵形或卵状披针形，尖，基部连合。单花顶生或腋生，淡蓝色；花梗长；花萼漏斗状，裂片披针形，先端尖；花冠钟状，长 1 ~ 1.5 cm，先端 5 裂，裂片卵形，褶稍短于裂片，流苏状；雄蕊 5；子房具柄，花柱不显著，柱头 2 裂。蒴果倒卵形，内藏；种子多数，具棱，表面有小瘤状突起。花果期 5 ~ 8 月。

| 生境分布 | 生于海拔 1 200 ~ 1 800 m 的山坡草地、灌丛中、林下、林缘、河滩及路旁。湖北有分布。

| 采收加工 | **全草：**春、夏季花初开时采收，晒干。

| 功能主治 | 清热解毒，利湿消肿。

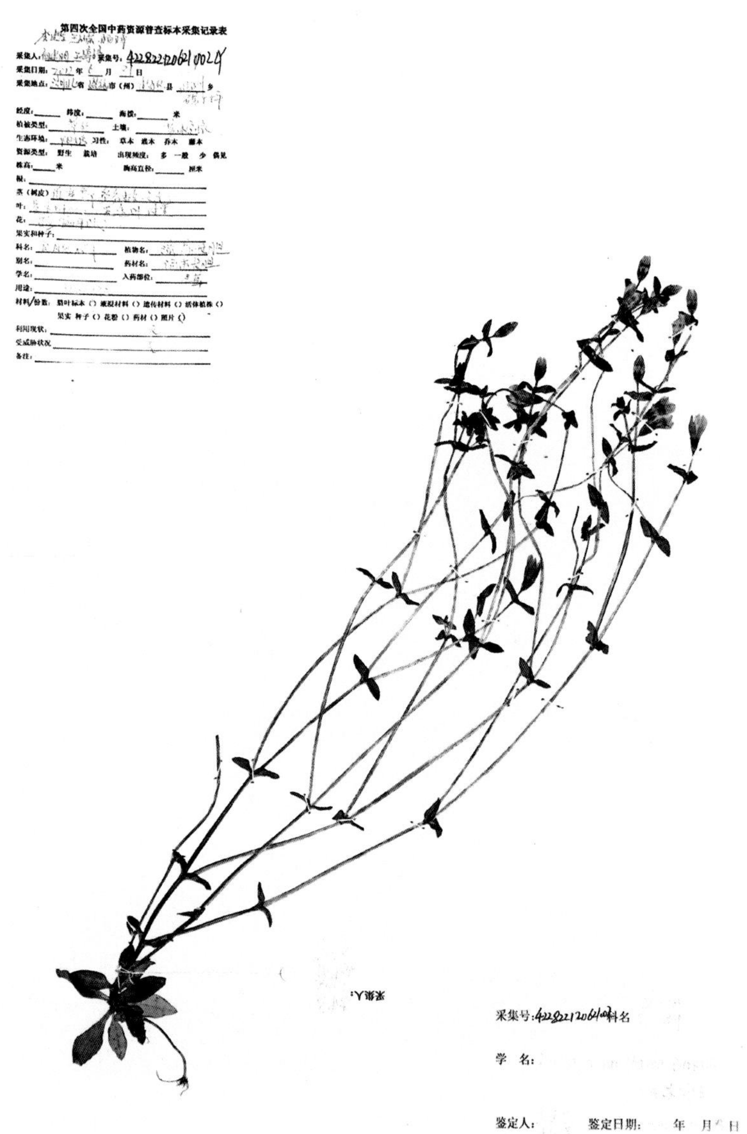

龙胆科 Gentianaceae 龙胆属 *Gentiana*

红花龙胆 *Gentiana rhodantha* Franch. ex Hemsl.

| 药 材 名 | 红花龙胆。

| 形态特征 | 多年生草本，高达 50 cm。茎单生或丛生，上部多分枝。基生叶莲座状，椭圆形、倒卵形或卵形，长 2 ~ 4 cm；茎生叶宽卵形或卵状三角形，长 1 ~ 3 cm。花单生于茎顶；无花梗；花萼膜质，萼筒长 0.7 ~ 1.3 cm，脉稍凸起成窄翅，裂片线状披针形，长 0.5 ~ 1 cm，边缘有时疏被睫毛；花冠淡红色，上部具紫色纵纹，筒状，长 3 ~ 4.5 cm，裂片卵形或卵状三角形，长 5 ~ 9 mm，褶偏斜，宽三

角形，宽 4 ～ 5 mm，先端具细长流苏；雄蕊先端一侧下弯；花柱长约 6 mm。蒴果长椭圆形，长 2 ～ 2.5 cm；种子具网纹及翅。花果期 10 月至翌年 2 月。

| **生境分布** | 生于海拔 570 ～ 1 750 m 的灌丛中、草地及林下。湖北有分布。

| **采收加工** | **全草或根**：冬季采收，洗净，鲜用或晒干。

| **功能主治** | 清热，消炎，止咳。用于肝炎，支气管炎，小便不利，结膜炎等；外用于痈疖疮疡，烫火伤。

龙胆科 Gentianaceae 龙胆属 *Gentiana*

深红龙胆 *Gentiana rubicunda* Franch.

| 药 材 名 | 深红龙胆。

| 形态特征 | 一年生草本，高达 15 cm。茎直立，光滑，不分枝或中、上部少分枝。基生叶卵形或卵状椭圆形，长 1 ~ 2.5 cm；茎生叶卵状椭圆形、长圆形或倒卵形，长 0.4 ~ 2.2 cm，边缘被乳突，上面密被细乳突。花单生于枝顶；花梗紫红色或草黄色，长 1 ~ 1.5 cm；花萼倒锥形，长 0.8 ~ 1.4 cm，被细乳突，裂片丝状或钻形，长 3 ~ 6 mm，基部向萼筒下延成脊；花冠紫红色，有时花冠筒具黑紫色短细条纹及斑点，倒锥形，长 2 ~ 3 cm，裂片卵形，长 3.5 ~ 4 mm，褶卵形，长 2 ~ 3 mm，边缘啮蚀状或全缘。蒴果长圆形，长 7.5 ~ 8 mm，先端具宽翅；果柄长达 3.5 cm；种子具细网纹。花果期 3 ~ 10 月。

| 生境分布 | 生于海拔 520 ~ 1 800 m 的荒地、路边、溪边、山坡草地、林下、岩边及山沟。湖北有分布。

| 采收加工 | **全草：**全年均可采收，洗净，晒干或鲜用。

| 功能主治 | 清热利湿，凉血解毒。用于跌打损伤。

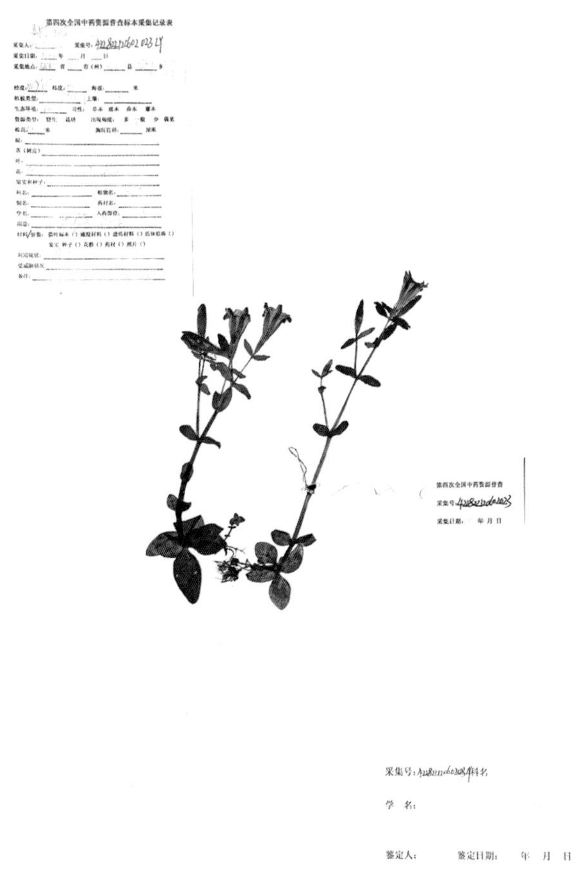

龙胆科 Gentianaceae 龙胆属 *Gentiana*

水繁缕叶龙胆 *Gentiana samolifolia* Franch.

| 药 材 名 | 水繁缕叶龙胆。

| 形态特征 | 一年生草本，高 3 ～ 13 cm。茎直立，紫红色，具乳突，从基部起分枝。叶先端圆形或钝圆，具小尖头，边缘软骨质，狭窄，具极细乳突，两面光滑；叶脉 1 ～ 3，细，仅在下面明显；叶柄背面具乳突，联合成长 0.5 ～ 1 mm 的筒；基生叶大，在花期枯萎，卵圆形或宽卵形，长 10 ～ 25 mm，宽 7 ～ 13 mm；茎生叶小，疏离，远短于节间，卵圆形、倒卵形至倒卵状矩圆形，长 5 ～ 20 mm，宽 2 ～ 15 mm，愈向茎上部叶变小。花多数，单生于小枝先端，常 2 ～ 6 小枝密集

成伞形；花梗紫红色，具乳突，长 2 ~ 3.5 mm，藏于上部叶中；花萼倒锥状筒形，长 5 ~ 6.5 mm，裂片三角形或三角状披针形，长 1 ~ 2 mm，先端急尖，具小尖头，边缘膜质，平滑，中脉在背面呈脊状突起，不下延，弯缺截形；花冠内面蓝色，外面黄绿色，筒形或筒状漏斗形，长 10 ~ 13 mm，裂片卵形，长 1.5 ~ 2 mm，先端钝，褶半圆形，长 0.7 ~ 1 mm，先端圆形，边缘具不整齐细圆齿或全缘；雄蕊着生于冠筒中部，整齐，花丝锥形，长 2.5 ~ 3 mm，花药线状矩圆形，长 1.3 ~ 1.5 mm；子房椭圆形，长 4 ~ 4.5 mm，两端钝，花柱线形，长 1 ~ 1.5 mm，柱头 2 裂，裂片外反，矩圆形。蒴果外露，稀内藏，矩圆状匙形或倒卵形，长 4.5 ~ 6 mm，先端钝圆，有宽翅，两侧边缘有狭翅，基部渐狭，果柄粗壮，长至 18 mm；种子褐色，有光泽，矩圆形或椭圆形，长 1 ~ 1.2 mm，表面具细网纹。花果期 4 ~ 6 月。

| 生境分布 | 生于山坡草地、山谷沟边、潮湿草地、山坡路旁、灌丛中、林下或林缘。湖北有分布。

| 采收加工 | **全草：**夏、秋季采收，洗净，晒干或鲜用。

| 功能主治 | 用于黄疸，痢疾，小儿风热咳喘。

龙胆科 Gentianaceae 龙胆属 *Gentiana*

龙胆 *Gentiana scabra* Bunge

| 药 材 名 |

龙胆。

| 形态特征 |

多年生草本。高 35 ~ 60 cm。根茎短，簇生多数细长的根；根长可达 25 cm，淡棕黄色。茎直立，粗壮，通常不分枝，粗糙，节间常较叶短。叶对生，无柄，基部叶 2 ~ 3 对，甚小，鳞片状；茎中部及上部叶卵形、卵状披针形或狭披针形，长 3 ~ 8 cm，宽 0.4 ~ 4 cm，先端渐尖或急尖，基部连合抱于节上，叶缘及叶脉粗糙，主脉 3 基出。花无梗，数朵成束，簇生于茎顶及上部叶腋；苞片披针形；花萼绿色，钟形，膜质，长约 2.5 cm，先端 5 裂，裂片披针形至线形；花冠深蓝色至蓝色，钟形，长约 5 cm，先端 5 裂，裂片卵形，先端锐尖，裂片间有 5 褶状三角形副冠片，全缘或有 2 齿；雄蕊 5，着生于花冠筒中部的下方；子房长圆形，1 室，花柱短，柱头 2 裂。蒴果长圆形，有短柄，成熟时 2 瓣裂；种子细小，线形而扁，褐色，四周有翅。花期 9 ~ 10 月，果期 10 月。

| 生境分布 |

生于山坡草丛、灌丛中或林缘。湖北有分布。

| 资源情况 | 野生资源丰富，栽培资源较少。药材主要来源于野生。

| 采收加工 | 春、秋季采挖，拣去杂质，除去残茎，洗净，润透后切段，晒干。

| 功能主治 | 泻肝胆实火，除下焦湿热。用于肝经热盛，惊痫狂躁，流行性乙型脑炎，头痛，目赤，咽痛，黄疸，热痢，痈肿疮疡，阴囊肿痛，阴部湿痒，带下，湿疹瘙痒，耳聋，胁痛，口苦，惊风抽搐。

龙胆科 Gentianaceae 龙胆属 *Gentiana*

鳞叶龙胆 *Gentiana squarrosa* Ledeb.

| 药 材 名 | 鳞叶龙胆。

| 形态特征 | 一年生细弱小草本。高 3 ~ 8 cm。茎黄绿色或紫红色，分枝多，铺散，斜升，全株被腺毛。基生叶呈莲座状，在花期枯萎，宿存，叶片倒卵形，长约 1 cm，宽约 5 mm；茎生叶小，外反，对生，无柄，叶片倒卵形至圆形，长约 7 mm，宽约 5 mm，先端急尖带短尖头，基部渐狭，两面均被白色细柔毛。花多数单生于分枝的先端；花萼钟形，长约 5 mm，先端 5 裂，裂片卵圆形，先端尖锐，裂齿间收缩；花冠钟形，淡蓝色或白色，长 8 ~ 10 mm，5 裂，褶全缘或 2 裂，较花冠裂片短；雄蕊着生于花冠筒中部；子房宽椭圆形，花柱短，柱头 2 裂，外反。蒴果倒卵形，长 3.5 ~ 5.5 mm，有柄，先端有齿状翅，两侧边缘有

狭翅，基部渐狭收缩成柄，柄长达 8 mm；种子黑褐色，表面具白色光亮的细网纹。花期 4 ~ 7 月，果期 8 ~ 9 月。

| **生境分布** | 生于海拔 110 ~ 3 100 m 的向阳山坡干草原、河滩、路边灌丛及高山草甸。湖北有分布。

| **采收加工** | 春末夏初采收开花的全草，洗净，鲜用或晒干。

| **功能主治** | 解毒消痈，清热利湿。用于疔疮疖肿，瘰疬，无名肿毒，蛇咬伤，肠痈，目赤肿痛，黄疸，带下。

龙胆科 Gentianaceae 龙胆属 *Gentiana*

笔龙胆 *Gentiana zollingeri* Fawcett

| 药材名 | 笔龙胆。

| 形态特征 | 一年生矮小草本。高 3 ~ 6 cm。茎直立，紫红色，光滑，基部常分枝。叶卵圆形或卵圆状匙形，长 10 ~ 13 mm，宽 3 ~ 8 mm，先端钝圆或圆形，具小尖头，边缘软骨质，两面光滑，叶脉 1 ~ 3，中脉明显；叶柄短而光滑；植株上部叶常逐渐变狭窄，披针形或狭椭圆形。花多数，单生于小枝先端，密集呈伞房状，稀单花顶生；花梗紫色，光滑；花萼漏斗形，裂片狭三角形或卵状椭圆形，先端急尖，具小尖头；花冠淡蓝色，具黄绿色条纹，漏斗形，长 14 ~ 18 mm；雄蕊着生于花冠筒中部，整齐；子房椭圆形，花柱线形，长 1.5 ~ 2 mm，柱头外反，2 裂。蒴果倒卵状矩圆形，长 6 ~ 7 mm，先端圆形，两

侧边缘有狭翅；种子褐色，椭圆形，长 0.3 ~ 0.4 mm，表面具细网纹。花果期 4 ~ 6 月。

| 生境分布 | 生于海拔 500 ~ 1 650 m 的岗地、低山、丘陵草甸、灌丛及落叶林下。湖北有分布。

| 采收加工 | **全草：**夏季采收，除去杂质，洗净，晒干。

| 功能主治 | 清热解毒。用于湿热黄疸，热病惊风。

龙胆科 Gentianaceae 花锚属 *Halenia*

花锚 *Halenia corniculata* (L.) Cornaz

| 药 材 名 | 花锚。

| 形态特征 | 一年生草本。直立，高 20 ~ 70 cm。根具分枝，黄色或褐色。茎近四棱形，具细条棱，从基部起分枝。基生叶倒卵形或椭圆形，长 1 ~ 3 cm，宽 0.5 ~ 0.8 cm，先端圆或钝尖，基部楔形、渐狭呈宽

扁的叶柄，叶柄长 1 ~ 1.5 cm，通常早枯萎；茎生叶椭圆状披针形或卵形，长 3 ~ 8 cm，宽 1 ~ 1.5 cm，先端渐尖，基部宽楔形或近圆形，全缘，有时粗糙密生乳突，叶片上面幼时常密生乳突，后脱落，叶脉 3，在下面沿脉疏生短硬毛，具极短而宽扁的叶柄或无，叶柄长 1 ~ 3 mm，两边疏被短硬毛。聚伞花序顶生和腋生；花梗长 0.5 ~ 3 cm；花 4 基数，直径 1.1 ~ 1.4 cm；花萼裂片狭三角状披针形，长 5 ~ 8 mm，宽 1 ~ 1.5 mm，先端渐尖，具 1 脉，两边及脉粗糙，被短硬毛；花冠黄色，钟形，花冠筒长 4 ~ 5 mm，裂片卵形或椭圆形，长 5 ~ 7 mm，宽 3 ~ 5 mm，先端具小尖头，距长 4 ~ 6 mm；雄蕊内藏，花丝长 2 ~ 3 mm，花药近圆形，直径约 0.8 mm；子房纺锤形，长约 6 mm，无花柱，柱头 2 裂，外卷。蒴果卵圆形，淡褐色，长 11 ~ 13 mm，先端 2 瓣开裂；种子褐色，椭圆形或近圆形，长 1 ~ 1.4 mm，宽或直径约 1 mm。花果期 7 ~ 9 月。

| 生境分布 | 生于海拔 200 ~ 1 750 m 的山坡草地、林下或林缘。湖北有分布。

| 资源情况 | 野生资源较丰富，栽培资源较少。药材主要来源于野生。

| 采收加工 | **全草：**夏、秋季采收，晾干。

| 功能主治 | 清热解毒，凉血止血。用于肝炎，脉管炎，外伤感染发热，外伤出血。

龙胆科 Gentianaceae 花锚属 *Halenia*

椭圆叶花锚 *Halenia elliptica* D. Don

| 药 材 名 | 黑及草。

| 形态特征 | 一年生草本，高达 60 cm。茎直立、上部分枝。基生叶椭圆形，有时近圆形，长 2 ~ 3 cm，先端圆或钝尖；茎生叶卵形、椭圆形、长

椭圆形或卵状披针形，长 1.5 ～ 7 cm，先端钝圆或尖。聚伞花序顶生及腋生；花萼裂片椭圆形或卵形，长 3 ～ 6 mm，先端渐尖，具小尖头；花冠蓝色或紫色，花冠筒长约 2 mm，裂片卵圆形或椭圆形，长约 6 mm，具小尖头，距长 5 ～ 6 mm，平展；子房卵圆形，长约 5 mm，花柱长约 1 mm。蒴果宽卵圆形，长约 1 cm；种子椭圆形或近圆形，长约 2 mm。花果期 7 ～ 9 月。

| 生境分布 | 生于海拔 700 ～ 1 700 m 的林下、林缘、山坡草地、灌丛中或山谷沟边。湖北有分布。

| 采收加工 | **全草或根**：6 ～ 8 月采收，除去杂质，晒干或鲜用。

| 功能主治 | 清热利湿，平肝利胆。用于急性黄疸性肝炎，胆囊炎，胃炎，头晕头痛，牙痛。

龙胆科 Gentianaceae 花锚属 *Halenia*

大花花锚 *Halenia elliptica* D. Don var. *grandiflora* Hemsl.

| 药材名 | 大花黑节草。

| 形态特征 | 本种与原变种卵萼花锚的区别是花大、直径达 2.5 cm，距水平开展，但稍向上弯曲。

| 生境分布 | 生于海拔 1 300 ～ 2 500 m 的山坡草地、水沟边。湖北有分布。

| 资源情况 | 野生资源一般，栽培资源较少。药材主要来源于野生。

| 功能主治 | 清热祛湿，平肝利湿，疏风清暑，镇痛。

龙胆科 Gentianaceae 大钟花属 *Megacodon*

大钟花 *Megacodon stylophorus* (C. B. Clarke) H. Smith

|药 材 名|

大钟花。

|形态特征|

多年生草本。高 30 ~ 60 cm，全株光滑。茎直立，粗壮，基部直径 1 ~ 1.5 cm，黄绿色，中空，近圆形，具细棱形，不分枝。基部 2 ~ 4 对叶小，膜质，黄白色，卵形，长 2 ~ 4.5 cm，宽 1 ~ 2 cm；中、上部叶大，草质，绿色，先端钝，基部钝或圆形，半抱茎，叶脉 7 ~ 9，弧形，细而明显，并在下面凸起；中部叶卵状椭圆形至椭圆形，长 7 ~ 22 cm，宽 3 ~ 7 cm，上部叶卵状披针形，长 5 ~ 10 cm，宽 1.2 ~ 3 cm。花 2 ~ 8，顶生及叶腋生，组成假总状聚伞花序；花梗黄绿色，微弯垂，长 3 ~ 6 cm，果时伸长，具 2 苞片；花萼钟形，长 2.7 ~ 3.2 cm，萼筒短，宽漏斗形，长 6 ~ 8 mm，裂片整齐，卵状披针形，先端渐尖，脉 3 ~ 5，在背面细而明显；花冠黄绿色，有绿色和褐色网脉，钟形，长 5 ~ 7 cm，宽 4 ~ 5 cm，花冠筒长 8 ~ 10 mm，裂片矩圆状匙形，先端圆形，全缘；雄蕊着生于花冠筒中上部，与裂片互生，整齐，花丝白色，扁平，长 12 ~ 14 mm，花药椭圆形，长 10 ~

12 mm；子房无柄，圆锥形，长 12 ~ 14 mm，先端渐狭，花柱粗壮，长 15 ~ 18 mm，柱头不膨大，裂片椭圆形。蒴果椭圆状披针形，长 5 ~ 6 cm；种子黄褐色，矩圆形，长 2.2 ~ 2.5 mm，表面具纵的脊状凸起。花果期 6 ~ 9 月。

| **生境分布** | 生于高海拔地区的冷杉林、杜鹃灌丛或山坡草地。湖北有分布。

| **资源情况** | 野生资源一般，栽培资源较少。药材主要来源于野生。

| **采收加工** | 夏季采摘，除去杂质，鲜用或晒干。

| **功能主治** | 清热解毒，消肿，止血。用于肝胆疾病，疮疖肿毒，二便不利等。

龙胆科 Gentianaceae 睡菜属 *Menyanthes*

睡菜 *Menyanthes trifoliata* L.

| 药材名 | 睡菜、睡菜根。

| 形态特征 | 多年生沼生草本。匍匐状根茎粗大，黄褐色，节上有膜质鳞片形叶。叶全部基生，挺出水面，三出复叶，小叶椭圆形，长 2.5 ~ 4（~ 8）cm，宽 1.2 ~ 2（~ 4）cm，先端钝圆，基部楔形，全缘或微波状，中脉明显，无小叶柄，总叶柄长 12 ~ 20（~ 30）cm，下部变宽，鞘状。花葶由根茎先端鳞片形叶的叶腋中抽出，高 30 ~ 35 cm；总状花序多花；苞片卵形，长 5 ~ 7 mm，先端钝，全缘；花梗斜伸，长 1 ~ 1.8 cm；花 5 基数；花萼长 4 ~ 5 mm，分裂至近基部，萼筒甚短，裂片卵形，先端钝，脉不明显；花冠白色，筒形，长 14 ~ 17 mm，上部内面具白色长流苏状毛，其余光滑，裂片椭圆状披针形，长

7.5 ~ 10 mm，先端钝；雄蕊着生于花冠筒中部，整齐，花丝扁平，线形，长 5.5 ~ 6.5 mm，花药箭形，长 1.8 ~ 2 mm；子房无柄，椭圆形，长 3 ~ 4 mm，先端钝，花柱线形，连柱头长 6 ~ 7 mm，柱头不膨大，2 裂，裂片矩圆形。蒴果球形，长 6 ~ 7 mm；种子膨胀，圆形，长 2 ~ 2.5 mm，表面平滑。花果期 5 ~ 7 月。

| **生境分布** | 生于海拔 450 ~ 3 100 m 的沼泽群落中。湖北有分布。

| **资源情况** | 野生资源较少，栽培资源较丰富。药材主要来源于栽培。

| **采收加工** | **睡菜**：夏、秋季采收，鲜用或晒干。

睡菜根：全年均可采收，洗净，鲜用或晒干。

| **功能主治** | **睡菜**：健脾消食，养心安神，清热利尿。用于胃炎，消化不良，心悸失眠，湿热黄疸，胆囊炎，水肿，小便不利或赤涩热痛。

睡菜根：润肺止咳，利尿消肿，降血压。用于咳嗽，水肿，风湿痛，高血压。

龙胆科 Gentianaceae 莕菜属 *Nymphoides*

金银莲花 *Nymphoides indica* (L.) O. Kuntze

| 药 材 名 | 金银莲花。

| 形态特征 | 多年生水生草本。茎沉水，圆柱形。叶片浮于水上；叶柄长 1 ~ 2 cm；叶片近革质，宽卵圆形或近圆形，长 3 ~ 18 cm，基部心形，下面密生腺体，全缘；具不明显的掌状叶脉。花多数，簇生于节上，花梗细弱，长 3 ~ 5 cm；花萼长 3 ~ 6 mm，5 裂至基部，裂片长椭圆形至披针形；花冠辐状，白色，基部黄色，长 7 ~ 12 mm，分裂至近基部，花冠筒短，具 5 束长柔毛，裂片卵状椭圆形，腹面密生流苏状柔毛；雄蕊 5，着生于花冠筒上，与裂片互生，花药箭形；子房圆锥形，无柄，长约 2 mm，花柱粗壮，柱头 2 裂，裂片三角形，腺体 5，着生于子房基部。蒴果椭圆形，长 3 ~ 5 mm；种子近球形，膨胀。花果期 8 ~ 10 月。

| **生境分布** | 生于海拔 560 ~ 3 000 m 的湖滨、沼泽、水塘、浅水湖。湖北有分布。

| **采收加工** | 夏、秋季采收，洗净，晒干。

| **功能主治** | 清热利尿，生津养胃。用于小便短赤不利，口干，口渴。

龙胆科 Gentianaceae 荇菜属 *Nymphoides*

荇菜 *Nymphoides peltatum* (Gmel.) O. Kuntze

| 药 材 名 | 荇菜。

| 形态特征 | 多年生水生草本。上部叶对生，下部叶互生，叶近革质，圆形或卵圆形，宽 1.5 ~ 8 cm，基部心形，全缘，具不明显掌状脉，下面紫褐色；叶柄圆，长 5 ~ 10 cm，半抱茎。花多数簇生于节上，5 基数；花梗长 3 ~ 7 cm；花萼长 0.9 ~ 1.1 cm，裂至近基部，裂片椭圆形或椭圆状披针形，先端钝，全缘；花冠金黄色，花冠筒短，喉部具 5 束长柔毛，裂片中部质厚，具不整齐细条裂齿；花丝基部疏被长毛；花柱异长。蒴果椭圆形，长 1.7 ~ 2.5 cm，不裂；种子边缘密被睫毛。花果期 4 ~ 10 月。

| 生境分布 | 生于海拔 60 ～ 1 800 m 的池塘或不甚流动的河溪中。湖北有分布。

| 采收加工 | **全草：**夏、秋季采收，鲜用或晒干。

| 功能主治 | 发汗，透疹，清热，利尿。用于感冒发热无汗，麻疹透发不畅，荨麻疹，水肿，小便不利；外用于毒蛇咬伤。

龙胆科 Gentianaceae 獐牙菜属 *Swertia*

獐牙菜 *Swertia bimaculata* (Sieb. et Zucc.) Hook. f. et Thoms. ex C. B. Clarke

| 药 材 名 | 獐牙菜。

| 形态特征 | 一年生草本，高 1 ~ 2 m。茎中部以上分枝。基生叶花期枯萎；茎生叶椭圆形或卵状披针形，长 3.5 ~ 9 cm，宽 1 ~ 4 cm，先端长渐尖，基部楔形，无柄或具短柄。圆锥状复聚伞花序疏散，长达 50 cm；花梗长 0.6 ~ 4 cm；花 5 基数；花萼绿色，裂片窄倒披针形或窄椭圆形，长 3 ~ 6 mm，先端渐尖或急尖，基部窄缩，边缘白色膜质，常外卷；花冠黄色，上部具紫色小斑点，裂片椭圆形或长圆形，长 1 ~ 1.5 cm，先端渐尖或急尖，基部窄缩，中部具 2 黄绿色、半圆形大腺斑；花丝线形，长 5 ~ 6.5 mm；花柱短。蒴果窄卵圆形，长达 2.3 cm；种子被瘤状突起。花果期 6 ~ 11 月。

| **生境分布** | 生于海拔 250 ～ 1 700 m 的河滩、山坡草地、林下、灌丛中及沼泽地。湖北有分布。

| **采收加工** | **全草**：夏、秋季采收，切段，晾干。

| **功能主治** | 清热解毒，利湿，疏肝利胆。用于急、慢性肝炎，胆囊炎，感冒发热，咽喉肿痛，牙龈肿痛，尿路感染，胃肠炎，痢疾，火眼，小儿口疮。

采集号：4203251208310569LY　　科名：龙胆科

学　名：Swertia bimaculata

鉴定人：程传联　　鉴定日期：2012 年 08 月 31 日

第四次全国中药资源普查

龙胆科 Gentianaceae 獐牙菜属 *Swertia*

川东獐牙菜 *Swertia davidii* Franch.

|药 材 名| 鱼胆草。

|形态特征| 多年生草本，高 58 cm。茎单一，直立，棱具窄翅，基部以上分枝。基生叶及茎下部叶窄椭圆形，连柄长 1.3 ~ 7 cm，先端钝尖，全缘，基部渐窄成长柄；茎中上部叶线状椭圆形或线状披针形，长 1.5 ~ 3 cm，具短柄。圆锥状复聚伞花序长 36 cm；花梗直立，长 0.5 ~ 3.5 cm；花 4 基数，直径达 1.5 cm；花萼绿色，裂片线状披针形，长 5 ~ 7 mm，先端尖；花冠淡蓝色，具蓝紫色脉纹，裂片卵形或卵状披针形，长 0.7 ~ 1.1 cm，先端渐尖，基部具 2 沟状腺窝，卵状长圆形，边缘被长柔毛状流苏；花丝线形，长 5 ~ 6.5 mm，花药椭圆形，长约 1 mm；花柱粗短，不明显，柱头 2 裂。花期 9 ~ 11 月。

| 生境分布 | 生于海拔 900 ~ 1 200 m 的混交林下、河边、潮湿地及草地。湖北有分布。

| 采收加工 | **全草：**夏、秋季采收，洗净，晒干或鲜用。

| 功能主治 | 清肺热，杀虫。用于湿热黄疸，喉头红肿，恶疮疥癣。

龙胆科 Gentianaceae 獐牙菜属 *Swertia*

歧伞獐牙菜 *Swertia dichotoma* L.

| 药 材 名 | 歧伞獐牙菜。

| 形态特征 | 一年生草本。高 5 ~ 12 cm。直根较粗，侧根少。茎细弱，四棱形，棱上有狭翅，从基部二叉分枝，枝细瘦，四棱形。叶质薄，下部叶具柄，叶片匙形，长 7 ~ 15 mm，宽 5 ~ 9 mm，先端圆形，基部钝，叶脉 3 ~ 5，细而明显，叶柄细，长 8 ~ 20 mm，离生；中上部叶无柄或有短柄，叶片卵状披针形，长 6 ~ 22 mm，宽 3 ~ 12 mm，先端急尖，基部近圆形或宽楔形，叶脉 1 ~ 3。聚伞花序顶生或腋生；花梗细弱，弯垂，四棱形，有狭翅，不等长，长 7 ~ 30 mm；花萼绿色，长为花冠的一半，裂片宽卵形，长 3 ~ 4 mm，先端锐尖，边缘及背面脉上稍粗糙，背面具不明显的 1 ~ 3 脉；花冠白色，带紫红色，裂片

卵形，长 5 ～ 8 mm，先端钝，中下部具 2 腺窝，腺窝黄褐色，鳞片半圆形，背部中央具角状突起；花丝线形，长约 2 mm，基部背面两侧具流苏状长柔毛，有时可延伸至腺窝上，花药蓝色，卵形，长约 0.5 mm；子房具极短的柄，椭圆状卵形，花柱短，柱状，柱头小，2 裂。蒴果椭圆状卵形；种子淡黄色，矩圆形，长 1.3 ～ 1.8 mm，表面光滑。花果期 5 ～ 7 月。

| **生境分布** | 生于海拔 1 050 ～ 3 100 m 的河边、山坡、林缘。湖北有分布。

| **资源情况** | 野生资源较少，栽培资源较少。药材主要来源于野生。

| **功能主治** | 清热，健胃，利湿。用于消化不良，胃痛胃胀，黄疸，目赤，牙痛，口疮。

龙胆科 Gentianaceae 獐牙菜属 *Swertia*

北方獐牙菜 *Swertia diluta* (Turcz.) Benth. et Hook. f.

|药材名|

淡花当药。

|形态特征|

一年生草本。高 20 ~ 70 cm。根黄色。茎直立，四棱形，棱上具窄翅，基部直径 2 ~ 4 mm，多分枝，枝细瘦，斜升。叶无柄，线状披针形至线形，长 10 ~ 45 mm，宽 1.5 ~ 9 mm，两端渐狭，下面中脉明显凸起。圆锥状复聚伞花序具多数花；花梗直立，四棱形，长至 1.5 cm；花 5 基数，直径 1 ~ 1.5 cm；花萼绿色，长于或等于花冠，裂片线形，长 6 ~ 12 mm，先端锐尖，背面中脉明显；花冠浅蓝色，裂片椭圆状披针形，长 6 ~ 11 mm，先端急尖，基部有 2 腺窝，腺窝窄矩圆形，沟状，周缘具长柔毛状流苏；花丝线形，长达 6 mm，花药狭矩圆形，长约 1.6 mm；子房无柄，椭圆状卵形至卵状披针形，花柱粗短，柱头 2 裂，裂片半圆形。蒴果卵形，长至 1.2 cm；种子深褐色，矩圆形，长 0.6 ~ 0.8 mm，表面具小瘤状凸起。花果期 8 ~ 10 月。

|生境分布|

生于海拔 150 ~ 2 600 m 的阴湿山坡、林下、

田边或谷底。湖北有分布。

| **资源情况** | 野生资源较丰富，栽培资源较少。药材主要来源于野生。

| **采收加工** | **全草：** 7 ~ 10 月采收，洗净，鲜用或晒干。

| **功能主治** | 清热利湿。用于发热，瘟疫，流行性感冒，胆结石，中暑，头痛，肝胆热，黄疸，伤热，食积胃热。

龙胆科 Gentianaceae 獐牙菜属 *Swertia*

红直獐牙菜 *Swertia erythrosticta* Maxim.

| 药 材 名 |

红直当药。

| 形态特征 |

多年生草本。高 20 ~ 50 cm，具根茎。茎直立，常带紫色，中空，近圆形，具明显的条棱，不分枝。基生叶在花期枯萎，凋落；茎生叶对生，多对，具柄，叶片矩圆形、卵状椭圆形至卵形，长 5 ~ 11 cm，宽 1 ~ 3.5 cm，先端钝，稀渐尖，基部渐狭成柄，叶脉 3 ~ 5，在两面均明显且在下面凸起，叶柄扁平，长 2 ~ 7 cm，下部连合成筒状抱茎，越向茎上部叶越小，至最上部叶无柄，苞叶状。圆锥状复聚伞花序，狭窄，长 10 ~ 45 cm，具多数花；花梗常弯垂，不等长，长 1 ~ 2 cm；花 5 基数，直径 1.2 ~ 1.5 cm；花萼长为花冠的 1/2 ~ 2/3，裂片狭披针形，长 5 ~ 10 mm，先端长渐尖，具狭窄的膜质边缘；花冠绿色或黄绿色，具红褐色斑点，裂片矩圆形或卵状矩圆形，长 8 ~ 17 mm，宽 3 ~ 6 mm，先端钝，基部具 1 腺窝，腺窝褐色，圆形，边缘具长 1.5 ~ 2 mm 的柔毛状流苏；花丝扁平，线状锥形，长 5 ~ 7 mm，基部背面具流苏状柔毛，花药矩圆形，长 2 ~ 2.5 mm；子房无柄，椭圆形，长 5 ~ 7 mm，花柱短而明显，圆柱状，长 0.8 ~ 1 mm，柱头小，2 裂，裂片近圆形。蒴果无柄，卵状椭圆形，长 1 ~ 1.5 cm；种子多数，黄褐色，矩圆形，长 0.8 ~ 1 mm，周缘具宽翅。花果期 8 ~ 10 月。

| 生境分布 | 生于海拔 1 500 ~ 3 100 m 的河滩、干草原、高山草甸或疏林下。湖北有分布。

| 资源情况 | 野生资源较丰富，栽培资源较少。药材主要来源于野生。

| 采收加工 | **全草：**8 ~ 9 月采收，洗净，切段，晒干或鲜用。

| 功能主治 | 清热解毒，健胃杀虫。用于咽喉肿痛，风热咳嗽，黄疸，梅毒，疮肿，疥癣等。

| 用法用量 | 内服煎汤，15 ~ 30 g；或研末冲。外用适量，捣敷。

龙胆科 Gentianaceae 獐牙菜属 *Swertia*

贵州獐牙菜 *Swertia kouitchensis* Franch.

| 药材名 | 贵州獐牙菜。

| 形态特征 | 一年生草本。高 30 ~ 60 cm。主根明显。茎直立，四棱形，棱上具窄翅。叶片披针形，长至 5 cm，宽达 1.5 cm，茎上部及枝上的叶

较小，叶脉 1 ~ 3，于下面明显凸起。圆锥状复聚伞花序有多花，开展；花梗直立，四棱形，花时长 4 ~ 15 mm，果时强烈伸长，长达 6.5 cm；花多 4 基数，枝上侧花 5 基数；花萼绿色，叶状，花时与花冠等长，果时增长，长于花冠，裂片狭椭圆形；花冠黄白色或黄绿色，裂片椭圆形或卵状椭圆形，长 6 ~ 12 mm，果时略增长，先端渐尖，具长尖头，基部具 2 腺窝，边缘具柔毛状流苏。种子黄褐色，圆球形。花果期 8 ~ 10 月。

| **生境分布** | 生于海拔 750 ~ 2 000 m 的河边、草坡、林下。湖北有分布。

| **采收加工** | **全草**：夏、秋季采收，切碎，晾干。

| **功能主治** | 清热解毒，利湿退黄。用于湿热黄疸，急性胃炎，急性咽喉炎，流行性感冒。

龙胆科 Gentianaceae 獐牙菜属 *Swertia*

大籽獐牙菜 *Swertia macrosperma* (C. B. Clarke) C. B. Clarke

| 药材名 | 大籽獐牙菜。

| 形态特征 | 一年生草本。高 30 ~ 80 cm。根粗壮，褐色，从中部以上分枝。茎直立，四棱形，中部以上分枝。基生叶不发达，与茎下部的叶在花期枯萎；叶片匙形，长 2 ~ 6 cm，先端钝，基部渐狭至叶柄，全缘或有不整齐的小齿；茎中部叶片椭圆形或披针形，稀倒卵形，越向茎上部叶越小，先端急尖，基部钝，基出脉 3 ~ 5，在上面凹陷，在背面凸出。聚伞花序有花 1 ~ 3，腋生或顶生；花梗纤细；花 5 基数，稀 4 基数，小，直径 4 ~ 8 mm；花萼绿色，长为花冠的 1/2；裂片卵状椭圆形，先端钝；花冠白色或淡蓝色，裂片椭圆形，先端钝，基部具 2 腺窝，腺窝囊状，矩圆形，边缘具数根柔毛状流苏；花丝

线形，花药椭圆形；子房卵状披针形，柱头短，明显，头状；蒴果卵形；种子 3 ~ 4，较大，矩圆形，长 1.5 ~ 2 mm，表面光滑。

| 生境分布 | 生于海拔 2 000 ~ 3 100 m 的山坡草地、水边、路边灌丛或林下。湖北有分布。

| 资源情况 | 野生资源一般，栽培资源较少。药材主要来源于野生。

| 采收加工 | **全草：**夏季采收，洗净，切段，晒干。

龙胆科 Gentianaceae 獐牙菜属 *Swertia*

显脉獐牙菜 *Swertia nervosa* (G. Don) Wall. ex C. B. Clarke

| 药 材 名 | 翼梗獐牙菜。

| 形态特征 | 一年生草本。高 30 ~ 100 cm。根粗壮，黄褐色。茎直立，四棱形，棱上有宽翅，下部直径 2 ~ 5 mm，上部有分枝。叶具极短的柄，叶片椭圆形、狭椭圆形至披针形，长 1.6 ~ 7.5 cm，宽 0.4 ~ 2.3 cm，越向茎上部叶越小，两端渐狭，叶脉 1 ~ 3，在下面明显凸起。圆锥状复聚伞花序多花，开展；花梗直立，长 0.5 ~ 2 cm；花 4 基数，直径达 1.8 cm；花萼绿色，叶状，长于花冠，裂片线状披针形，长 8 ~ 17 mm，先端渐尖，背部中脉凸起；花冠黄绿色，中部以上具紫红色网脉，裂片椭圆形，长 6 ~ 9 mm，先端钝，具小尖头，下部具 1 腺窝，腺窝深陷，半圆形，上半部边缘具短流苏，基部有 1 半

圆形膜片盖于其上，膜片可以自由启合；花丝线形，长 4.5 ～ 6 mm，花药黄色，椭圆形，长约 2 mm；子房无柄，卵形，花柱短而明显，柱头裂片半圆形。蒴果无柄，卵形，长 6 ～ 9 mm；种子深褐色，椭圆形，长约 0.5 mm，表面泡沫状。花果期 9 ～ 12 月。

| 生境分布 | 生于海拔 460 ～ 2 700 m 的河滩、山坡、疏林下或灌丛中。湖北有分布。

| 资源情况 | 野生资源一般，栽培资源较少。药材主要来源于野生。

| 采收加工 | **全草**：夏、秋季采收，洗净，切段，晒干。

| 功能主治 | 清热解毒，活血调经。用于黄疸，潮热，泄泻，月经不调。

龙胆科 Gentianaceae 獐牙菜属 *Swertia*

瘤毛獐牙菜 *Swertia pseudochinensis* Hara

| 药材名 |

瘤毛獐牙菜。

| 形态特征 |

一年生草本。高 10 ~ 40 cm。茎直立，细瘦，单一或分枝；枝四棱形，带紫色。叶对生；无柄；叶片线状披针形，长 2 ~ 4 cm，宽至 0.6 cm，先端渐尖，茎部渐狭，下面中脉明显凸起。圆锥状复聚伞花序具多花，开展；花梗直立，四棱形，长约 2 cm；花萼绿色，5 裂，裂片线形，长达 1.5 cm，先端渐尖，背面中脉明显突起；花冠蓝紫色，直径达 2 cm，5 裂，裂片披针形，花瓣具深色条纹，先端锐尖，基部有 2 腺窝，腺窝长圆形，沟状，基部浅囊状，边缘具长柔毛状流苏；雄蕊 5，花丝线形；子房狭椭圆形，无柄，花柱短，不明显，柱头 2 裂，裂片半圆形。花期 8 ~ 9 月。

| 生境分布 |

生于海拔 500 ~ 1 600 m 的山坡、河滩、林下或灌丛中。湖北有分布。

| **采收加工** | 夏、秋季采收，洗净，晾干。

| **功能主治** | 泻火解毒，利湿，健脾。用于湿热黄疸，痢疾，胃炎，消化不良，风火眼，牙痛，口疮，疮毒肿痛。

龙胆科 Gentianaceae 獐牙菜属 *Swertia*

紫红獐牙菜 *Swertia punicea* Hemsl.

| 药 材 名 | 紫红獐牙菜。

| 形态特征 | 一年生草本，高 15 ～ 80 cm。主根明显，淡黄色。茎直立，四棱形，棱上具窄翅。茎生叶近无柄，披针形、线状披针形或狭椭圆形，长达 6 cm，宽达 1.8 cm，茎上部叶及枝上叶较小，先端急尖或渐尖，基部狭缩，叶质厚。圆锥状复聚伞花序，具多花；花梗直立；花大小不等，顶生者大，侧生者小，5 基数；花萼绿色；花冠暗紫红色，先端渐尖，具长尖头，基部具 2 腺窝，边缘具长柔毛状流苏；花丝线形，花药椭圆形；子房无柄，矩圆形，花柱短，柱头 2 裂，裂片半圆形。蒴果无柄，卵状矩圆形；种子矩圆形，黄褐色，表面具小疣状突起。花果期 8 ～ 11 月。

| 生境分布 | 生于海拔 400 ～ 1 600 m 的山坡草地、河滩、林下、灌丛中。湖北有分布。

| 采收加工 | **全草：**夏、秋季采收，洗净，切段，晒干。

| 功能主治 | 清热消炎。用于黄疸性肝炎，风热感冒，风火牙痛，热淋，胆囊炎。

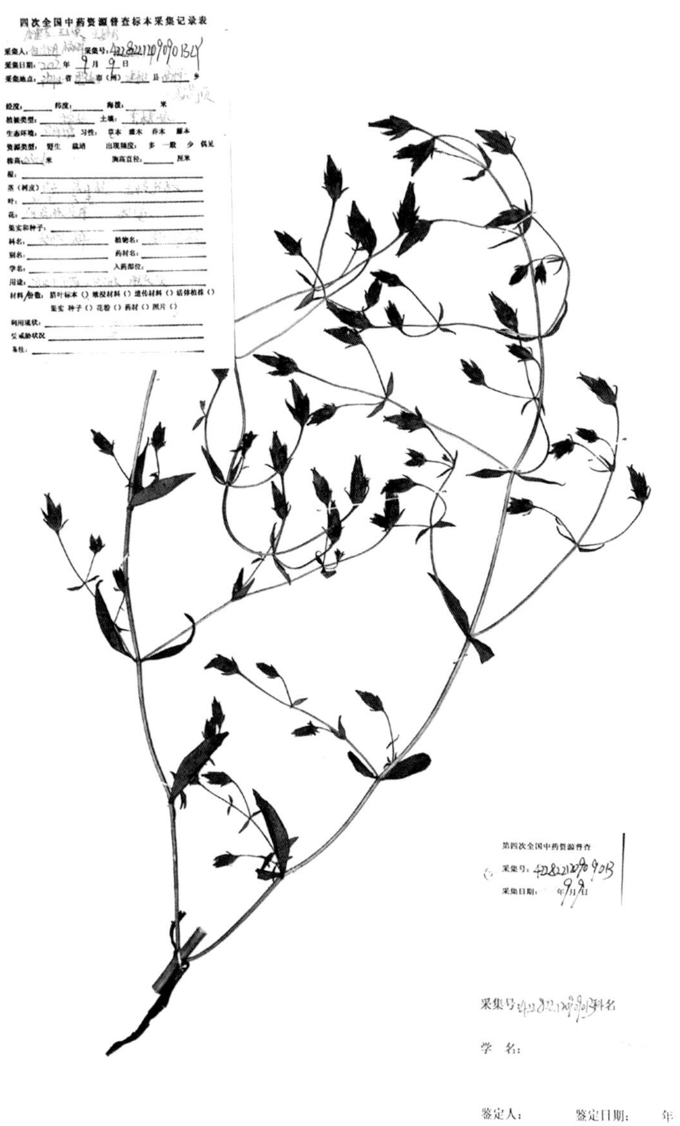

龙胆科 Gentianaceae 双蝴蝶属 *Tripterospermum*

双蝴蝶 *Tripterospermum chinense* (Migo) H. Smith

| 药 材 名 | 肺形草。

| 形态特征 | 多年生缠绕草本。茎绿色或紫红色，近圆形，具细条棱，上部呈螺旋状扭转。基生叶通常 2 对，着生于茎基部，紧贴地面，密集呈双蝴蝶状，卵形、倒卵形或椭圆形，长 3 ~ 12 cm，宽（1 ~ ）2 ~ 6 cm，上面绿色，有时具白色或黄绿色斑纹，下面淡绿色或紫红色；茎生叶通常卵状披针形，向上部变小呈披针形。花多数，2 ~ 4 组成聚伞花序，稀单花，腋生；花萼钟形，萼筒长 9 ~ 13 mm，具狭翅或无翅，裂片线状披针形；花冠蓝紫色或淡紫色，褶色较淡或呈乳白色，钟形，长 3.5 ~ 4.5 cm，裂片卵状三角形。蒴果内藏或先端外露，淡褐色，椭圆形，扁平；种子淡褐色，具盘状双翅。花果期

10 ~ 12 月。

| 生境分布 | 生于海拔 300 ~ 1 100 m 的山坡林下、林缘、灌丛或草丛中。湖北有分布。

| 采收加工 | **幼嫩全草**：夏、秋季采收，晒干或鲜用。

| 功能主治 | 清肺止咳，解毒消肿。用于肺热咳嗽，肺痨咯血，肺痈，肾炎，疮痈疖肿。

龙胆科 Gentianaceae 双蝴蝶属 *Tripterospermum*

峨眉双蝴蝶 *Tripterospermum cordatum* (Marq.) H. Smith

|药 材 名| 青鱼胆草。

|形态特征| 多年生缠绕草本。具根茎，根细，黄褐色。茎圆形，通常黄绿色，稀为紫色或带紫纹，螺旋状扭转，下部粗壮，节间短，长 4 ~ 5 cm，上部节间长 10 ~ 17 cm。叶心形、卵形或卵状披针形，长 3.5 ~ 12 cm，宽 2 ~ 5 cm，先端渐尖或急尖，常具短尾，基部心形或圆形，边缘膜质，细波状，叶脉 3 ~ 5；叶片下面淡绿色或带紫色，叶柄长 1 ~ 3 cm。花单生或成对着生于叶腋，有时 2 ~ 6 呈聚伞花序；花梗较短，长 0.5 ~ 1.5 cm，具 1 ~ 4 对披针形、长 2 ~ 10 mm、宽约 1.5 mm 的小苞片或无；花萼钟形，萼筒长 1 ~ 1.3 cm，不开裂，稀一侧开裂，明显具翅，裂片线状披针形，长 0.7 ~ 1.6 cm，

直立或向外倾斜开展，基部下延呈翅，弯缺截形或圆形；花冠紫色，钟形，长 3.5 ~ 4 cm，裂片卵状三角形，长 4 ~ 6 mm，宽 3 ~ 4 mm，褶宽三角形，长 1.5 ~ 2 mm，宽 3 ~ 4 mm，先端微波状；雄蕊着生于花冠筒下部，不整齐，花丝线形，下部稍加宽，长 15 ~ 18 mm，花药矩圆形，长 1 ~ 2 mm；子房椭圆形，长约 1 cm，通常近无柄或具长不超过 5 mm 的短柄，基部具长 1 ~ 2 mm、5 浅裂的环状花盘，花柱细长，长 1.5 ~ 2 cm，柱头线形 2 裂。浆果紫红色，内藏，长椭圆形，两端急狭呈圆形，长 2 ~ 3 cm，宽 0.7 ~ 0.8 cm，稍扁，近无柄或具长不超过 5 mm 的短柄；种子暗紫色，椭圆形、卵形或三棱状，长 2 ~ 2.5 mm，宽约 1.5 mm，边缘具棱，无翅。花果期 8 ~ 12 月。

| 生境分布 | 生于海拔 700 ~ 3 100 m 的山坡林下、林缘、灌丛中或低山河谷。湖北有分布。

| 资源情况 | 野生资源丰富，栽培资源较少。药材主要来源于野生。

| 采收加工 | **全草：**秋季采收，洗净，鲜用或晒干。

| 功能主治 | 清肝肺火，利湿，健脾止咳，疏风，杀虫。用于风热咳嗽，急惊风，肝热目赤，口苦，黄疸，蛔虫病，风湿病。

龙胆科 Gentianaceae 双蝴属 *Tripterospermum*

湖北双蝴蝶 *Tripterospermum discoideum* (Marq.) H. Smith

| 药 材 名 | 湖北双蝴蝶。

| 形态特征 | 多年生缠绕草本。叶卵状披针形或卵形，长 5 ~ 7 cm，先端渐尖，有时短尾状，基部近圆形或近心形。单花腋生，或聚伞花序具 2 ~ 5 花；花梗长 0.3 ~ 1 cm；花萼钟形，萼筒长 1 ~ 1.4 cm，无翅或具窄翅，沿翅被乳突，裂片线形，长 2 ~ 4（~ 7）mm；花冠淡紫色或蓝色，钟形，长约 4 cm，裂片卵状三角形，长 6 ~ 7 mm；褶半圆形，长 1.5 ~ 2 mm；花柱长约 1 cm。蒴果长椭圆形，淡褐色，长约 2.5 cm；果柄长约 1.5 cm；蒴果内藏或先端露出；种子圆形，深褐色，直径 2 ~ 2.5 mm，具盘状双翅。花果期 8 ~ 10 月。

| 生境分布 | 生于海拔 600 ~ 1 600 m 的山坡草地。湖北有分布。

| 采收加工 | **全草**：全年均可采收，洗净，晒干或鲜用。

| 功能主治 | 清热解毒，止咳止血。用于疔疮疖肿，乳腺炎，外伤出血，刀伤，骨折等。

龙胆科 Gentianaceae 双蝴蝶属 *Tripterospermum*

尼泊尔双蝴蝶 *Tripterospermum volubile* (D. Don) Hara

| 药 材 名 | 小筋骨藤。

| 形态特征 | 多年生缠绕草本。根纤细，淡黄色。茎黄绿色或暗紫色，圆形，具细条棱，节间长 6 ～ 13 cm。茎生叶卵状披针形，长 6 ～ 9 cm，宽 2 ～ 2.5 cm，先端渐尖成尾状，基部近圆形或心形，全缘或呈微波状，叶脉 3 ～ 5；叶柄扁平，长 0.5 ～ 1.5 cm。花腋生、顶生，单生或成对着生；花梗短，长 5 ～ 8 mm，有时具长 10 ～ 20 mm、宽约 3 mm 的披针形小苞片；花萼钟形，绿色，有时带紫色，萼筒长 6 ～ 9（～ 11）mm，具宽翅，裂片披针形，长 7 ～ 13 mm，弯缺截形；花冠淡黄绿色，长 2.5 ～ 3 cm，裂片卵状三角形，长约 4 mm，宽约 3 mm，褶长约 2 mm，宽约 3 mm，先端偏斜成波状；雄蕊着生于花

冠筒下部，不整齐，花丝线形，长 12 ～ 15 mm，花药矩圆形，长约 1 mm；子房椭圆形，长约 1 cm，两端渐狭，花柱线形，长 6 ～ 9 mm，柱头线形，2 裂，反卷，具长约 5 mm 的柄，柄基部具长约 1 mm、5 裂的花盘。浆果紫红色或红色，长椭圆形，长（1.5 ～）2 ～ 4 cm，宽 0.9 ～ 1.3 cm，具长 1 ～ 2 cm 的柄；种子暗紫色，椭圆形，扁三棱状，长约 2 mm，宽约 1.2 mm。花果期 8 ～ 9 月。

| 生境分布 | 生于海拔 2 300 ～ 3 100 m 的山坡或林下。湖北有分布。

| 资源情况 | 野生资源较少，栽培资源较少。药材主要来源于野生。

| 采收加工 | **全草：**春、夏季采收，洗净，鲜用或晒干。

| 功能主治 | 舒筋活络，接骨。用于骨折，筋伤。

夹竹桃科 Apocynaceae 长春花属 *Catharanthus*

长春花 *Catharanthus roseus* (L.) G. Don

| 药 材 名 | 长春花。

| 形态特征 | 半灌木，略有分枝，高达 60 cm，有水液，全株无毛或仅有微毛。茎近方形，有条纹，灰绿色；节间长 1 ~ 3.5 cm。叶膜质，倒卵状长圆形，长 3 ~ 4 cm，宽 1.5 ~ 2.5 cm，先端浑圆，有短尖头，基部广楔形至楔形，渐狭成叶柄；叶脉在叶面扁平，在叶背略隆起，侧脉约 8 对。聚伞花序腋生或顶生，有花 2 ~ 3；花萼 5 深裂，内面无腺体或腺体不明显，萼片披针形或钻状渐尖，长约 3 mm；花冠红色，高脚碟状，花冠筒圆筒状，长约 2.6 cm，内面具疏柔毛，喉部紧缩，具刚毛；花冠裂片宽倒卵形，长和宽各约 1.5 cm。蓇葖果双生，直立，平行或略叉开，长约 2.5 cm，直径 3 mm；外果皮厚纸

质，有条纹，被柔毛；种子黑色，长圆状圆筒形，两端截形，具有颗粒状小瘤。花果期几乎全年。

| **生境分布** | 湖北有分布。

| **资源情况** | 野生资源稀少，栽培资源丰富。药材来源于栽培。

| **采收加工** | **全草**：当年 9 月下旬至 10 月上旬采收，选晴天收割地上部分，先切除植株茎部木质化的硬茎，再切成长 6 cm 的小段，晒干。

| **功能主治** | 解毒，抗肿瘤，清热平肝。用于多种恶性肿瘤，高血压，痈肿疮毒，烫伤。

| **附　　注** | 长春花用于恶性肿瘤，多用其提取物静脉注射。因其提取物可引起白细胞减少、食欲减退、恶心呕吐、腹痛、便秘、肌肉酸痛、手指麻木、深肌腱反射消失、复视、脱发等毒副反应，故必须在医师的指导下使用。此外，本品注射剂局部刺激可引起血栓性静脉炎，静脉注射时切勿使药液漏出血管外，以免发生局部组织坏死。

夹竹桃科 Apocynaceae 腰骨藤属 *Ichnocarpus*

腰骨藤 *Ichnocarpus frutescens* (L.) W. T. Aiton

| 药 材 名 |

腰骨藤。

| 形态特征 |

木质藤本，长达 8 m。小枝、叶背、叶柄及总花梗无毛，仅幼枝上有短柔毛，具乳汁。叶卵圆形或椭圆形，长 5 ~ 10 cm，宽 3 ~ 4 cm；侧脉每边 5 ~ 7。花白色，花序长 3 ~ 8 cm；花萼内面腺体有或无；花冠筒喉部被柔毛；花药箭头状；花盘 5 深裂，裂片线形，比子房长；子房被毛。蓇葖果双生，叉开，一长一短，细圆筒状，长 8 ~ 15 cm，直径 4 ~ 5 mm，被短柔毛；种子线形，先端具种毛。花期 5 ~ 8 月，果期 8 ~ 12 月。

| 生境分布 |

生于海拔 150 ~ 950 m 的山地疏林中、低丘陵山坡灌丛中或路旁。湖北有分布。

| 资源情况 |

药材来源于野生和栽培。

| 采收加工 |

成熟种子：秋季果实成熟时采收果实，晒干，取出种子。

| **功能主治** | 祛风除湿，通络止痛。用于风湿痹痛，跌打损伤。

| **附　　注** | 同属植物红杜仲的茎皮亦入药，功能与腰骨藤相似。

夹竹桃科 Apocynaceae 夹竹桃属 *Nerium*

夹竹桃 *Nerium indicum* Mill.

| 药 材 名 | 夹竹桃。

| 形态特征 | 常绿直立大灌木，高可达 5 m。枝条灰绿色，嫩枝条具棱，被微毛，老时毛脱落；叶 3 ~ 4 轮生，叶面深绿，叶背浅绿色，中脉在叶面陷入；叶柄扁平。聚伞花序顶生，花冠深红色或粉红色，花冠为单瓣呈 5 裂时，其花冠为漏斗状。种子长圆形。花期几乎全年，果期一般在冬春季，栽培很少结果。

| 生境分布 | 湖北各地均有分布。

| 资源情况 | 野生资源较少，栽培资源丰富。药材主要来源于栽培。

| 采收加工 | **枝皮和叶**：对 2 ~ 3 年以上的植株整枝修剪，采集枝皮及叶片，晒

干或炕干。

| 功能主治 | 强心利尿，祛痰定痫，镇痛，祛瘀。用于心力衰竭，喘咳，癫痫，跌打肿痛，血瘀经闭。

| 附　　注 | 白花夹竹桃和黄花夹竹桃为其栽培变种。

夹竹桃科 Apocynaceae 夹竹桃属 *Nerium*

白花夹竹桃 *Nerium indicum* Mill. cv. Paihua

| 药 材 名 | 白花夹竹桃。

| 形态特征 | 常绿直立大灌木，高达 5 m，枝条灰绿色，含水液；嫩枝条具棱，被微毛，老时毛脱落。叶 3 ~ 4 轮生，下枝叶对生，窄披针形，先端急尖，基部楔形，边缘反卷，长 11 ~ 15 cm，宽 2 ~ 2.5 cm，叶面深绿色，无毛，叶背浅绿色，有多数洼点；侧脉两面扁平，纤细，密生而平行，直达边缘。聚伞花序顶生；花冠白色，花冠为单瓣时 5 裂，漏斗状，长和宽均约 3 cm，花冠筒圆筒形，上部扩大成钟形，长 1.6 ~ 2 cm，花冠筒内面被长柔毛，花冠为重瓣时有 15 ~ 18。蓇葖果 2，离生，平行或并连，长圆形，两端较窄，长 10 ~ 23 cm，直径 6 ~ 10 mm，绿色，无毛，具细纵条纹；种子长

圆形，基部较窄，先端钝，褐色，种皮被锈色短柔毛，先端具黄褐色绢质种毛；种毛长约 1 cm。

| **生境分布** | 栽培于植物园及公园中。湖北有分布。

| **采收加工** | **叶**：全年均可采收，鲜用或晒干研末。

| **功能主治** | 利尿，通便，活血，消积，祛瘀，镇咳等。

夹竹桃科 Apocynaceae 夹竹桃属 *Nerium*

欧洲夹竹桃 *Nerium oleander* L.

| 药材名 | 欧洲夹竹桃。

| 形态特征 | 直立灌木。枝条灰绿色，含水液。叶轮生，稀对生，具柄，革质，具羽状脉，侧脉密生而平行。伞房状聚伞花序顶生，具总花梗；花萼5裂，裂片披针形，双覆瓦状排列，内面基部具腺体；花冠漏斗状，红色、白色或黄色，花冠筒圆筒形，上部扩大成钟状，喉部具5阔鳞片状副花冠，每片先端撕裂；花冠裂片5，或更多而为重瓣，斜倒卵形，花蕾时向右覆盖；雄蕊5，着生在花冠筒中部以上，花丝短，花药箭头状，附着在柱头周围，基部具耳，先端渐尖，药隔延长成丝状，被长柔毛；无花盘；子房由2离生心皮组成，花柱丝状或中部以上加厚，柱头近球状，基部膜质环状，先端具尖头；每心皮有胚珠多颗。

蓇葖果 2，离生，长圆形；种子长圆形，种皮被短柔毛，先端具种毛。

| 生境分布 | 栽培于庭园。湖北有栽培。

| 功能主治 | **茎、叶、花：**强心利尿，定喘镇痛。用于心力衰竭，咳嗽，癫痫，跌打损伤，肿痛等。

夹竹桃科 Apocynaceae 毛药藤属 *Sindechites*

毛药藤 *Sindechites henryi* Oliv.

| 药 材 名 | 毛药藤。

| 形态特征 | 木质藤本。长达 8 m；茎、枝条、叶无毛，具乳汁。叶薄纸质，长圆状披针形或卵状披针形，长 5.5 ~ 12.5 cm，宽 1.5 ~ 3.7 cm，先端渐尖，呈尾状，叶面深绿色，具光泽，叶背浅绿色，两面无毛；中脉在叶面扁平，在叶背凸起，侧脉在叶面和叶背均扁平，在叶背纤细密生，几平行；叶柄长 4 ~ 10 mm，叶柄间及叶腋内具线状腺体。总状式聚伞花序顶生或近顶生，着花多朵；花白色，长 1 ~ 1.2 cm，宽 6 mm；花萼小，裂片卵圆形，外面无毛，花冠长 9 mm，花冠筒圆筒形，裂片卵圆形，先端钝，两面被短柔毛；花盘不明显 5 裂，比子房短。蓇葖果双生，一长一短，线状圆柱形，渐尖，长 3 ~ 14 cm，直径 2.5 ~ 3 mm，无毛，绿色，外果皮薄；种子线状长圆形，扁平，

长 1.3 cm，宽约 1.5 mm，先端具黄色绢质种毛，种毛长 2.5 cm。花期 4 ~ 6 月，果期 8 ~ 10 月。

| 生境分布 | 生于海拔 600 ~ 1 300 m 的山地疏林中、山腰路旁阳处灌丛中或山谷密林中水沟旁。分布于湖北宣恩、咸丰、房县、竹溪，以及宜昌。

| 资源情况 | 药材来源于野生。

| 采收加工 | **根、茎：**秋季采挖，洗净，切片，晒干。

| 功能主治 | 健脾补虚，清热解毒。用于消化不良，血虚乳少，口舌生疮，牙痛。

夹竹桃科 Apocynaceae 羊角拗属 *Strophanthus*

羊角拗 *Strophanthus divaricatus* (Lour.) Hook. et Arn.

| 药材名 | 羊角拗根、羊角拗茎叶。

| 形态特征 | 灌木。高达 2 m，全株无毛，上部枝条蔓延，小枝圆柱形，棕褐色或暗紫色，密被灰白色圆形的皮孔。叶薄纸质，椭圆状长圆形或椭圆形，长 3 ~ 10 cm，宽 1.5 ~ 5 cm。聚伞花序顶生，通常着花 3，无毛；总花梗长 0.5 ~ 1.5 cm。蓇葖果广叉开，木质，椭圆状长圆形；种子纺锤形，扁平；种毛具光泽，长 2.5 ~ 3 cm。花期 3 ~ 7 月，果期 6 月至翌年 2 月。

| 生境分布 | 生于丘陵山地、路旁疏林中或山坡灌丛中。湖北有栽培。

| 资源情况 | 药材来源于野生和栽培。

| 采收加工 | **羊角拗根**：全年均可采挖，洗净，切片，晒干。

羊角拗茎叶：全年均可采收，鲜用或晒干。

| 功能主治 | 祛风湿，通经络，解疮毒，杀虫。用于风湿肿痛，小儿麻痹后遗症，跌打损伤，痈疮，疥癣。

夹竹桃科 Apocynaceae 络石属 *Trachelospermum*

紫花络石 *Trachelospermum axillare* Hook. f.

| 药 材 名 | 紫花络石。

| 形态特征 | 粗壮木质藤本，无毛或幼时具微长毛。茎直径 1 cm，具多数皮孔。叶厚纸质，倒披针形或倒卵形或长椭圆形，长 8 ~ 15 cm，宽 3 ~ 4.5 cm，先端尖尾状，先端渐尖或锐尖，基部楔形或锐尖，稀圆形；侧脉多至 15 对，在叶背面明显；叶柄长 3 ~ 5 mm。聚伞花序近伞形，腋生或有时近顶生，长 1 ~ 3 mm；花梗长 3 ~ 8 mm；花紫色；花蕾先端钝；花萼裂片紧贴于花冠筒上，卵圆形、钝尖，内有腺体约 10；花冠高脚碟状，花冠筒长 5 mm，花冠裂片倒卵状长圆形，长 5 ~ 7 mm。蓇葖果圆柱状长圆形，平行，黏生，无毛，向端部渐狭，略似镰状，通常端部合生，老时略展开，长

10 ~ 15 cm，直径 10 ~ 15 mm；外果皮无毛，具细纵纹；种子暗紫色，倒卵状长圆形或宽卵圆形，端部钝头，长约 15 mm，宽 7 mm；种毛细丝状，长约 5 cm。花期 5 ~ 7 月，果期 8 ~ 10 月。

| **生境分布** | 生于山谷及海拔 600 ~ 1 000 m 的疏林中或水沟边路旁。分布于湖北宣恩、巴东、兴山、恩施、神农架、崇阳等。

| **资源情况** | 药材来源于野生和栽培。

| **采收加工** | **藤茎**：夏、秋季节采收，洗净，切段，晒干。

| **功能主治** | 祛风解表，通络止痛。用于感冒头痛，咳嗽，风湿痹痛，跌打损伤。

| **附　　注** | 与本种功能相似的有同属植物锈毛络石和乳儿绳，注意区分。本种有毒，使用时需注意。另有将本种混作杜仲药用，需注意鉴别。

夹竹桃科 Apocynaceae 络石属 *Trachelospermum*

细梗络石 *Trachelospermum gracilipes* Hook. f.

| 药材名 | 细梗络石。

| 形态特征 | 攀缘灌木。幼枝被黄褐色短柔毛，老时无毛。叶膜质，无毛，椭圆形或卵状椭圆形，长 4 ~ 8.5 cm，宽 1.5 ~ 4 cm，顶部急尖或钝，基部急尖；叶柄长 3 ~ 5 mm，被疏短柔毛至无毛；叶腋间和叶腋外的腺体长 1 mm；叶脉在叶面扁平，在叶背凸起，每边侧脉约 10，斜曲上升至叶缘前网结。花序顶生或近顶生，着花多朵；总花梗长 2.5 ~ 4 cm；花白色，芳香；花蕾先端渐尖；花萼裂片紧贴在花冠筒上，裂片卵状披针形，长 2 mm，宽 1 mm，花冠筒圆筒形，花冠喉部膨大，内面无毛，长 5 ~ 6 mm，花冠裂片无毛，长 6 ~ 7 mm，宽 3 ~ 4.5 mm。蓇葖果双生，叉开，线状披针形，长 10 ~ 28 cm，

宽 3 ~ 4 mm，无毛，外果皮黄棕色；种子多数，红褐色，线状长圆形，长 2 ~ 15 cm，宽约 2 mm，先端被白色绢质种毛；种毛长 2.5 ~ 3.5 cm。花期 4 ~ 6 月，果期 8 ~ 10 月。

| 生境分布 | 生于山地路旁或山谷密林中攀缘树上或灌丛中。湖北有分布。

| 功能主治 | 活血散瘀。用于跌打损伤。

夹竹桃科 Apocynaceae 络石属 *Trachelospermum*

湖北络石 *Trachelospermum gracilipes* Hook. f. var. *hupehense* Tsiang et P. T. Li

| 药 材 名 | 湖北络石。

| 形态特征 | 本变种与原变种的区别在于本变种的叶背、枝条、花序被茸毛。花期 4 ~ 7 月。

| 生境分布 | 生于海拔 1 000 m 以下的山坡灌丛中。分布于湖北宣恩、五峰、兴山、神农架、竹溪、丹江口。

| 功能主治 | 解毒，祛风活血，通络止痛。用于感冒，风湿痹痛，关节痛，跌打损伤，痈肿等。

| 附　　注 | 湖北络石为夹竹桃科络石属细梗络石的变种。

夹竹桃科 Apocynaceae 络石属 *Trachelospermum*

络石 *Trachelospermum jasminoides* (Lindl.) Lem.

| 药 材 名 | 络石。

| 形态特征 | 常绿木质藤本，长达 10 m，具乳汁。茎赤褐色，圆柱形，有皮孔。小枝被黄色柔毛，老时渐无毛。叶革质或近革质，椭圆形至卵状椭圆形或宽倒卵形，长 2 ~ 10 cm，宽 1 ~ 4.5 cm，先端锐尖至渐尖或钝，有时微凹或有小凸尖，基部渐狭至钝，叶面无毛，叶背被疏短柔毛，老渐无毛；叶面中脉微凹，侧脉扁平，叶背面中脉凸起，侧脉每边 6 ~ 12，扁平或稍凸起；叶柄短，被短柔毛，老渐无毛；叶柄内和叶腋外腺体钻形，长约 1 mm。二歧聚伞花序腋生或顶生，花多朵组成圆锥状，与叶等长或略长于叶；花白色，芳香；总花梗长 2 ~ 5 cm，被柔毛，老时渐无毛；苞片及小苞片狭披针形，长 1 ~

2 mm；花萼 5 深裂，裂片线状披针形，顶部反卷，长 2 ~ 5 mm，外面被长柔毛及缘毛，内面无毛，基部具 10 鳞片状腺体。蓇葖果双生，叉开，无毛，线状披针形，向先端渐尖，长 10 ~ 20 cm，宽 3 ~ 10 mm；种子多颗，褐色，线形，长 1.5 ~ 2 cm，直径约 2 mm，先端具白色绢质种毛；种毛长 1.5 ~ 3 cm。花期 3 ~ 7 月，果期 7 ~ 12 月。

| 生境分布 | 生于海拔 1 200 m 以下的山野、溪边、路旁、林缘或杂木林中。分布于湖北恩施、利川、兴山、崇阳、通山、阳新、罗田、江夏，以及宜昌。

| 资源情况 | 野生资源丰富，栽培资源丰富。药材主要来源于野生和栽培。

| 采收加工 | **藤茎：**栽种 3 ~ 4 年后，秋末剪取藤茎，将藤茎截成 25 ~ 30 cm 长，扎成小把，晒干。

| 功能主治 | 通络止痛，清热凉血，解毒消肿。用于风湿痹痛，腰膝酸痛，筋脉拘挛，咽喉肿痛，疔疮肿毒，跌打损伤，外伤出血。

夹竹桃科 Apocynaceae 络石属 *Trachelospermum*

石血 *Trachelospermum jasminoides* (Lindl.) Lem. var. *heterophyllum* Tsiang

| 药 材 名 | 石血。

| 形态特征 | 常绿木质藤本。茎皮褐色，嫩枝被黄色柔毛；茎和枝条以气根攀缘树木、岩石或墙壁上。叶对生，具短柄，异形叶，通常披针形，长 4 ~ 8 cm，宽 0.5 ~ 3 cm，叶面深绿色，叶背浅绿色，叶面无毛，叶背被疏短柔毛；侧脉两面扁平。花白色；萼片长圆形，外面被疏

柔毛；花冠高脚碟状，花冠筒中部膨大，外面无毛，内面被柔毛；花药内藏；子房 2，心皮离生；花盘比子房短。蓇葖果双生，线状披针形，长达 17 cm，宽 0.8 cm；种子线状披针形，先端具白色绢质种毛；种毛长 4 cm。花期夏季，果期秋季。

| 生境分布 | 生于海拔 1 800 m 以下的林中、河边路旁、山野岩石上。湖北有分布。

| 资源情况 | 药材来源于野生和栽培。

| 采收加工 | **藤茎：**秋季采收，切段，晒干。

| 功能主治 | 祛风，通络，止血，消瘀。用于风湿痹痛，筋脉拘挛，痈肿，喉痹，吐血，跌打损伤，产后恶露不净。

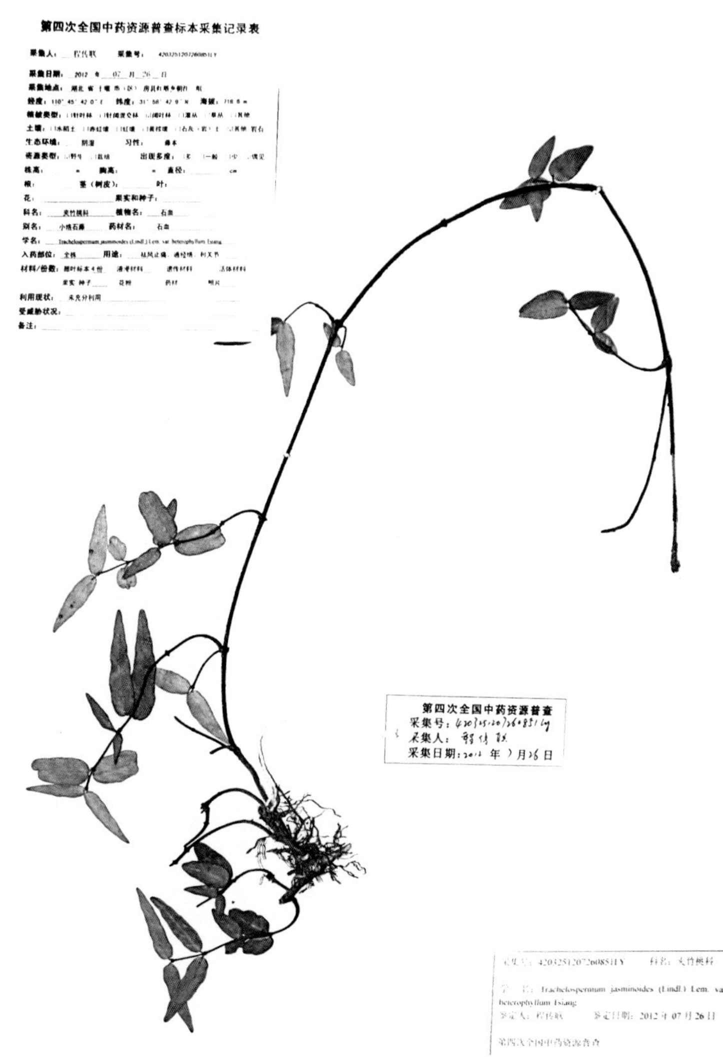

夹竹桃科 Apocynaceae 蔓长春花属 *Vinca*

蔓长春花 *Vinca major* L.

| 药 材 名 | 蔓长春花。

| 形态特征 | 蔓性半灌木。茎偃卧，花茎直立；除叶缘、叶柄、花萼及花冠喉部有毛外，其余均无毛。叶椭圆形，长 2 ~ 6 cm，宽 1.5 ~ 4 cm，先端急尖，基部下延；侧脉约 4 对；叶柄长 1 cm。花单朵腋生；花梗

长 4 ～ 5 cm；花萼裂片狭披针形，长 9 mm；花冠蓝色，花冠筒漏斗状，花冠裂片倒卵形，长 12 mm，宽 7 mm，先端圆形；雄蕊着生于花冠筒中部之下，花丝短而扁平，花药的先端有毛；子房由 2 心皮所组成。蓇葖果长约 5 cm。花期 3 ～ 5 月。

| 生境分布 | 湖北武汉有栽培。

| 功能主治 | 解毒，抗肿瘤，清热平肝。

萝藦科 Asclepiadaceae 乳突果属 *Adelostemma*

乳突果 *Adelostemma gracillimum* (Wall. ex Wight) Hook. f.

| 药 材 名 | 乳突果。

| 形态特征 | 柔弱的缠绕藤本。除花外，全株无毛。叶膜质，心形，长 3.5 ~ 6 cm，宽 2.5 ~ 4.5 cm；叶脉在叶面扁平，在叶背微凸起；叶柄长 1.5 ~ 4 cm，柔细，具单列短柔毛，先端上面具丛生小腺体；叶腋内有时具 1 对近圆形的小叶，小叶长 5 ~ 6 mm，宽约 5 mm。伞房状聚伞花序腋生，比叶短；花序梗柔细；花萼外面被疏短柔毛，内面基部具 5 腺体；花冠白色，钟状，裂片向右覆盖，张开时反卷；副花冠无或膜质 5 裂，着生于合蕊冠的中部，其裂片呈三角形；花药先端具透明的膜质附属物，花粉块卵圆形，下垂；柱头棍棒状，先端伸出花喉之外，2 裂。蓇葖果常单生，基部膨大，顶部渐尖，长约 4.5 cm，宽约

1.5 cm，外果皮具乳头状突起；种子扁圆形，边缘膜质，先端具白色绢质种毛，种毛长约 2 cm。花期秋季，果期冬季。

|生境分布| 生于海拔 500 ～ 1 000 m 的山地林中或山坡灌丛中。湖北有分布。

|资源情况| 药材来源于野生。

|功能主治| **根：**健胃消食，理气止痛。用于食积腹胀，胃痛，消化不良。

果实：外用于疮疖，虫蛇咬伤。

萝藦科 Asclepiadaceae 秦岭藤属 *Biondia*

宽叶秦岭藤 *Biondia hemsleyana* (Warb.) Tsiang

| 药材名 | 宽叶秦岭藤。

| 形态特征 | 柔弱缠绕藤本。茎直径约 2 mm，节间长 8 ~ 9 cm；枝、叶柄、花序梗和花梗均被单列短柔毛。叶纸质，狭披针形，长 5 ~ 9 cm，宽 10 ~ 15 mm，两端短渐尖，边缘略反卷；中脉在叶面凹陷，被短柔毛，在叶背凸起，侧脉不明显；叶柄长 5 ~ 7 mm，先端上面有丛生腺体。花序腋生，长 3 ~ 4 cm，着花 5 ~ 7；花萼 5 深裂，裂片镊合状排列，卵形，花萼内面基部无腺体；花冠白色，钟状，直径约 4 mm，先端 5 短裂，裂片宽三角形，比花冠筒短；副花冠由 5 三角形小齿组成，着生于合蕊冠基部，极短；合蕊柱近四方形；花药端部有圆形薄膜片，花粉块圆球状，下垂；子房无毛，柱头盘状

五角形，端部扁平。蓇葖果线状披针形，长 5 ～ 6 cm，直径 3 ～ 5 mm，苍白色，有条纹；种子卵状长圆形，长约 5 mm，宽约 2 mm，先端具白色绢质种毛，种毛长约 2 cm。花期 4 ～ 9 月，果期 10 ～ 12 月。

| **生境分布** | 生于海拔 550 m 的山地树林中。分布于湖北宣恩、神农架、房县、谷城，以及十堰。

| **资源情况** | 药材来源于野生。

| **功能主治** | 祛风散寒，解表。

萝藦科 Asclepiadaceae 吊灯花属 *Ceropegia*

巴东吊灯花 *Ceropegia driophila* C. K. Schneid.

| 药 材 名 | 巴东吊灯花。

| 形态特征 | 攀缘半灌木，高 0.7 ~ 1.3 m。茎干后中空，圆柱状或略具细条纹，黄色，无毛。叶薄膜质，长圆形或卵圆状长圆形，长 2.5 ~ 6.5 cm，基部宽 1 ~ 2.5 cm，先端渐尖，基部近心形，叶面具疏长毛，叶背无毛或几无毛，有缘毛；叶柄纤细，长 1 ~ 2.2 cm。聚伞花序着花 2 ~ 8；花序梗长 1 ~ 1.5 cm，无毛；花梗纤弱，无毛，长 1 ~ 1.5 cm，基部具线形小苞片，长 1 ~ 1.5 mm；花萼裂片线形渐尖，长 2 ~ 3 mm，花萼内面基部具 5 小腺体；花冠暗红色，全长 2.5 cm，向基部椭圆状膨胀略偏斜，直径 4 mm，向上渐狭成筒直至喉部扩大，直径近 5 mm，裂片舌状长圆形，长约 12 mm，先端黏合，有缘毛；

副花冠外轮杯状，裂片三角状急尖，有缘毛，内轮线形；花粉块长圆状椭圆形，先端有透明膜边，花粉块柄短，着粉腺比花粉块略短。花期 6 月。

| 生境分布 | 生于海拔 500 ~ 1 000 m 的山地沟边草丛石坎中。分布于湖北神农架。

| 资源情况 | 药材来源于野生。

| 功能主治 | 清热解毒。用于毒蛇咬伤，痈疽疮毒。

| 附　　注 | 巴东吊灯花为我国特有植物。

萝藦科 Asclepiadaceae 鹅绒藤属 *Cynanchum*

合掌消 *Cynanchum amplexicaule* (Sieb. et Zucc.) Hemsl.

| 药 材 名 | 合掌消。

| 形态特征 | 直立多年生草本。高 50 ~ 100 cm，全株流白色乳液，除花萼、花冠被微毛外，余皆无毛；根须状。叶薄纸质，无柄，倒卵状椭圆形，

先端急尖，基部下延近抱茎，上部叶小，下部叶大，小者长 1.5 ～ 2.5 cm，宽 7 ～ 10 mm，大者长 4 ～ 6 cm，宽 2 ～ 4 cm。多歧聚伞花序顶生及腋生，花直径约 5 mm；花冠黄绿色或棕黄色；副花冠 5 裂，扁平；花粉块每室 1，下垂。蓇葖果单生，刺刀形，长约 5 cm，直径约 5 mm。花期春夏季间，果期秋季。

| 生境分布 | 生于海拔 100 ～ 1 000 m 的山坡草地或田边、湿地及沙滩草丛中。分布于湖北武汉及阳新。

| 资源情况 | 野生资源丰富，栽培资源较少。药材来源于野生。

| 采收加工 | **全草：**夏、秋季采收，洗净，鲜用或晒干。

| 功能主治 | 祛风湿，清热解毒，行气活血。用于风湿痹痛，偏头痛，腰痛，月经不调，乳痈，痈肿疔毒。

萝藦科 Asclepiadaceae 鹅绒藤属 *Cynanchum*

白薇 *Cynanchum atratum* Bunge

| 药 材 名 | 白薇。

| 形态特征 | 直立多年生草本，高达 50 cm。根须状，有香气。叶卵形或卵状长圆形，长 5 ~ 8 cm，宽 3 ~ 4 cm，先端渐尖或急尖，基部圆形，两面均被有白色绒毛，特别以叶背及脉上为密；侧脉 6 ~ 7 对。伞形聚伞花序，无总花梗，生在茎的四周，着花 8 ~ 10；花深紫色，直径约 10 mm；花萼外面有绒毛，内面基部有小腺体 5；花冠辐状，外面有短柔毛，并具缘毛；副花冠 5 裂，裂片盾状，圆形，与合蕊柱等长，花药先端具 1 圆形的膜片；花粉块每室 1，下垂，长圆状膨胀；柱头扁平。蓇葖果单生，向端部渐尖，基部钝形，中间膨大，长 9 cm，直径 5 ~ 10 mm；种子扁平；种毛白色，长约 3 cm。花期

4 ~ 8 月，果期 6 ~ 8 月。

| 生境分布 | 生于海拔 100 ~ 1 800 m 的河边、干荒地及草丛中、山沟、林下草地。分布于湖北宣恩、恩施、利川，以及荆门。

| 资源情况 | 药材来源于野生和栽培。

| 采收加工 | **根**：生长 2 ~ 3 年后，于寒露前后或春分前后采挖，除去地上部分，洗净，晒干。

| 功能主治 | 清热益阴，利尿通淋，解毒疗疮。用于温热病发热，身热斑疹，潮热骨蒸，肺热咳嗽，产后虚烦，热淋，血淋，咽喉肿痛，疮痈肿毒，毒蛇咬伤。

| 附　　注 | 血分无热、中寒便滑、阳气外越者慎服。本种易与白前混淆。

萝藦科 Asclepiadaceae 鹅绒藤属 *Cynanchum*

牛皮消 *Cynanchum auriculatum* Royle ex Wight

| 药材名 | 牛皮消。

| 形态特征 | 蔓性半灌木。宿根肥厚，呈块状。茎圆形，被微柔毛。叶对生，膜质，被微毛，宽卵形至卵状长圆形，长 4 ~ 12 cm，宽 4 ~ 10 cm，先端短渐尖，基部心形。聚伞花序伞房状，着花 30；花萼裂片卵状长圆形；花冠白色，辐状，裂片反折，内面具疏柔毛；副花冠浅杯状，裂片椭圆形，肉质，钝头，在每裂片内面的中部有 1 三角形的舌状鳞片；花粉块每室 1，下垂；柱头圆锥状，先端 2 裂。蓇葖果双生，披针形，长 8 cm，直径 1 cm；种子卵状椭圆形；种毛白色绢质。花期 6 ~ 9 月，果期 7 ~ 11 月。

| 生境分布 | 生于海拔 3 100 m 以下的山坡林缘及路旁灌丛中或河流、水沟边潮湿地。分布于湖北来凤、宣恩、五峰、巴东、秭归、神农架、崇阳、罗田，以及宜昌、咸宁。

| 资源情况 | 药材来源于野生和栽培。

| 采收加工 | **根：**野生品于春初或秋季采挖块根，洗净泥土，除去残茎和须根，晒干，或趁鲜切片，晒干，亦可鲜用。栽培品于栽后当年 10 ～ 11 月将地上部分的茎蔓割除，挖出地下的块根，去除泥土。

| 功能主治 | 补肝肾，强筋骨，益精血，健脾消食，解毒疗疮。用于腰膝酸痛，阳痿遗精，头晕耳鸣，心悸失眠，食欲不振，疳积，产后乳汁稀少，疮痈肿痛，毒蛇咬伤。

| 附　　注 | 本种的根含痉挛性的萝藦毒素，过量服用易中毒，中毒症状有流涎、呕吐、痉挛、呼吸困难、心跳缓慢等。

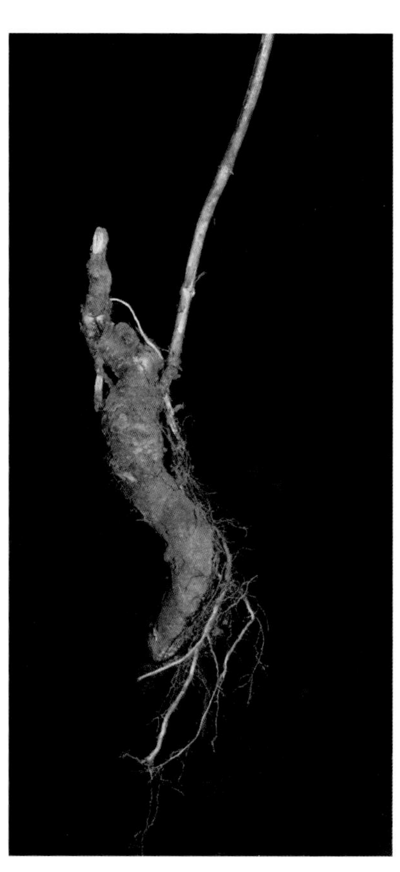

萝藦科 Asclepiadaceae 鹅绒藤属 *Cynanchum*

蔓剪草 *Cynanchum chekiangense* M. Cheng ex Tsiang et P. T. Li

| 药 材 名 | 蔓剪草。

| 形态特征 | 多年生草本。根须状。全株近无毛；单茎直立，端部蔓生，缠绕。叶薄纸质，对生或在中间二对甚为靠近，似四叶轮生状，卵状椭圆形，稀宽倒卵形，长 10 ~ 28 cm，宽 4 ~ 15 cm，两端急尖或先端猝然渐尖，叶面略被微毛，叶背在叶脉上被疏柔毛；叶柄长 2 ~ 2.5 cm。伞形聚伞花序腋间生；花序梗长达 5 mm，具有微毛；花直径约 11 mm；花萼裂片具缘毛；花冠深红色；副花冠比合蕊冠短或等长，裂片三角状卵形，先端钝；花粉块椭圆形，下垂。蓇葖果经常单生，线状披针形，长达 10 cm，直径 1 cm，向端部渐狭，无毛；种子卵形，基部圆形，先端截形；种毛白色绢质，长 3.5 cm。

花期 5 月，果期 6 月。

| 生境分布 | 生于海拔 1 500 ~ 1 700 m 的山林下沟边或山谷、溪旁、密林中潮湿之地。分布于湖北兴山、神农架。

| 资源情况 | 药材来源于野生。

| 采收加工 | **根**：夏、秋季采挖，鲜用或切片晒干。

| 功能主治 | 行气散瘀，杀虫。用于胃痛，跌打损伤，疥疮。

萝藦科 Asclepiadaceae 鹅绒藤属 *Cynanchum*

峨眉牛皮消 *Cynanchum giraldii* Schltr.

|药材名| 峨眉牛皮消。

|形态特征| 攀缘灌木。茎纤细，被微毛。叶对生，薄纸质，戟状长圆形，长 7 ~ 14 cm，宽 3 ~ 6 cm，先端渐尖，基部耳状心形，两面均被微

毛，脉上毛较密；侧脉约 10 对。伞形聚伞花序生于侧枝的先端，着花 5 ～ 10；花萼近无毛，裂片卵圆状三角形；花冠深红色或淡红色，近辐状，裂片长圆形；副花冠 5 深裂，裂片卵形或宽卵形，内有舌状片；花粉块每室 1，下垂，柄粗壮；花柱纤细，柱头 2 裂。蓇葖果通常单生，长 8 ～ 9.5 cm，直径约 1 cm；种子卵形，长约 7 mm，直径约 3 mm，基部具细齿，先端缢缩，平截，种毛白色，绢质，长约 3 cm。花期 7 ～ 8 月，果期 8 ～ 9 月。

| **生境分布** | 生于海拔 1 500 ～ 1 800 m 的杂木林或沟谷灌丛中。分布于湖北神农架。

| **资源情况** | 药材来源于野生。

| **功能主治** | 清热解毒，补脾健胃。

萝藦科 Asclepiadaceae 鹅绒藤属 *Cynanchum*

芫花叶白前 *Cynanchum glaucescens* (Decne.) Hand.-Mazz.

| 药 材 名 | 白前。

| 形态特征 | 本种与柳叶白前的区别在于本种茎具 2 列柔毛；叶片长椭圆形或长圆状披针形，先端略钝，状如芫花叶，长 3 ~ 5 cm，宽 1 ~ 1.5 cm，近无柄；花较大，花冠黄白色。

| 生境分布 | 生于海拔 100 ~ 300 m 的江边、河岸、沙石间。湖北黄冈、武汉有栽培。

| 资源情况 | 药材来源于野生和栽培。

| 采收加工 | **根及根茎**：野生品一般在 10 月采挖，栽培品则可于 11 月上旬苗茎尚未枯死前采挖，洗净，拣去杂质，晒干。

| 功能主治 | 降气，消痰，止咳。用于肺气壅实，咳嗽痰多，胸满喘急。

萝藦科 Asclepiadaceae 鹅绒藤属 *Cynanchum*

竹灵消 *Cynanchum inamoenum* (Maxim.) Loes

| 药材名 | 竹灵消。

| 形态特征 | 直立草本，基部分枝甚多。根须状。茎干后中空，被单列柔毛。叶薄膜质，广卵形，长 4 ~ 5 cm，宽 1.5 ~ 4 cm，先端急尖，基部近心形，在脉上近无毛或仅被微毛，有边毛；侧脉约 5 对。伞形聚伞花序，近顶部互生，着花 8 ~ 10；花黄色，长和直径均约 3 mm；花萼裂片披针形，急尖，近无毛；花冠辐状，无毛，裂片卵状长圆形，钝头；副花冠较厚，裂片三角形，短急尖；花药先端具 1 圆形的膜片；花粉块每室 1，下垂，花粉块柄短，近平行，着粉腺近椭圆形；柱头扁平。蓇葖果双生，稀单生，狭披针形，向端部长渐尖，长 6 cm，直径 5 mm。花期 5 ~ 7 月，果期 7 ~ 10 月。

| 生境分布 | 生于海拔 100 ～ 3 100 m 的山地疏林、灌丛中或山顶、山坡草地上。分布于湖北利川、恩施、秭归、兴山、神农架、罗田，以及宜昌。

| 资源情况 | 药材来源于野生。

| 采收加工 | **根**：夏、秋季采挖，洗净，晒干。

| 功能主治 | 清热凉血，利胆，解毒。用于阴虚发热，虚劳久嗽，咯血，胁肋胀痛，呕恶，泻痢，产后虚烦，瘰疬，无名肿毒，蛇虫，疯狗咬伤。

| 附　　注 | 竹灵消全株有毒，根的毒性较强。

萝藦科 Asclepiadaceae 鹅绒藤属 *Cynanchum*

毛白前 *Cynanchum mooreanum* Hemsl.

|药材名|

毛白前。

|形态特征|

柔弱缠绕藤本。茎密被柔毛。叶对生，卵状心形至卵状长圆形，长 2 ~ 4 cm，宽 1.5 ~ 3 cm，先端急尖，基部心形，老时近截形，两面均被黄色短柔毛，叶背毛较密；叶柄长 1 ~ 2 cm，被黄色短柔毛。伞形聚伞花序腋生，着花 7 ~ 8；花序梗长或短，长达 4 cm；花序梗、花梗、花萼外面均被黄色柔毛；花长约 7 mm，直径约 1 cm；花冠紫红色，裂片长圆形；副花冠杯状，5 裂，裂片卵圆形，具钝头；花粉块每室 1，下垂；子房无毛，柱头基部五角形，先端扁平。蓇葖果单生，披针形，向端部渐尖，长 7 ~ 9 cm，直径约 1 cm；种子暗褐色，不规则长圆形，种毛白色，绢质。花期 6 ~ 7 月，果期 8 ~ 10 月。

|生境分布|

生于海拔 200 ~ 700 m 的山坡、灌丛中或丘陵地疏林中。分布于湖北神农架、南漳。

| **资源情况** | 药材来源于野生。

| **采收加工** | **根**：夏、秋季采挖，洗净，晒干。

| **功能主治** | 清虚热，调肠胃。用于体虚发热，腹痛便泻，疳积。

萝藦科 Asclepiadaceae 鹅绒藤属 *Cynanchum*

徐长卿 *Cynanchum paniculatum* (Bunge) Kitag.

| 药 材 名 | 徐长卿。

| 形态特征 | 多年生直立草本，高约 1 m。根须状，多至 50 余。茎不分枝，无毛或被微毛。叶对生，纸质，披针形至线形，长 5 ~ 13 cm，宽 5 ~ 15 mm，两端锐尖，两面无毛或叶面具疏柔毛，叶缘有边毛；侧脉不明显；叶柄长约 3 mm，圆锥状聚伞花序生于先端的叶腋内，长达 7 cm，着花 10 余；花萼内的腺体或有或无；花冠黄绿色，近辐状，裂片长达 4 mm，宽 3 mm；副花冠裂片 5，基部增厚，先端钝；花粉块每室 1，下垂；子房椭圆形；柱头五角形，先端略凸起。蓇葖果单生，披针形，长 6 cm，直径 6 mm，向端部长渐尖；种子长圆形，长 3 mm；种毛白色绢质，长 1 cm。花期 5 ~ 7 月，果期 9 ~ 12 月。

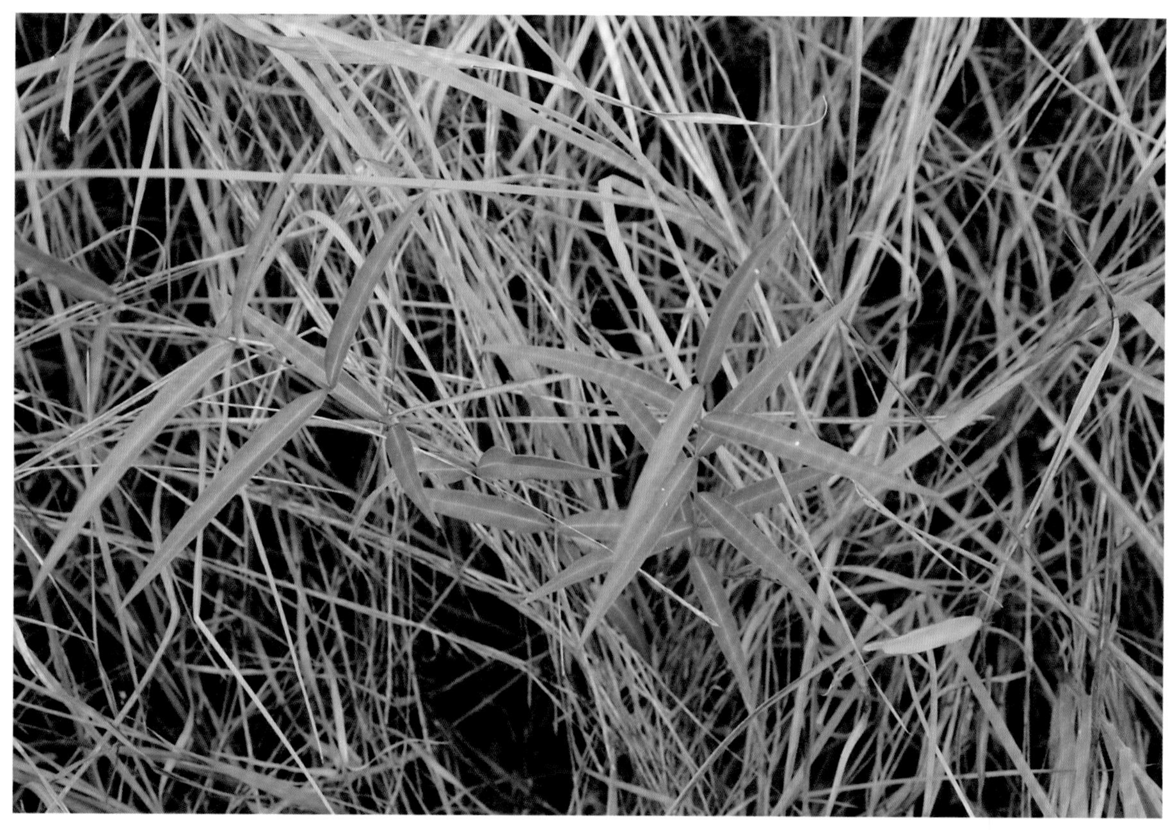

| 生境分布 | 生于海拔 1 600 m 以下的草丛中。分布于湖北宣恩、巴东、神农架、通山、蔡甸，以及宜昌。

| 资源情况 | 药材来源于野生和栽培。

| 采收加工 | **根及根茎**：分株繁殖的徐长卿栽后当年即可采挖，种子繁殖的徐长卿 2 年采挖。不需留作种根的徐长卿，连根掘起，洗净泥土，晒干。需留作种秧的徐长卿，秋、春季采收，洗净，晒干。

| 功能主治 | 祛风除湿，行气活血，去痛止痒，解毒消肿。用于风湿痹痛，腰痛，脘腹疼痛，牙痛，跌扑伤痛，小便不利，泄泻，痢疾，湿疹，荨麻疹，毒蛇咬伤。

| 附　　注 | 体弱者慎服。

萝藦科 Asclepiadaceae 鹅绒藤属 *Cynanchum*

柳叶白前 *Cynanchum stauntonii* (Decne.) Schltr. ex Levl.

| 药材名 | 白前。

| 形态特征 | 直立半灌木，高约 1 m，无毛，分枝或不分枝。须根纤细，节上丛生。叶对生，纸质，狭披针形，长 6 ~ 13 cm，宽 3 ~ 5 cm，两端渐尖；中脉在叶背显著，侧脉约 6 对；叶柄长约 5 mm。伞形聚伞花序腋生；花序梗长达 1 cm，小苞片众多；花萼 5 深裂，内面基部腺体不多；花冠紫红色，辐状，内面具长柔毛；副花冠裂片盾状，隆肿，比花药短；花粉块每室 1，长圆形，下垂；柱头微凸，包在花药的薄膜内。蓇葖果单生，长披针形，长达 9 cm，直径 6 mm。花期 5 ~ 8 月，果期 9 ~ 10 月。

| 生境分布 | 生于海拔 400 m 以下的溪边沟边、山谷湿地、水旁。分布于湖北

通山、英山，以及黄冈、武汉。

| 资源情况 | 药材来源于野生和栽培。

| 采收加工 | **根及根茎：**晴天采挖全株，除去地上部分，将根及根茎洗净，晒干。

| 功能主治 | 祛痰止咳，泻肺降气，健胃调中。用于肺气壅实之咳嗽痰多，气逆喘促，胃脘疼痛，疳积，跌打损伤。

| 附　　注 | 肺虚喘咳者慎用。生品用量过大，对胃有一定刺激。

萝藦科 Asclepiadaceae 鹅绒藤属 *Cynanchum*

狭叶白前 *Cynanchum stenophyllum* Hemsl.

| 药 材 名 |

狭叶白前。

| 形态特征 |

直立草本，高 30 ~ 40 cm。茎具单列毛。根丛生，直径约 1.5 mm。叶对生，无毛，线状披针形，长达 6 cm，宽 5 mm；叶柄长 2 mm。聚伞花序腋生，伞房状，长 2 ~ 2.5 cm，着花 10 余；花萼裂片 5，卵圆形，长 1.3 mm，宽 0.7 mm；花冠筒内面被茸毛，裂片卵圆形，钝头；副花冠 5 裂，裂片先端圆形；花粉块每室 1，下垂；柱头略隆起。蓇葖果单生，线状披针形，长 4 cm，直径 5 mm，无毛，向端部渐狭，基部楔形；种子扁圆形，暗褐色，长 7 mm，宽 3 mm，先端截形，基部圆形；种毛长约 2 cm。花期 5 月。

| 生境分布 |

生于江河水边向阳处。分布于湖北巴东、秭归、郧阳、通山。

| 资源情况 |

药材来源于野生。

| 功能主治 | 化痰止咳，泻肺降气，健胃调中。用于咳嗽痰多，气逆喘促，胃脘疼痛，小儿疳积，跌打损伤。

| 附　　注 | 本种在外形上颇似柳叶白前，无花时二者极易混淆。柳叶白前的茎光滑无毛，根极纤细，直径约 0.5 mm，花脱落后，宿存的小苞片排成“小穗状”。

第四次全国中药资源普查标本采集记录表

采集日期：2012 年 8 月 29 日

经度：110°41′57.4″ E　纬度：32°0′58.4″ N　海拔：495.2 m

利用现状：一般

受威胁状况：

备注：

萝藦科 Asclepiadaceae 鹅绒藤属 *Cynanchum*

地梢瓜 *Cynanchum thesioides* (Freyn) K. Schum.

| 药 材 名 | 地梢瓜。

| 形态特征 | 直立半灌木。地下茎单轴横生；茎自基部多分枝。叶对生或近对生，线形，长 3 ~ 5 cm，宽 2 ~ 5 mm，叶背中脉隆起。伞形聚伞花序腋生；花萼外面被柔毛；花冠绿白色；副花冠杯状，裂片三角状披针形，渐尖，高过药隔的膜片。蓇葖果纺锤形，先端渐尖，中部膨大，长 5 ~ 6 cm，直径 2 cm；种子扁平，暗褐色，长约 8 mm；种毛白色，绢质，长约 2 cm。花期 5 ~ 8 月，果期 8 ~ 10 月。

| 生境分布 | 生于海拔 200 ~ 2 000 m 的山坡、沙丘或干旱山谷、荒地、田边等。分布于湖北丹江口。

| **资源情况** | 药材来源于野生和栽培。

| **采收加工** | **全草**：夏、秋季采收，洗净，晒干。

| **功能主治** | 清虚火，益气，生津，下乳。用于虚火上炎，咽喉疼痛，气阴不足，神疲健忘，虚烦口渴，头昏失眠，产后体虚，乳汁不足。

萝藦科 Asclepiadaceae 鹅绒藤属 *Cynanchum*

蔓生白薇 *Cynanchum versicolor* Bge.

| 药 材 名 | 白薇。

| 形态特征 | 半灌木。茎上部缠绕，下部直立，全株被绒毛。叶对生，纸质，宽

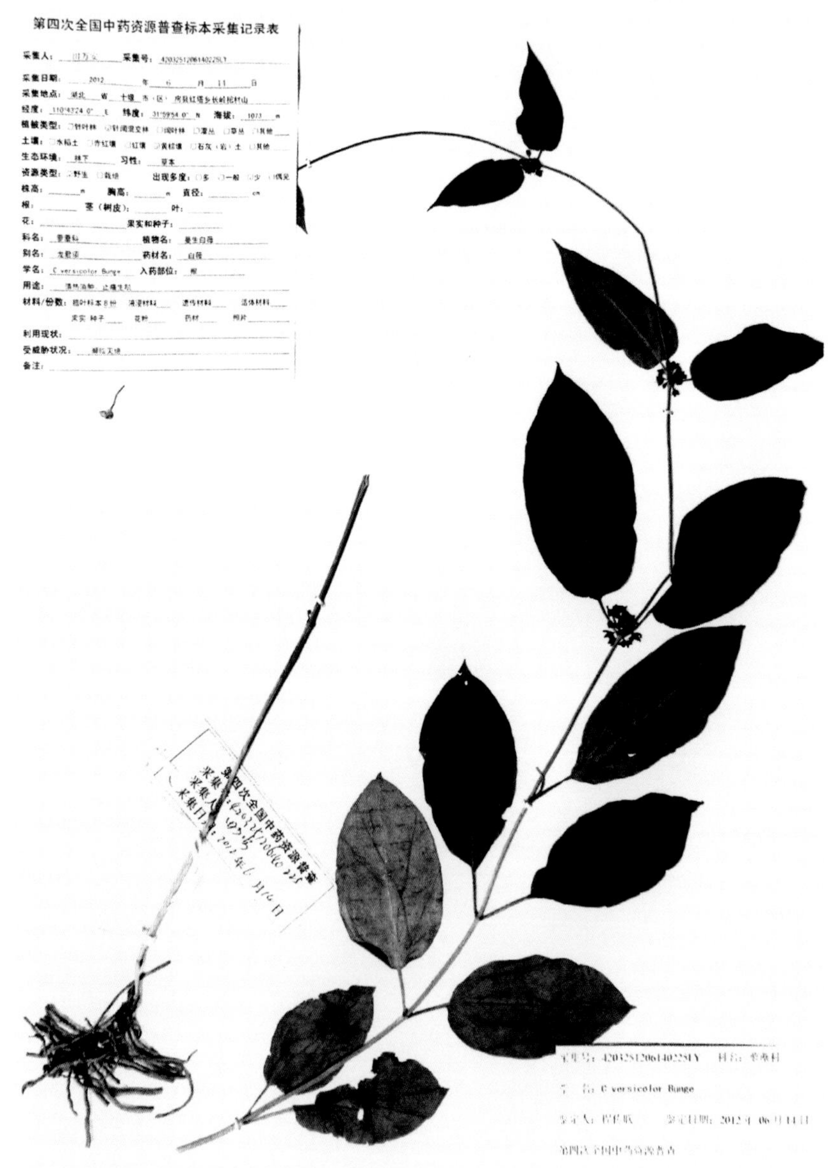

卵形或椭圆形，长 7 ～ 10 cm，宽 3 ～ 6 cm，先端锐尖，基部圆形或近心形，两面被黄色绒毛，边具绿毛；侧脉 6 ～ 8 对。伞形聚伞花序腋生，近无总花梗，着花 10 余；花序梗被绒毛，长仅 1 mm，稀达 10 mm；花萼外面被柔毛，内面基部 5 腺体极小，裂片狭披针形，渐尖；花冠初呈黄白色，渐变为黑紫色，枯干时呈暗褐色，钟状辐形；副花冠极低，比合蕊冠短，裂片三角形；花药近菱状四方形；花粉块每室 1，长圆形，下垂；柱头略凸起，先端不明显 2 裂。蓇葖果单生，宽披针形，长 5 cm，直径 1 cm，向端部渐尖；种子宽卵形，暗褐色，长 5 mm，宽 3 mm；种毛白色绢质，长 2 cm。花期 5 ～ 8 月，果期 7 ～ 9 月。

| 生境分布 | 生于海拔 100 ～ 500 m 的花岗岩石山上的灌丛中及溪流旁。分布于湖北五峰、恩施、利川、宣恩、神农架，以及荆门、武汉。

| 资源情况 | 药材来源于野生。

| 采收加工 | **根及根茎：**早春、晚秋均可采挖，除去地上部分，洗净，晒干。

| 功能主治 | **根及根茎：**解热利尿。用于肺结核阴虚劳热，浮肿，淋痛等。

萝藦科 Asclepiadaceae 鹅绒藤属 *Cynanchum*

隔山消 *Cynanchum wilfordii* (Maxim.) Hemsl.

| 药 材 名 |

隔山消。

| 形态特征 |

多年生草质藤本。肉质根近纺锤形，灰褐色，长约 10 cm，直径 2 cm；茎被单列毛。叶对生，薄纸质，卵形，长 5 ~ 6 cm，宽 2 ~ 4 cm，先端短渐尖，基部耳状心形，两面被微柔毛，干时叶面经常呈黑褐色，叶背淡绿色；基脉 3 ~ 4，放射状；侧脉 4 对。近伞房状聚伞花序半球形，着花 15 ~ 20；花序梗被单列毛，花长 2 mm，直径 5 mm；花萼外面被柔毛，裂片长圆形；花冠淡黄色，辐状，裂片长圆形，先端近钝形，外面无毛，内面被长柔毛；副花冠比合蕊柱短，裂片近四方形，先端截形，基部紧狭；花粉块每室 1，长圆形，下垂；花柱细长，柱头略凸起。蓇葖果单生，披针形，向端部长渐尖，基部紧狭，长 12 cm，直径 1 cm；种子暗褐色，卵形，长 7 mm；种毛白色绢质，长 2 cm。花期 5 ~ 9 月，果期 7 ~ 10 月。

| 生境分布 |

生于海拔 800 ~ 1 300 m 的山坡、山谷、灌丛中或路边草地。分布于湖北宣恩、五峰、

鹤峰、利川、恩施、巴东、兴山、神农架、罗田、红安、黄陂，以及宜昌、襄阳。

| 资源情况 | 药材来源于野生和栽培。

| 采收加工 | **根：**秋、冬季采挖，洗净，切片，晒干。

| 功能主治 | 补肝肾，强筋骨，健脾胃，解毒。用于肝肾两虚，头昏眼花，失眠健忘，须发早白，阳痿，遗精，腰膝酸软，脘腹胀满，食欲不振，泄泻，鱼口疮。

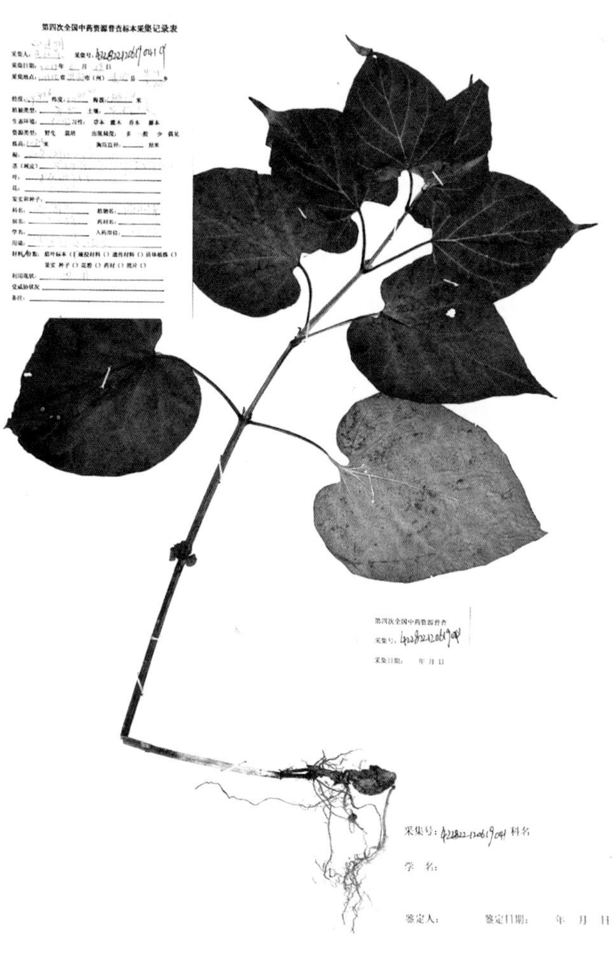

萝藦科 Asclepiadaceae 南山藤属 *Dregea*

苦绳 *Dregea sinensis* Hemsl.

| 药 材 名 |

苦绳。

| 形态特征 |

攀缘木质藤本。茎具皮孔，幼枝具褐色绒毛。叶纸质，卵状心形或近圆形，长 5 ~ 11 cm，宽 4 ~ 6 cm，叶面被短柔毛，老时渐脱落，叶背被绒毛；侧脉每边约 5；叶柄长 1.5 ~ 4 cm，被绒毛，先端具丛生小腺体。伞形聚伞花序腋生，着花多达 20；花萼裂片卵圆形至卵状长圆形，花萼内面基部有 5 腺体；花冠内面紫红色，外面白色，辐状，直径 1 ~ 1.6 cm，裂片卵圆形，长 6 ~ 7 mm，宽 4 ~ 6 mm，先端钝且有微凹，具缘毛；副花冠裂片肉质，肿胀，端部内角锐尖；花药先端具膜片；花粉块长圆形，直立；子房无毛，心皮离生，柱头圆锥状，基部五角形，先端 2 裂。蓇葖果狭披针形，长 5 ~ 6 cm，直径约 1 cm，外果皮具波纹，被短柔毛；种子扁平，卵状长圆形，长 9 mm，宽 5 mm，先端具白色绢质种毛；种毛长 2 cm。花期 4 ~ 8 月，果期 7 ~ 10 月。

| 生境分布 |

生于海拔 500 ~ 3 000 m 的山地疏林中或灌

丛中。分布于湖北利川、神农架、郧西、丹江口。

| 资源情况 | 药材来源于野生。

| 采收加工 | **全株：**阴天采收，阴干或风干，切勿暴晒。

| 功能主治 | 祛风除湿，止咳平喘，通乳，消肿止痛。用于四肢风湿痛，瘀血疼痛，咳嗽，哮喘，乳汁不通，外伤骨折疼痛，月经不调，赤白带下。

萝藦科 Asclepiadaceae 南山藤属 *Dregea*

贯筋藤 *Dregea sinensis* Hemsl. var. *corrugata* (Schneid.) Tsiang et P. T. Li

| 药材名 | 贯筋藤。

| 形态特征 | 攀缘木质藤本。茎具皮孔，幼枝具褐色绒毛。叶纸质，卵状心形或近圆形，长 5 ~ 11 cm，宽 4 ~ 6 cm，叶面被短柔毛，老时毛渐脱落，叶背被绒毛；侧脉每边约 5；叶柄长 1.5 ~ 4 cm，被绒毛，先端具丛生小腺体。伞形聚伞花序腋生，着花多达 20；花萼裂片卵圆形至卵状长圆形，花萼内面基部有 5 腺体；花冠内面紫红色，外面白色，辐状，直径 1 ~ 1.6 cm，裂片卵圆形，长 6 ~ 7 mm，宽 4 ~ 6 mm，先端钝而有微凹，具缘毛；副花冠裂片肉质，肿胀，端部内角锐尖；花药先端具膜片，花粉块长圆形，直立；子房被柔毛，心皮离生，柱头圆锥状，基部五角形，先端 2 裂。蓇葖果狭披针形，长 5 ~ 6 cm，

直径约 1 cm，外果皮具横凸起的皱褶片状，被短柔毛；种子扁平，卵状长圆形，长约 9 mm，宽约 5 mm，先端具白色绢质种毛，种毛长约 2 cm。花期 3 ~ 5 月，果期 7 ~ 12 月。

| 生境分布 | 生于山地灌丛中。分布于湖北西南部等。

| 资源情况 | 药材来源于野生。

| 采收加工 | **全株：**夏、秋季采收，切段，鲜用或晒干。

| 功能主治 | 祛风，利湿，通乳，活血解毒。用于风湿痹痛，黄疸，淋病，水肿，乳汁不下，痈肿疮疡，外伤骨折。

萝藦科 Asclepiadaceae 牛奶菜属 *Marsdenia*

牛奶菜 *Marsdenia sinensis* Hemsl.

| 药材名 | 牛奶菜。

| 形态特征 | 粗壮木质藤本，全株被绒毛。叶卵圆状心形，长 8 ~ 12 cm，宽 5 ~ 7.5 cm，先端短渐尖，基部心形，叶面被稀疏微毛，叶背被黄色绒毛；侧脉 5 ~ 6 对，弧形上升，到边缘网结；叶柄长约 2 cm，被黄色绒毛。伞形聚伞花序腋生，长 1 ~ 3 cm，着花 10 ~ 20；花序梗、花梗和花萼均被黄色绒毛；花萼内面基部有腺体 10 余；花冠白色或淡黄色，长约 5 mm，内面被绒毛；副花冠短，高仅有雄蕊之半；花药先端具卵圆形膜片；花粉块每室 1，直立，肾形；柱头基部圆锥状，先端 2 裂。蓇葖果纺锤状，向两端渐尖，长约 10 cm，直径 2.5 cm，外果皮被黄色绒毛；种子卵圆形，扁平，长约 5 mm；

种毛长约 4 cm。花期夏季，果期秋季。

| 生境分布 | 生于海拔 300 m 以下的山谷疏林中。分布于湖北宜昌。

| 资源情况 | 药材来源于野生。

| 采收加工 | **全株**：全年均可采收，洗净，切段，晒干。

| 功能主治 | 祛风湿，强筋骨，解蛇毒。用于风湿性关节炎，跌打扭伤，毒蛇咬伤。

萝藦科 Asclepiadaceae 萝藦属 *Metaplexis*

华萝藦 *Metaplexis hemsleyana* Oliv.

| 药材名 |

华萝藦。

| 形态特征 |

多年生草质藤本，长 5 m，具乳汁。枝条具单列短柔毛，节上更密，直径 3 mm。叶膜质，卵状心形，长 5 ~ 11 cm，宽 2.5 ~ 10 cm，先端急尖，基部心形，叶耳圆形，长 1 ~ 3 cm，展开，两面无毛，或叶背中脉上被微毛，老时脱落，叶面深绿色，叶背粉绿色；侧脉每边约 5，斜曲上升，叶缘前网结；具长叶柄，长 4.5 ~ 5 cm，先端具丛生小腺体。总状聚伞花序腋生，1 ~ 3 歧，着花 6 ~ 16；总花梗长 4 ~ 6 cm，被疏柔毛；花白色，芳香，长 5 mm，直径 9 ~ 12 mm；花蕾阔卵状，先端钝或圆形；花萼裂片卵状披针形至长圆状披针形，急尖，与花冠等长；花冠近辐状，花冠筒短，裂片宽长圆形，长约 5 mm，先端钝形，两面无毛；副花冠环状，着生于合蕊冠基部，5 深裂，裂片兜状；蓇葖果叉生，长圆形，长 7 ~ 8 cm，直径 2 cm，外果皮粗糙被微毛；种子宽长圆形，长 6 mm，宽 4 mm，有膜质边缘，先端具白色绢质种毛；种毛长 3 cm。花期 7 ~ 9 月，果期 9 ~ 12 月。

| 生境分布 | 生于山地林谷、路旁或山脚湿润地灌丛中。分布于湖北咸丰、宣恩、鹤峰、建始、巴东、五峰、神农架。

| 资源情况 | 药材来源于野生。

| 采收加工 | **全草或根及根茎：**夏、秋季采收，除去泥土，晒干。

| 功能主治 | 温肾益精。用于肾阳不足，畏寒肢冷，腰膝酸软，遗精阳痿，乳汁不足，宫冷不孕。

| 附　　注 | 叶外敷创伤，可消肿退红（巴东民间方）。

萝藦科 Asclepiadaceae 萝藦属 *Metaplexis*

萝藦 *Metaplexis japonica* (Thunb.) Makino

| 药材名 | 萝藦。

| 形态特征 | 多年生草质藤本，长达 8 m，具乳汁。茎圆柱状，下部木质化，上部较柔韧，表面淡绿色，有纵条纹，幼时密被短柔毛，老时脱落。叶膜质，卵状心形，长 5 ~ 12 cm，宽 4 ~ 7 cm，先端短渐尖，基部心形，叶耳圆，长 1 ~ 2 cm，两叶耳展开或紧接，叶面绿色，叶背粉绿色，两面无毛或幼时被微毛，老时脱落；侧脉每边 10 ~ 12，在叶背略明显；叶柄长 3 ~ 6 cm，先端具丛生腺体。总状聚伞花序腋生或腋外生，具总花梗；总花梗长 6 ~ 12 cm，被短柔毛，着花通常 13 ~ 15；小苞片膜质，披针形，先端渐尖；花蕾圆锥状，先端尖；花萼裂片披针形，外面被微毛；花冠白色，有淡

紫红色斑纹，近辐状，花冠筒短，花冠裂片披针形，张开，先端反折，基部向左覆盖，内面被柔毛；副花冠环状，着生于合蕊冠上，短 5 裂，裂片兜状；蓇葖果叉生，纺锤形，平滑无毛，先端急尖，基部膨大；种子扁平，卵圆形，长 5 mm，宽 3 mm，有膜质边缘，褐色，先端具白色绢质种毛。花期 7 ~ 8 月，果期 9 ~ 12 月。

| **生境分布** | 生于林边荒地、山脚、河边、路旁灌丛中。湖北宣恩有栽培。

| **资源情况** | 药材来源于野生和栽培。

| **采收加工** | **全草或根**：7 ~ 8 月采收全草，鲜用或晒干；夏、秋季采挖块根，洗净，晒干。

| **功能主治** | 补精益气，通乳，解毒。用于虚损劳伤，阳痿，遗精，带下，乳汁不足，丹毒，瘰疬，疔疮，蛇虫咬伤。

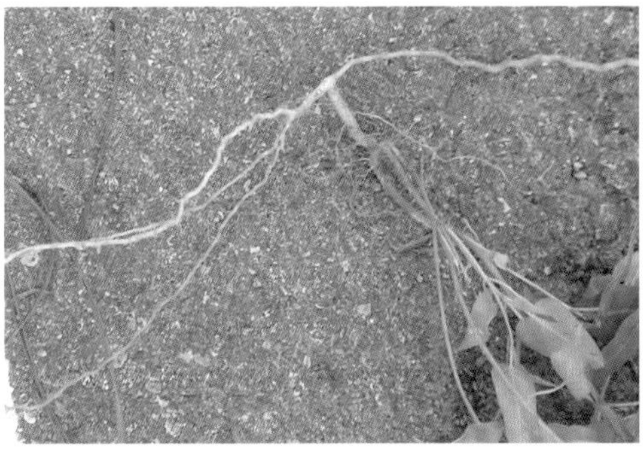

萝藦科 Asclepiadaceae 杠柳属 *Periploca*

青蛇藤 *Periploca calophylla* (Wight) Falc.

| 药 材 名 | 乌骚风。

| 形态特征 | 藤状灌木，具乳汁。幼枝灰白色，干时具纵条纹，老枝黄褐色，密被皮孔；除花外，全株无毛。叶近革质，椭圆状披针形，长 4.5 ~ 6 cm，宽 1.5 cm，先端渐尖，基部楔形，叶面深绿色，叶背淡绿色；中脉在叶面微凹，在叶背凸起，侧脉纤细，密生，两面扁平，叶缘具 1 边脉；叶柄长 1 ~ 2 mm。聚伞花序腋生，长 2 cm，着花 10；苞片卵圆形，具缘毛，长 1 mm；花蕾卵圆形，先端钝；花萼裂片卵圆形，长 1.5 mm，宽 1 mm，具缘毛，花萼内面基部有 5 小腺体；花冠深紫色，辐状，直径约 8 mm，外面无毛，内面被白色柔毛，花冠筒短，裂片长圆形，中间不加厚，不反折；副花冠环状，着生在花冠

的基部，5 ~ 10 裂，其中 5 裂延伸成丝状，被长柔毛；蓇葖果双生，长箸状，长 12 cm，直径 5 mm；种子长圆形，长 1.5 cm，宽 3 mm，黑褐色，先端具白色绢质种毛；种毛长 3 ~ 4 cm。花期 4 ~ 5 月，果期 8 ~ 9 月。

| **生境分布** | 生于海拔 700 m 以下的山地杂林或河溪旁。分布于湖北来凤、宣恩、鹤峰、利川、巴东、兴山、神农架。

| **资源情况** | 药材来源于野生。

| **采收加工** | **茎**：秋季采收，切段，晒干。

| **功能主治** | 祛风除湿，活血止痛。用于风寒湿痹，肢体麻木，腰痛，跌打损伤。

萝藦科 Asclepiadaceae 杠柳属 *Periploca*

黑龙骨 *Periploca forrestii* Schltr.

| 药 材 名 | 黑龙骨。

| 形态特征 | 藤状灌木，长达 10 m，具乳汁，多分枝，全株无毛。叶革质，披针形，长 3.5 ~ 7.5 cm，宽 5 ~ 10 mm，先端渐尖，基部楔形；中脉在两面略凸起，侧脉纤细，密生，几平行，两面扁平，在叶缘前联结成 1 边脉；叶柄长 1 ~ 2 mm。聚伞花序腋生，比叶短，着花 1 ~ 3；花序梗和花梗柔细；花小，直径约 5 mm，黄绿色；花萼裂片卵圆形或近圆形，长 1.5 mm，无毛；花冠近辐状，花冠筒短，裂片长圆形，长 2.5 mm，两面无毛，中间不加厚，不反折；副花冠丝状，被微毛；花粉器匙形，四合花粉藏在载粉器内；雄蕊着生于花冠基部，花丝背部与副花冠裂片合生，花药彼此黏生，包围并黏在柱头上；子房

无毛，心皮离生，胚珠多个，柱头圆锥状，基部具五棱。蓇葖果双生，长圆柱形，长达 11 cm，直径 5 mm；种子长圆形，扁平，先端具白色绢质种毛；种毛长 3 cm。花期 3 ~ 4 月，果期 6 ~ 7 月。

| **生境分布** | 生于海拔 2 000 m 以下的山地疏林向阳处或阴湿的杂木林下或灌丛中。湖北有分布。

| **资源情况** | 药材来源于野生。

| **采收加工** | **全株**：秋、冬季采收，洗净，切片或切段晒干。

| **功能主治** | 祛风除湿，活血消痈。用于风湿痹痛，闭经，乳痈，跌打损伤，骨折。

萝藦科 Asclepiadaceae 杠柳属 *Periploca*

杠柳 *Periploca sepium* Bunge

| 药材名 | 杠柳。

| 形态特征 | 落叶蔓性灌木，长可达 1.5 m。主根圆柱状，外皮灰棕色，内皮浅黄色。具乳汁，除花外，全株无毛。茎皮灰褐色；小枝通常对生，有细条纹，具皮孔。叶卵状长圆形，长 5 ~ 9 cm，宽 1.5 ~ 2.5 cm，先端渐尖，基部楔形，叶面深绿色，叶背淡绿色；中脉在叶面扁平，在叶背微凸起，侧脉纤细，两面扁平，每边 20 ~ 25；叶柄长约 3 mm。聚伞花序腋生，着花数朵；花序梗和花梗柔弱；花萼裂片卵圆形，长 3 mm，宽 2 mm，先端钝，花萼内面基部有 10 小腺体；花冠紫红色，辐状，张开直径 1.5 cm，花冠筒短，约长 3 mm，裂片长圆状披针形，长 8 mm，宽 4 mm，中间加厚呈纺锤形，反折，内

面被长柔毛，外面无毛；副花冠环状，10 裂，其中 5 裂延伸成丝状，被短柔毛，先端向内弯。蓇葖果 2，圆柱状，长 7 ~ 12 cm，直径约 5 mm，无毛，具有纵条纹；种子长圆形，长约 7 mm，宽约 1 mm，黑褐色，先端具白色绢质种毛；种毛长 3 cm。花期 5 ~ 6 月，果期 7 ~ 9 月。

| **生境分布** | 生于海拔 300 ~ 900 m 的干旱山坡、沟边、固定沙地、灌丛中、河边沙地、荒地、黄土丘陵、林缘、林中、路边、平原、山谷、田边、固定或半固定沙丘。分布于湖北神农架。

| **资源情况** | 药材来源于野生和栽培。

| **采收加工** | **根皮**：夏、秋季采挖根，除去须根，洗净，用木棒轻轻敲打，剥下根皮，晒干或炕干。栽培品种于栽种 4 ~ 5 年后采收。

| **功能主治** | 祛风湿，利水消肿，强心。用于风湿痹痛，水肿，小便不利，心力衰竭，阴囊水肿，皮肤、阴部瘙痒。

萝藦科 Asclepiadaceae 娃儿藤属 *Tylophora*

七层楼 *Tylophora floribunda* Miq.

| 药 材 名 | 七层楼。

| 形态特征 | 多年生缠绕藤本，具乳汁。根须状，黄白色；全株无毛。茎纤细，分枝多。叶卵状披针形，长 3 ~ 5 cm，宽 1 ~ 2.5 cm，先端渐尖或

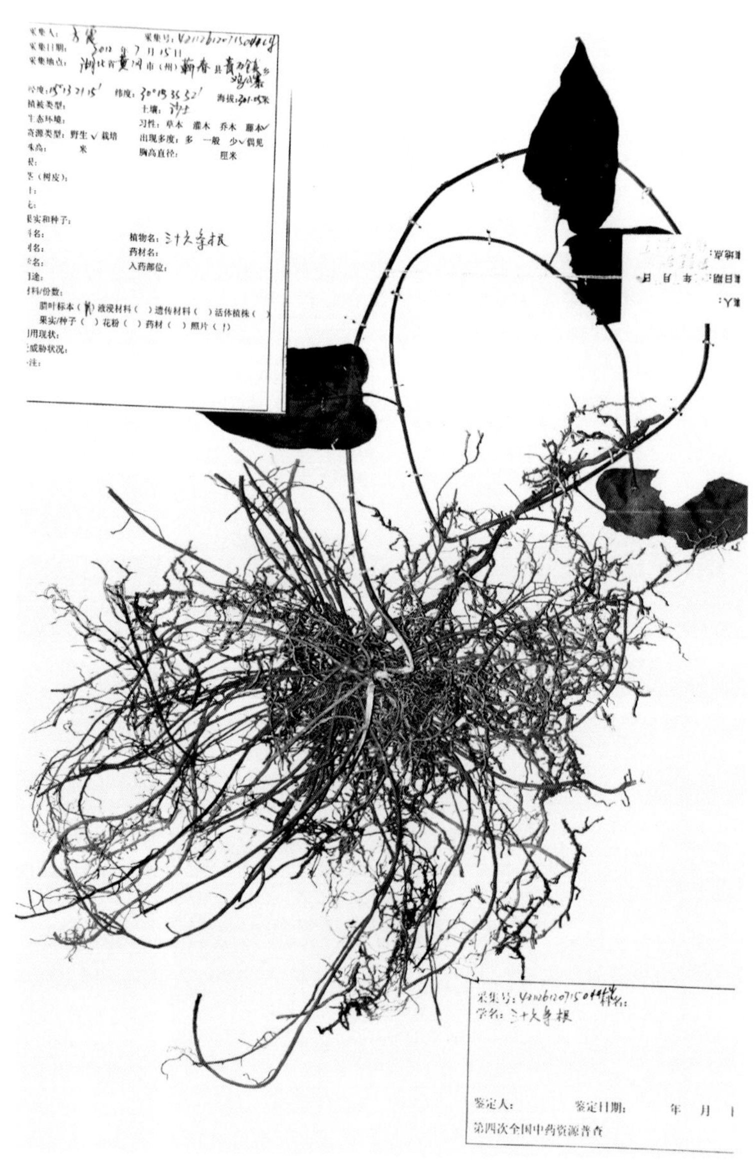

急尖，基部心形，叶面深绿色，叶背淡绿色，密被小乳头状凸起；侧脉每边 3 ~ 5，叶背凸起，明显；叶柄纤细，长约 5 mm。聚伞花序腋生或腋外生，比叶长；花序梗曲折；花淡紫红色，小，直径约 2 mm；花萼裂片长圆状披针形，花萼内面基部有 5 腺体；花冠辐状，裂片卵形；副花冠裂片卵形，贴生于合蕊冠基部，钝头，先端达花药的基部，花药菱状四方形，先端有圆形膜片；花粉块每室 1，近球状，平展；子房无毛；柱头盘状五角形，先端小凸起。蓇葖果双生，叉开度 180° ~ 200°，线状披针形，长 5 cm，直径 4 mm，无毛；种子近卵形，棕褐色，无毛，先端具白色绢质种毛；种毛长 2 cm。花期 5 ~ 9 月，果期 8 ~ 12 月。

| **生境分布** | 生于海拔 500 m 以下的阳光充足的灌丛中或疏林中。分布于湖北来凤、罗田，以及黄冈。

| **资源情况** | 药材来源于野生。

| **采收加工** | **根**：秋、冬季采挖，除去泥沙，洗净，晒干或鲜用。

| **功能主治** | 祛风化痰，活血止痛，解毒消肿。用于小儿惊风，风湿痹痛，咳喘痰多，白喉，跌打损伤，骨折，毒蛇咬伤，痈肿疮疖，赤眼，口腔炎，肝脾肿大。

| **附　　注** | 孕妇慎服。

萝藦科 Asclepiadaceae 娃儿藤属 *Tylophora*

娃儿藤 *Tylophora ovata* (Lindl.) Hook. ex Steud.

| 药材名 |

娃儿藤。

| 形态特征 |

攀缘灌木。须根丛生；茎上部缠绕。茎、叶柄、叶的两面、花序梗、花梗及花萼外面均被锈黄色柔毛。叶卵形，长 2.5 ~ 6 cm，宽 2 ~ 5.5 cm，先端急尖，具细尖头，基部浅心形；侧脉明显，每边约 4。聚伞花序伞房状，丛生于叶腋，通常不规则 2 歧，着花多朵；花小，淡黄色或黄绿色，直径约 5 mm；花萼裂片卵形，有缘毛，内面基部无腺体；花冠辐状，裂片长圆状披针形，两面微被毛；副花冠裂片卵形，贴生于合蕊冠上，背部肉质隆肿，先端高达花药的一半；花药先端有圆形薄膜片，内弯向柱头，花粉块每室 1，圆球状，平展；子房由 2 离生心皮组成，无毛，柱头五角状，先端扁平。蓇葖果双生，圆柱状披针形，长 4 ~ 7 cm，直径 0.7 ~ 1.2 cm，无毛；种子卵形，长约 7 mm，先端截形，具白色绢质种毛，种毛长约 3 cm。花期 4 ~ 8 月，果期 8 ~ 12 月。

| 生境分布 |

生于海拔 900 m 以下的山地灌丛中及山谷或

向阳疏密杂木林中。湖北有分布。

| 资源情况 | 药材来源于野生。

| 采收加工 | **根：**冬季挖取，抖尽泥沙，晒干。

| 功能主治 | 祛风湿，化痰止咳，散瘀止痛，解蛇毒。用于风湿痹痛，咳喘痰多，跌打肿痛，毒蛇咬伤。

萝藦科 Asclepiadaceae 娃儿藤属 *Tylophora*

贵州娃儿藤 *Tylophora silvestris* Tsiang

| 药 材 名 | 贵州娃儿藤。

| 形态特征 | 攀缘灌木。茎灰褐色；节间长 8 ~ 9 cm。叶近革质，长圆状披针形，长 5 ~ 7.5 cm，宽 10 ~ 12 mm，先端急尖，基部圆形，叶片除叶面的中脉及基部的边缘外无毛；基脉 3，侧脉每边 1 ~ 2，网脉不明显，边缘外卷；叶柄长 5 mm，被微毛。聚伞花序假伞形，腋生，比叶短，不规则两歧，着花 10 余；花蕾卵圆状；花紫色；花萼 5 深裂，内面基部具 5 腺体；花冠辐状，花冠筒长 0.5 mm，直径 1 mm，裂片卵形，钝头，长 2.5 mm，宽 2 mm，向右覆盖；副花冠裂片卵形，肉质肿胀；花药侧向紧压，药隔加厚，先端有 1 圆形白色膜片；花粉块每室 1，圆球状，平展，花粉块柄上升，着粉腺近菱形；子房

无毛；柱头盘状五角形。蓇葖果披针形，长 7 cm，直径 0.5 cm；种子先端具白色绢质种毛。花期 3 ~ 5 月，果期 5 月以后。

| 生境分布 | 生于海拔 500 m 以下的山地密林中及路旁旷野地。分布于湖北西南部。

| 功能主治 | 祛风化痰，解毒散瘀。用于小儿惊风，中暑腹痛，哮喘痰咳，咽喉肿痛，胃痛，牙痛，风湿疼痛，跌打损伤。

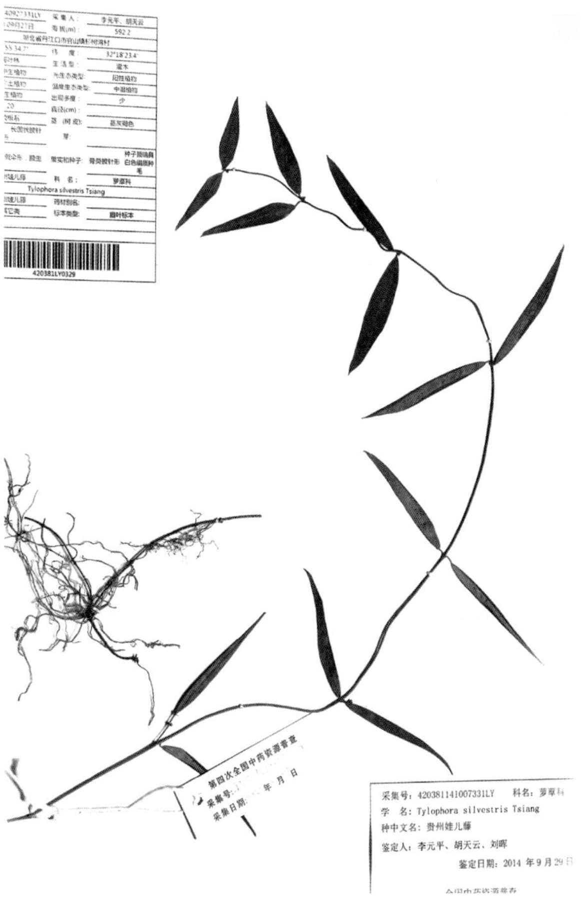

萝藦科 Asclepiadaceae 娃儿藤属 *Tylophora*

云南娃儿藤 *Tylophora yunnanensis* Schltr.

| 药 材 名 | 云南娃儿藤。

| 形态特征 | 直立半灌木。高约 50 cm。须根丛生；地上茎不分枝，极少分枝；茎被短柔毛，节间长 3.5 ~ 6.5 cm，先端缠绕状。叶纸质，卵状椭圆形，长 3 ~ 7.5 cm，宽 1.5 ~ 3.5 cm，先端钝，具小尖头，基部圆形，稀楔形，叶面几无毛，叶背微被毛；叶脉在叶面扁平，在叶背凸起，侧脉每边约 4；叶柄长 3 ~ 6 mm，被短柔毛。聚伞花序腋生，长约 5 cm，直径约 2 cm，着花多朵；花梗纤细，丝状；花小，紫红色；花萼 5 深裂，裂片披针形，外面微被毛，内面基部腺体 2 齿裂；花冠辐状，裂片长圆形，具缘毛，内面具疏长柔毛；副花冠裂片隆肿，卵圆状，贴生于合蕊冠上；花粉块每室 1，长圆状，平展；子房由 2

离生心皮组成，无毛，柱头先端扁平。蓇葖果双生，披针形，长 4 ~ 5.5 cm，直径 7 mm，先端渐尖，无毛；种子先端具黄白色种毛，种毛长约 2.5 cm。花期 5 ~ 8 月，果期 8 ~ 11 月。

| **生境分布** | 生于海拔 2 000 m 以下的山坡、向阳旷野及草地上。湖北有分布。

| **资源情况** | 药材来源于野生。

| **采收加工** | **根：**秋、冬季采挖，洗净，晒干。

| **功能主治** | 舒筋通络，活血止痛。用于风湿骨痛，肝炎，胃溃疡，小儿麻痹后遗症，跌打损伤。

旋花科 Convolvulaceae 心萼薯属 *Aniseia*

心萼薯 *Aniseia biflora* (L.) Choisy

| 药材名 | 心萼薯。

| 形态特征 | 攀缘或缠绕草本。茎细长，有细棱，被灰白色倒向硬毛。叶心形或心状三角形，长 4 ~ 9.5 cm，宽 3 ~ 7 cm，先端渐尖，基部心形，两面被长硬毛，侧脉凸起，第 3 次脉近平行，细弱；叶柄长 1.5 ~ 8 cm，毛被同茎。花序腋生，短于叶柄，花序梗长 3 ~ 15 mm，或有时更短则花梗近簇生，毛被同叶柄，通常着生 2 花，有时 1 或 3；苞片小，线状披针形，被疏长硬毛；花梗纤细，长 8 ~ 15 mm，毛被同叶柄；萼片 5；花冠白色，狭钟状；瓣中带被短柔毛；雄蕊 5，内藏，花丝向基部渐扩大，花药卵状三角形，基部箭形；子房圆锥状，无毛，花柱棒状，柱头头状，2 浅裂。蒴果近球形，直径约 9 mm，

果瓣内面光亮；种子 4，卵状三棱形，被微毛或被短绒毛，沿两边有时被白色长绵毛。

| **生境分布** | 生于海拔 150 ~ 1 800 m 的山坡、山谷、路旁或林下。湖北有分布。

| **采收加工** | **茎叶、种子：**秋末冬初采收，洗净，鲜用。

| **功能主治** | 清热解毒，消疳去积。茎叶用于感冒，蛇咬伤，疳积；种子用于跌打损伤，蛇咬伤。

旋花科 Convolvulaceae 打碗花属 *Calystegia*

打碗花 *Calystegia hederacea* Wall. ex. Roxb.

| 药 材 名 | 打碗花。

| 形态特征 | 一年生草本，全体不被毛。植株通常矮小，常自基部分枝，具细长白色的根。茎细，平卧，有细棱。基部叶片长圆形，先端圆，基部戟形，上部叶片 3 裂，中裂片长圆形或长圆状披针形，侧裂片近三角形，叶片基部心形或戟形。花腋生，花梗长于叶柄，苞片宽卵形；萼片长圆形，先端钝，具小短尖头，内萼片稍短；花冠淡紫色或淡红色，钟状，冠檐近截形或微裂；雄蕊近等长，花丝基部扩大，贴生花冠管基部，被小鳞毛；子房无毛，柱头 2 裂，裂片长圆形，扁平。蒴果卵球形，宿存萼片与之近等长或稍短于蒴果；种子黑褐色，表面有小疣。

| 生境分布 | 生于田间、路旁、荒山、林缘、河边、沙地草原。湖北有分布。

| 资源情况 | 野生资源丰富。

| 采收加工 | **根茎：**秋季采挖，洗净，晒干或鲜用。

花：夏、秋季采收，鲜用。

| 功能主治 | **根茎：**健脾益气，利尿，调经，止带。用于脾虚消化不良，月经不调，带下，乳汁稀少。

花：止痛。外用于牙痛。

旋花科 Convolvulaceae 打碗花属 *Calystegia*

旋花 *Calystegia sepium* (L.) R. Br.

| 药材名 | 旋花。

| 形态特征 | 多年生草本，全体不被毛。茎缠绕，伸长，有细棱。叶形多变，三角状卵形或宽卵形，长 4 ~ 10（~ 15）cm 以上，宽 2 ~ 6（~ 10）cm 或更宽，先端渐尖或锐尖，基部戟形或心形，全缘或基部稍伸展为具 2 ~ 3 大齿缺的裂片；叶柄常短于叶片或两者近等长。花 1，腋生；花梗通常稍长于叶柄，长达 10 cm，有细棱或有时具狭翅；苞片宽卵形，长 1.5 ~ 2.3 cm，先端锐尖；萼片卵形，长 1.2 ~ 1.6 cm，先端渐尖或有时锐尖；花冠通常白色或有时淡红色或紫色，漏斗状，长 5 ~ 6（~ 7）cm，冠檐微裂；雄蕊花丝基部扩大，被小鳞毛；子房无毛，柱头 2 裂，裂片卵形，扁平。蒴果卵形，长约 1 cm，为

增大宿存的苞片和萼片所包；种子黑褐色，长 4 mm，表面有小疣。

| **生境分布** | 生于海拔 140 ~ 2 600 m 的路旁、溪边草丛、农田边或山坡林缘。湖北有分布。

| **资源情况** | 野生资源较少。

| **采收加工** | **全草或根茎**：夏、秋季连根茎采收，洗净，晒干。

| **功能主治** | 降血压，利尿，接骨生肌。用于高血压，小便不利；外用于骨折，创伤，丹毒。

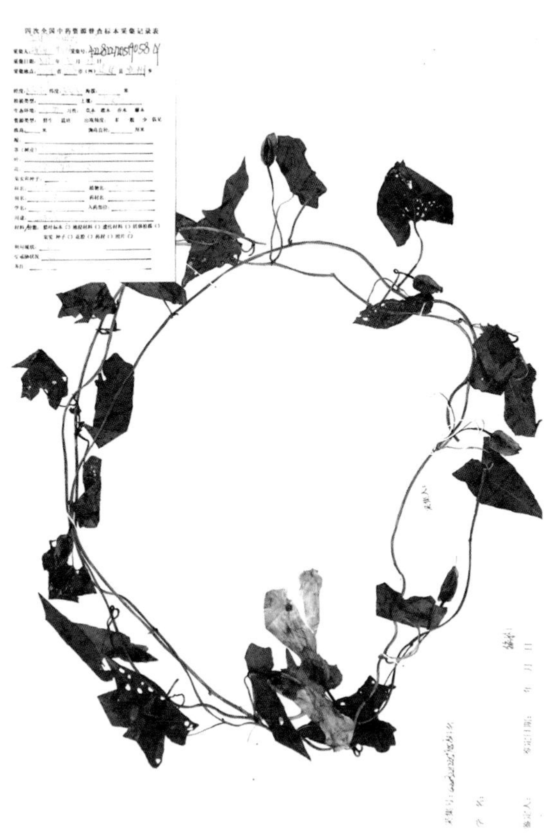

旋花科 Convolvulaceae 旋花属 *Convolvulus*

田旋花 *Convolvulus arvensis* L.

| 药 材 名 |

田旋花。

| 形态特征 |

多年生草质藤本，近无毛。根茎横走。茎平卧或缠绕，有棱。叶柄长 1 ~ 2 cm；叶片戟形或箭形，长 2.5 ~ 6 cm，宽 1 ~ 3.5 cm，全缘或 3 裂，先端近圆或微尖，有小突尖头；中裂片卵状椭圆形、狭三角形、披针状椭圆形或线形；侧裂片开展或呈耳形。花 1 ~ 3 腋生；花梗细弱；苞片线性，与花萼远离；萼片倒卵状圆形，无毛或被疏毛；边缘膜质；花冠漏斗形，粉红色、白色，长约 2 cm，外面有柔毛，褶上无毛，有不明显的 5 浅裂；雄蕊的花丝基部肿大，有小鳞毛；子房 2 室，有毛，柱头 2，狭长。蒴果球形或圆锥状，无毛；种子椭圆形，无毛。花期 5 ~ 8 月，果期 7 ~ 9 月。

| 生境分布 |

生于耕地及荒坡草地、村边路旁。湖北有分布。

| **资源情况** | 野生资源一般。

| **采收加工** | **全草**：夏、秋季采收，洗净，鲜用或切段晒干。

花：6 ~ 8 月开花时采摘，鲜用或晾干。

| **功能主治** | 祛风止痒，止痛。用于风湿痹痛，牙痛，神经性皮炎等。

旋花科 Convolvulaceae 菟丝子属 *Cuscuta*

南方菟丝子 *Cuscuta australis* R. Br.

| 药 材 名 | 菟丝子。

| 形态特征 | 一年生寄生草本。茎缠绕，金黄色，纤细，直径 1 mm 左右，无叶。花序侧生，少花或多花簇生成小伞形或小团伞花序，总花序梗近无；苞片及小苞片均小，鳞片状；花梗稍粗壮，长 1 ~ 2.5 mm；花萼杯状，基部连合，裂片 3 ~ 4（~ 5），长圆形或近圆形，通常不等大，长 0.8 ~ 1.8 mm，先端圆；花冠乳白色或淡黄色，杯状，长约 2 mm，裂片卵形或长圆形，先端圆，约与花冠管近等长，直立，宿存；雄蕊着生于花冠裂片弯缺处，比花冠裂片稍短；鳞片小，边缘短流苏状；子房扁球形，花柱 2，等长或稍不等长，柱头球形。蒴果扁球形，直径 3 ~ 4 mm，下半部被宿存花冠所包，成熟时不规

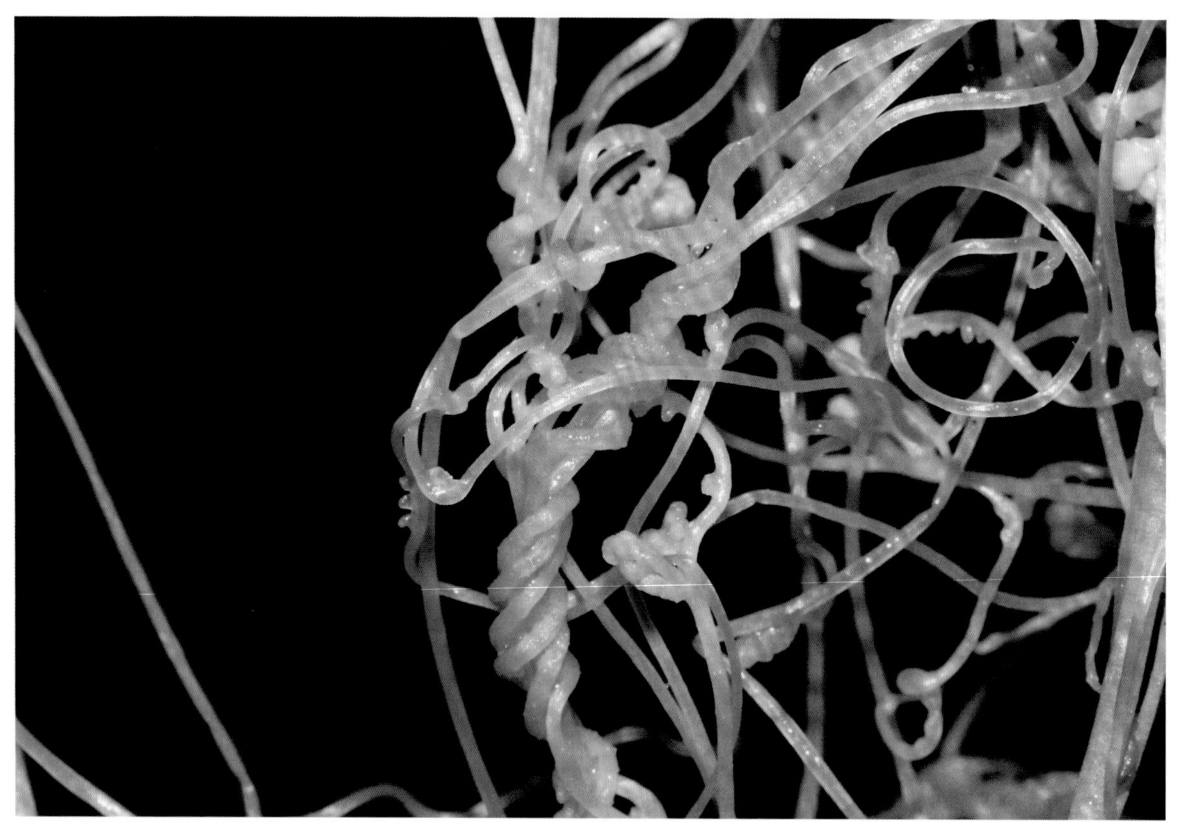

则开裂，不为周裂。通常有 4 种子，淡褐色，卵形，长约 1.5 mm，表面粗糙。

| 生境分布 | 寄生于海拔 50 ~ 2 000 m 的田边、路旁的豆科、菊科、马鞭草科等草本或小灌木上。分布于湖北利川、建始。

| 资源情况 | 野生资源一般。

| 采收加工 | **成熟种子：**秋季果实成熟时采收植株，晒干，打下种子，除去杂质。

| 功能主治 | 用于肾虚腰痛，阳痿遗精，尿频，宫冷不孕，目暗便溏。

旋花科 Convolvulaceae 菟丝子属 *Cuscuta*

菟丝子 *Cuscuta chinensis* Lam.

| 药 材 名 | 菟丝子。

| 形态特征 | 一年生寄生草本。茎缠绕，黄色，纤细，直径约 1 mm，无叶。花序侧生，少花或多花簇生成小伞形或小团伞花序，近无总花序梗；苞片及小苞片小，鳞片状；花梗稍粗壮，长仅 1 mm 许；花萼杯状，中部以下连合，裂片三角状，长约 1.5 mm，先端钝；花冠白色，壶形，长约 3 mm，裂片三角状卵形，先端锐尖或钝，向外反折，宿存；雄蕊着生于花冠裂片弯缺微下处；鳞片长圆形，边缘长流苏状；子房近球形，花柱 2，等长或不等长，柱头球形。蒴果球形，直径约 3 mm，几乎全被宿存的花冠包围，成熟时整齐的周裂；种子 2 ~ 4，淡褐色，卵形，长约 1 mm，表面粗糙。

| 生境分布 | 寄生于海拔 200 ～ 3 000 m 的田边、山坡阳处、路边灌丛的豆科、菊科、蒺藜科等多种植物上。湖北有分布。

| 采收加工 | **成熟种子：**秋季果实成熟时采收植株，晒干，打下种子，除去杂质。

| 功能主治 | 补益肝肾，固精缩尿，安胎，明目，止泻。用于肝肾不足，腰膝酸软，阳痿遗精，遗尿尿频，肾虚胎漏，胎动不安，目昏耳鸣，脾肾虚泻；外用于白癜风。

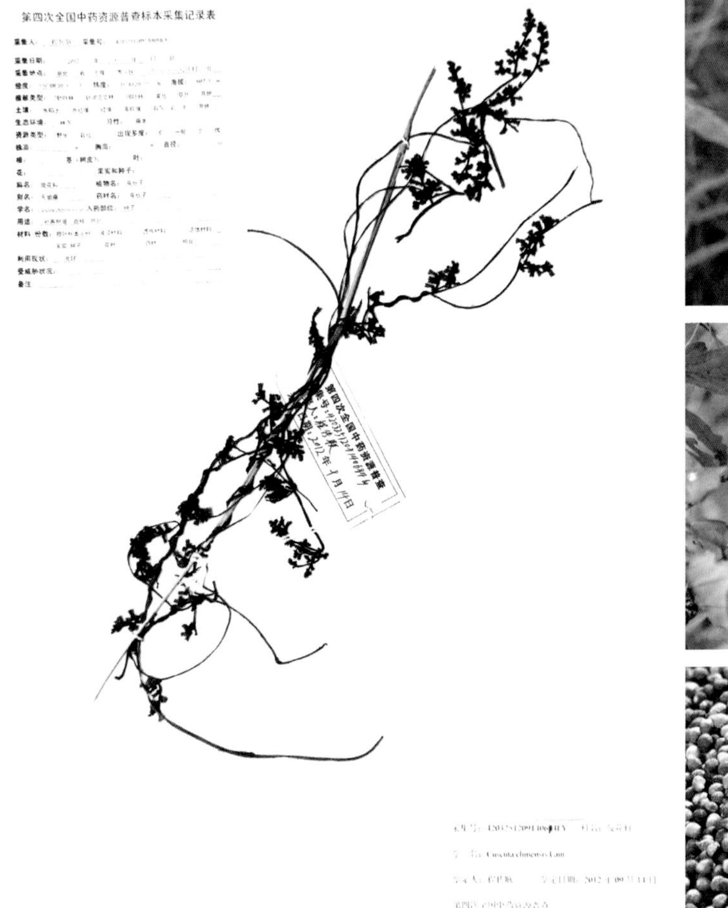

旋花科 Convolvulaceae 菟丝子属 *Cuscuta*

金灯藤 *Cuscuta japonica* Choisy

| 药 材 名 | 金灯藤。

| 形态特征 | 一年生寄生缠绕草本。茎较粗壮，肉质，直径 1 ~ 2 mm，黄色，常带紫红色瘤状斑点，无毛，多分枝，无叶。花无梗或几无梗，形成穗状花序，长达 3 cm，基部常多分枝；苞片及小苞片鳞片状，卵圆形，长约 2 mm，先端尖，全缘，沿背部增厚；花萼碗状，肉质，长约 2 mm，5 裂几达基部，裂片卵圆形或近圆形，相等或不相等，先端尖，背面常有紫红色瘤状突起；花冠钟状，淡红色或绿白色，长 3 ~ 5 mm，先端 5 浅裂，裂片卵状三角形，钝，直立或稍反折，比花冠筒短 2 ~ 2.5 倍；雄蕊 5，着生于花冠喉部裂片之间，花药卵圆形，黄色，花丝无或几无；鳞片 5，长圆形，边缘流苏状，着生于花冠

筒基部，伸长至花冠筒中部或中部以上；子房球状，平滑，无毛，2 室，花柱细长，合生为 1，与子房等长或稍长，柱头 2 裂。蒴果卵圆形，长约 5 mm，近基部周裂；种子 1 ~ 2，光滑，长 2 ~ 2.5 mm，褐色。花期 8 月，果期 9 月。

| 生境分布 | 寄生于草本或灌木上。湖北有分布。

| 资源情况 | 野生资源一般。

| 采收加工 | **全草**：夏季，秋季采收，晒干。

| 功能主治 | 益精，壮阳，止泻。用于肾虚腰痛，阳痿遗精，尿频，宫冷不孕，目暗便溏。

旋花科 Convolvulaceae 马蹄金属 *Dichondra*

马蹄金 *Dichondra repens* Forst.

| 药材名 | 马蹄金。

| 形态特征 | 多年生匍匐小草本。茎细长，被灰色短柔毛，节上生根。叶肾形至圆形，直径 4 ~ 25 mm，先端宽圆形或微缺，基部阔心形，叶面微被毛，背面被贴生短柔毛，全缘；具长的叶柄，叶柄长（1.5 ~ ）3 ~ 5（ ~ 6）cm。花单生叶腋，花梗短于叶柄，丝状；萼片倒卵状长圆形至匙形，钝，长 2 ~ 3 mm，背面及边缘被毛；花冠钟状，较短至稍长于花萼，黄色，5 深裂，裂片长圆状披针形，无毛；雄蕊 5，着生于花冠 2 裂片间弯缺处，花丝短，等长；子房被疏柔毛，2 室，具 4 胚珠，花柱 2，柱头头状。蒴果近球形，小，短于花萼，直径约 1.5 mm，膜质；种子 1 ~ 2，黄色至褐色，无毛。

| 生境分布 | 生于海拔 1 300 ～ 1 980 m 的疏林下、林缘、山坡、路边、河岸及阴湿草地上。分布于湖北武昌、宣恩。

| 资源情况 | 野生资源较少。

| 采收加工 | **全草**：夏、秋季采挖，晒干。

| 功能主治 | 清热利湿，解毒消肿。用于黄疸，痢疾，砂淋，白浊，水肿，疔疮肿毒，跌打损伤，毒蛇咬伤。

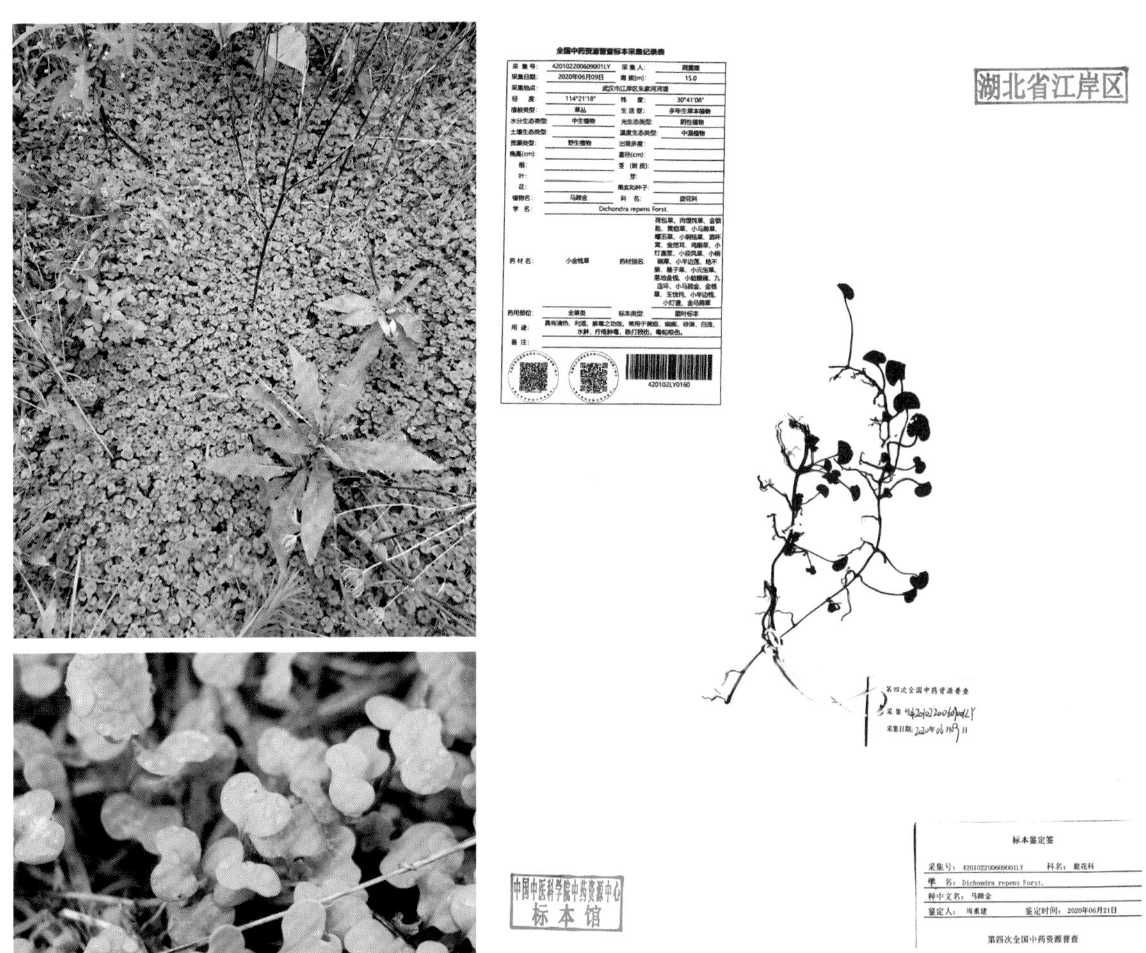

旋花科 Convolvulaceae 土丁桂属 *Evolvulus*

土丁桂 *Evolvulus alsinoides* (L.) L.

| 药材名 | 土丁桂。

| 形态特征 | 多年生草本。茎少数至多数，平卧或上升，细长，具贴生的柔毛。叶长圆形，椭圆形或匙形，长 15 ~ 25 mm，宽 5 ~ 9 mm，先端钝及具小短尖，基部圆形或渐狭，两面或多或少被贴生疏柔毛，或有时上面少毛至无毛，中脉在下面明显，在上面不显，侧脉两面均不显；叶柄短至近无柄。总花梗丝状，较叶短或较叶长，长 2.5 ~ 3.5 cm，被贴生毛；花单 1 或数朵组成聚伞花序，花梗与萼片等长或通常较萼片长；苞片线状钻形至线状披针形，长 1.5 ~ 4 mm；萼片披针形，锐尖或渐尖，长 3 ~ 4 mm，被长柔毛；花冠辐状，直径 7 ~ 8 mm，蓝色或白色；雄蕊 5，内藏，花丝丝状，长约 4 mm，贴生于花冠管

基部；花药长圆状卵形，先端渐尖，基部钝，长约 1.5 mm；子房无毛；花柱 2，每 1 花柱 2 尖裂，柱头圆柱形，先端稍棒状。蒴果球形，无毛，直径 3.5 ～ 4 mm，4 瓣裂；种子 4 或较少，黑色，平滑。花期 5 ～ 9 月。

| 生境分布 | 生于海拔 300 ～ 1 800 m 的草坡、灌丛及路边。分布于湖北武昌、阳新、通山，以及鄂州、咸宁、随州。

| 采收加工 | 夏、秋季采收，洗净，鲜用或晒干。

| 功能主治 | 养胃健脾，清热，利湿。用于黄疸，痢疾，淋浊，带下，疔肿，疥疮。

旋花科 Convolvulaceae 番薯属 *Ipomoea*

蕹菜 *Ipomoea aquatica* Forsk.

| 药 材 名 | 蕹菜。

| 形态特征 | 一年生草本，蔓生。茎圆柱形，节明显，节上生根，节间中空，无毛。单叶互生；叶柄长 3 ~ 14 cm，无毛；叶片形状大小不一，卵形、长卵形、长卵状披针形或披针形，长 3.5 ~ 17 cm，宽 0.9 ~ 8.5 cm，先端锐尖或渐尖，具小尖头，基部心形，戟形或箭形，全缘或波状，偶有少数粗齿，两面近无毛。聚伞花序腋生，花序梗长 1.5 ~ 9 cm，有 1 ~ 5 花；苞片小鳞片状；花萼 5 裂，近等长，卵形，花冠白色、淡红色或紫红色，漏斗状，长 3.5 ~ 5 cm；雄蕊 5，不等长，花丝基部被毛；子房圆锥形，无毛，柱头头状，浅裂。蒴果卵圆形至球形，无毛；种子 2 ~ 4，多密被短柔毛。花期夏、秋季。

| 生境分布 | 生于气候温暖湿润、土壤肥沃多湿的地方或水沟、水田中。湖北有栽培。

| 采收加工 | **全草**：夏、秋季采收，鲜用或晒干。

根：秋季采挖，洗净，鲜用或晒干。

| 功能主治 | **全草**：清热解毒，利尿，止血。用于食物中毒，小便不利，尿血，鼻衄，咯血；外用于疮疡肿毒。

根：用于带下，虚淋，龋齿痛。

旋花科 Convolvulaceae 番薯属 *Ipomoea*

番薯 *Ipomoea batatas* (L.) Lam.

| 药材名 | 番薯。

| 形态特征 | 多年生蔓状草质藤本。秃净或稍被毛，有乳汁。块根白色、黄色、红色或有紫斑。叶卵形至矩圆状卵形，长 6 ~ 14 cm，先端渐尖，基部截头形至心形，近全缘，有角或缺刻，有时指状深裂。聚伞花序腋生，花数朵生于一粗壮的花序梗上；花萼深裂，淡绿色，长约 1 cm，先端钝，但有小锐尖；花冠漏斗状，长 4 ~ 5 cm，5 短裂，紫红色或白色；雄蕊 5；子房 2 室。蒴果通常少见。

| 生境分布 | 湖北有栽培。

| 采收加工 | **根茎：**冬季采挖，洗净，除去须根，鲜用或切片晒干。

| 功能主治 | 补中和血，益气生津，宽肠胃，通便秘。用于脾虚水肿，便泄，疮疡肿毒，大便秘结。

旋花科 Convolvulaceae 番薯属 *Ipomoea*

牵牛 *Ipomoea nil* (Linnaeus) Roth

| 药材名 | 牵牛子。

| 形态特征 | 一年生缠绕草本。茎上被倒向的短柔毛及杂有倒向或开展的长硬毛。叶宽卵形或近圆形，3 深或浅裂，偶 5 裂，长 4 ~ 15 cm，宽 4.5 ~ 14 cm，基部圆，心形，中裂片长圆形或卵圆形，渐尖或骤尖，侧裂片较短，三角形，裂口锐或圆，叶面或疏或密被微硬的柔毛；叶柄长 2 ~ 15 cm，毛被同茎。花腋生，单一或通常 2 花着生于花序梗先端，花序梗长短不一，长 1.5 ~ 18.5 cm，通常短于叶柄，有时较长，毛被同茎；苞片线形或叶状，被开展的微硬毛；花梗长 2 ~ 7 mm；小苞片线形；萼片近等长，长 2 ~ 2.5 cm，披针状线形，内面 2 萼片稍狭，外面被开展的刚毛，基部更密，有时也杂有短柔

毛；花冠漏斗状，长 5 ~ 8（~ 10）cm，蓝紫色或紫红色，花冠管色淡；雄蕊及花柱内藏；雄蕊不等长；花丝基部被柔毛；子房无毛，柱头头状。蒴果近球形，直径 0.8 ~ 1.3 cm，3 瓣裂；种子卵状三棱形，长约 6 mm，黑褐色或米黄色，被褐色短绒毛。

| 生境分布 | 生于海拔 100 ~ 1 600 m 的山坡灌丛、干燥河谷路边、园边宅旁、山地路边。湖北有分布。

| 资源情况 | 野生资源较丰富。

| 采收加工 | **种子：**秋末果实成熟、果壳未开裂时采割植株，晒干，打下种子，除去杂质。

| 功能主治 | 泻水通便，消痰涤饮，杀虫攻积。用于水肿胀满，二便不通，痰饮积聚，气逆喘咳，虫积腹痛，蛔虫病，绦虫病。

旋花科 Convolvulaceae 番薯属 *Ipomoea*

三裂叶薯 *Ipomoea triloba* L.

| 药材名 | 三裂叶薯。

| 形态特征 | 草本。茎缠绕或有时平卧，无毛或散生毛，且主要在节上。叶宽卵形至圆形，长 2.5 ~ 7 cm，宽 2 ~ 6 cm，全缘或有粗齿或 3 深裂，基部心形，两面无毛或散生疏柔毛；叶柄长 2.5 ~ 6 cm，无毛或有时有小疣。花序腋生，花序梗短于或长于叶柄，长 2.5 ~ 5.5 cm，较叶柄粗壮，无毛，明显有棱角，先端具小疣，1 花或少花至数朵花组成伞形聚伞花序；花梗多少具棱，有小瘤突，无毛，长 5 ~ 7 mm；苞片小，披针状长圆形；萼片近相等或稍不等，长 5 ~ 8 mm，外萼片稍短或近等长，长圆形，钝或锐尖，具小短尖头，背部散生疏柔毛，边缘明显有缘毛，内萼片有时稍宽，椭圆状长圆形，锐尖，

具小短尖头，无毛或散生毛；花冠漏斗状，长约 1.5 cm，无毛，淡红色或淡紫红色，冠檐裂片短而钝，有小短尖头；雄蕊内藏，花丝基部有毛；子房有毛。蒴果近球形，高 5 ~ 6 mm，具花柱基形成的细尖，被细刚毛，2 室，4 瓣裂；种子 4 或较少，长 3.5 mm，无毛。

| **生境分布** | 生于丘陵路旁、荒草地或田野。湖北有分布。

| **功能主治** | 祛风止痛。用于头痛，胃痛。

旋花科 Convolvulaceae 鱼黄草属 *Merremia*

篱栏网 *Merremia hederacea* (Burm. f.) Hallier f.

| 药 材 名 | 篱栏网。

| 形态特征 | 缠绕或匍匐草本，匍匐时下部茎上生须根。茎细长，有细棱，无毛或疏生长硬毛，有时仅于节上有毛，有时散生小疣状突起。叶心状卵形，长 1.5 ~ 7.5 cm，宽 1 ~ 5 cm，先端钝，渐尖或长渐尖，具小短尖头，基部心形或深凹，全缘或通常具不规则的粗齿或锐裂齿，有时为深裂或 3 浅裂，两面近无毛或疏生微柔毛；叶柄细长，长 1 ~ 5 cm，无毛或被短柔毛，具小疣状突起。聚伞花序腋生，有 3 ~ 5 花，有时更多或偶为单生，花序梗比叶柄粗，长 0.8 ~ 5 cm，第 1 次分枝为二歧聚伞式，以后为单歧式；花梗长 2 ~ 5 mm，连同花序梗均具小疣状突起；小苞片早落；萼片宽倒卵状匙形，或近长

方形，外方 2 萼片长 3.5 mm，内方 3 萼片长 5 mm，无毛，先端截形，明显具外倾的凸尖；花冠黄色，钟状，长 0.8 cm，外面无毛，内面近基部具长柔毛；雄蕊与花冠近等长，花丝下部扩大，疏生长柔毛；子房球形，花柱与花冠近等长，柱头球形。蒴果扁球形或宽圆锥形，4 瓣裂，果瓣有皱纹，内含种子 4，三棱状球形，长 3.5 mm，表面被锈色短柔毛，种脐处毛簇生。

| 生境分布 | 生于海拔 130 ~ 760 m 的灌丛或路旁草丛。分布于湖北兴山。

| 资源情况 | 野生资源一般。

| 采收加工 | **全草**：全年均可采收，晒干。

| 功能主治 | 清热解毒，利咽喉。用于感冒，急性扁桃体炎，咽喉炎，急性结膜炎。

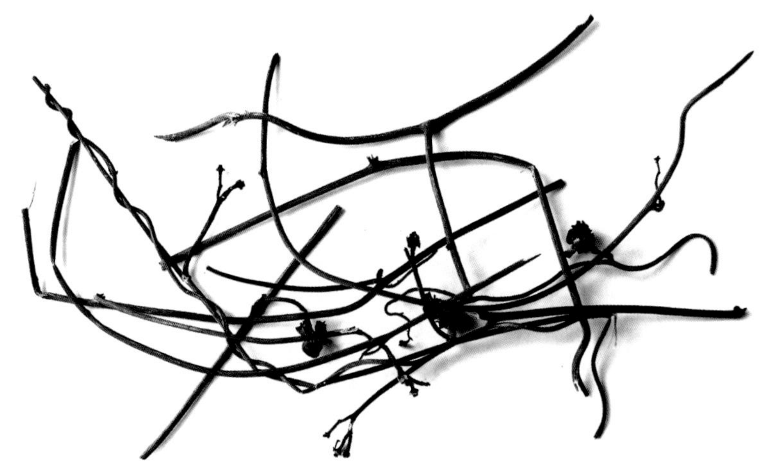

旋花科 Convolvulaceae 鱼黄草属 *Merremia*

北鱼黄草 *Merremia sibirica* (L.) Hall. f.

| 药材名 |

北鱼黄草。

| 形态特征 |

缠绕草本。植株各部分近无毛。茎圆柱状，具细棱。叶卵状心形，长 3 ~ 13 cm，宽 1.7 ~ 7.5 cm，先端长渐尖或尾状渐尖，基部心形，全缘或稍波状，侧脉 7 ~ 9 对，纤细，近平行射出，近边缘弧曲向上；叶柄长 2 ~ 7 cm，基部具小耳状假托叶。聚伞花序腋生，有（1 ~ ）3 ~ 7 花；花序梗通常比叶柄短，有时超出叶柄，长 1 ~ 6.5 cm，明显具棱或狭翅；苞片小，线形；花梗长 0.3 ~ 0.9（ ~ 1.5） cm，向上增粗；萼片椭圆形，近相等，长 0.5 ~ 0.7 cm，先端明显具钻状短尖头，无毛；花冠淡红色，钟状，长 1.2 ~ 1.9 cm，无毛，冠檐具三角形裂片；花药不扭曲；子房无毛，2 室。蒴果近球形，先端圆，高 5 ~ 7 mm，无毛，4 瓣裂；种子 4 或较少，黑色，椭圆状三棱形，先端钝圆，长 3 ~ 4 mm，无毛。花果期夏、秋季。

| 生境分布 |

生于海拔 600 ~ 2 800 m 的路边、田边、山地草丛或山坡灌丛。湖北各地均有分布。

| **资源情况** | 野生资源稀少。

| **采收加工** | **全草：**夏季采收，洗净，鲜用或晒干。

| **功能主治** | 活血解毒。用于劳伤疼痛，疔疮。

旋花科 Convolvulaceae 牵牛属 *Pharbitis*

圆叶牵牛 *Pharbitis purpurea* (L.) Voigt

| 药材名 | 圆叶牵牛。

| 形态特征 | 一年生缠绕草本，茎上被倒向的短柔毛，杂有倒向或开展的长硬毛。叶圆心形或宽卵状心形，长 4 ~ 18 cm，宽 3.5 ~ 16.5 cm，基部圆，心形，先端锐尖、骤尖或渐尖，通常全缘，偶有 3 裂，两面疏或密被刚伏毛；叶柄长 2 ~ 12 cm，毛被与茎同。花腋生，单一或 2 ~ 5 花着生于花序梗先端成伞形聚伞花序，花序梗比叶柄短或近等长，长 4 ~ 12 cm，毛被与茎相同；苞片线形，长 6 ~ 7 mm，被开展的长硬毛；花梗长 1.2 ~ 1.5 cm，被倒向短柔毛及长硬毛；萼片近等长，长 1.1 ~ 1.6 cm，外面 3 萼片长椭圆形，渐尖，内面 2 萼片线状披针形，外面均被开展的硬毛，基部更密；花冠漏斗状，长 4 ~ 6 cm，

紫红色、红色或白色，花冠管通常白色，瓣中带于内面色深，外面色淡；雄蕊与花柱内藏；雄蕊不等长，花丝基部被柔毛；子房无毛，3 室，每室 2 胚珠，柱头头状；花盘环状。蒴果近球形，直径 9 ~ 10 mm，3 瓣裂；种子卵状三棱形，长约 5 mm，黑褐色或米黄色，被极短的糠秕状毛。

| 生境分布 | 生于平地至海拔 2 800 m 的田边、路边、宅旁或山谷林内。分布于湖北竹溪、兴山、秭归、五峰、巴东、咸丰、鹤峰，以及武汉。

| 资源情况 | 野生资源一般。

| 采收加工 | **种子**：秋季果实成熟时采收植株，晒干，打下种子，除去杂质。

| 功能主治 | **种子**：泻下利水，消肿散结。

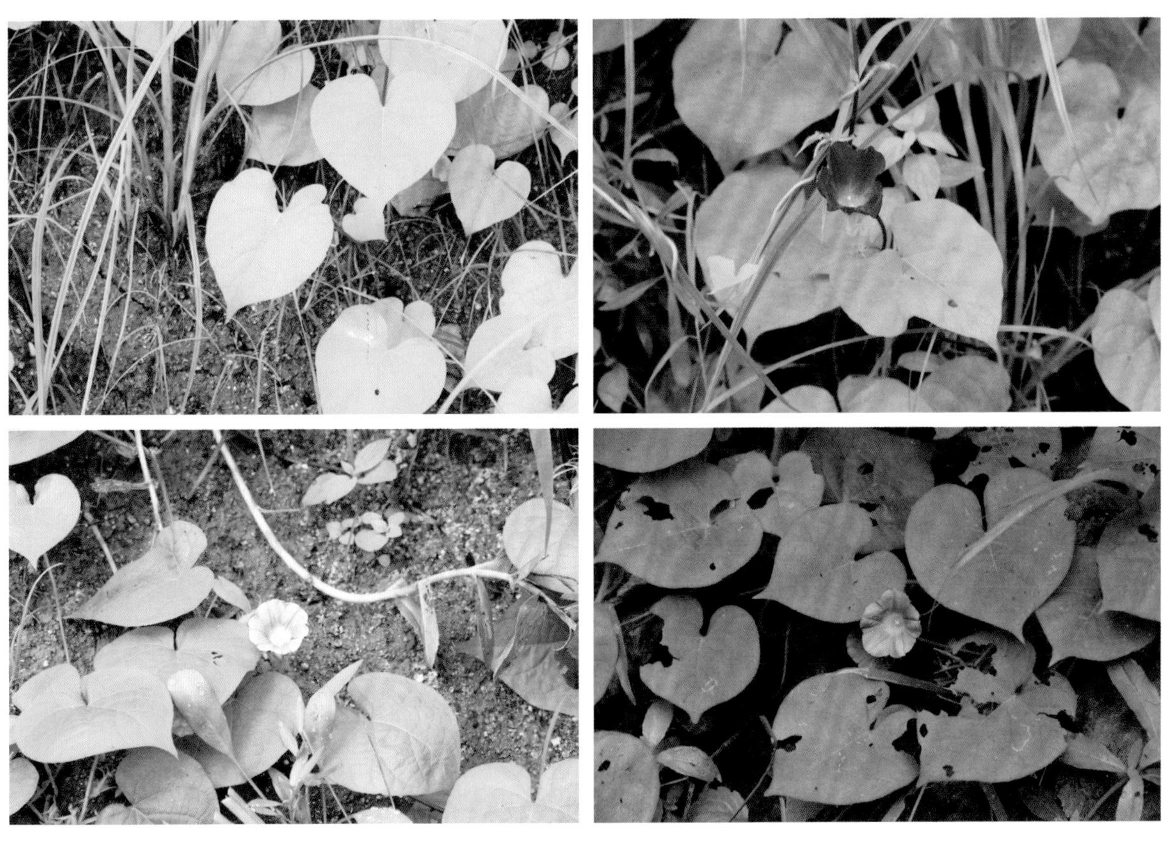

旋花科 Convolvulaceae 飞蛾藤属 *Porana*

飞蛾藤 *Porana racemosa* Roxb.

| 药 材 名 | 飞蛾。

| 形态特征 | 攀缘灌木。茎缠绕，草质，圆柱形，高达 10 m，幼时或多或少被黄色硬毛，后来具小瘤，或无毛。叶卵形，长 6 ~ 11 cm，宽 5 ~ 10 cm，先端渐尖或尾状，具钝或锐尖的尖头，基部深心形；两面极疏被紧贴疏柔毛，背面稍密，稀被短柔毛至绒毛；掌状基出脉 7 ~ 9；叶柄短于叶片或与叶片等长，被疏柔毛至无毛。圆锥花序腋生，或多或少宽阔地分枝，少花或多花，苞片叶状，无柄或具短柄，抱茎，无毛或被疏柔毛，小苞片钻形；花梗较萼片长，长 3 ~ 6 mm，无毛或被疏柔毛；萼片相等，线状披针形，长 1.5 ~ 2.5 mm，通常被柔毛，果时全部增大，长圆状匙形，钝或先端具短尖头，基部渐狭，

长达 12 ～ 15（～ 18）mm，或较短，宽 3 ～ 4 mm，具 3 坚硬的纵向脉，被疏柔毛，尤其基部；花冠漏斗形，长约 1 cm，白色，管部带黄色，无毛，5 裂至中部，裂片开展，长圆形；雄蕊内藏；花丝短于花药，着生于管内不同水平面；子房无毛，花柱 1，全缘，长于子房，柱头棒状，2 裂。蒴果卵形，长 7 ～ 8 mm，具小短尖头，无毛；种子 1，卵形，长约 6 mm，暗褐色或黑色，平滑。

| 生境分布 | 生于海拔 100 ～ 1 000 m 的山沟、灌木林边或路旁荒坡。分布于湖北兴山、五峰、京山、罗田、通城、通山、恩施、利川、巴东、咸丰、鹤峰、神农架，以及武汉、宜昌。

| 资源情况 | 野生资源一般。

| 采收加工 | **全草：** 夏、秋季采收，除去杂质，切碎，鲜用或晒干。

| 功能主治 | 解表，解毒，行气活血。用于感冒风寒，食滞腹胀，无名肿毒。

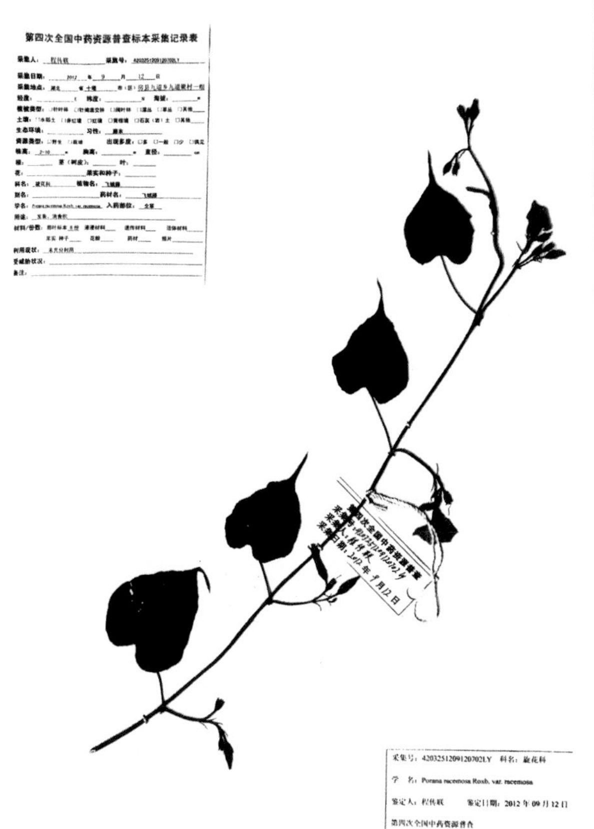

旋花科 Convolvulaceae 茑萝属 *Quamoclit*

茑萝松 *Quamoclit pennata* (Desr.) Boj.

| 药材名 | 茑萝松。

| 形态特征 | 一年生柔弱缠绕草本，无毛。叶卵形或长圆形，长 2 ~ 10 cm，宽 1 ~ 6 cm，羽状深裂至中脉，具 10 ~ 18 对线形至丝状的平展的细裂片，裂片先端锐尖；叶柄长 8 ~ 40 mm，基部常具假托叶。花序腋生，由少数花组成聚伞花序；总花梗大多超过叶，长 1.5 ~ 10 cm，花直立，花梗较花萼长，长 9 ~ 20 mm，在果时增厚成棒状；萼片绿色，稍不等长，椭圆形至长圆状匙形，外面 1 萼片稍短，长约 5 mm，先端钝而具小凸尖；花冠高脚碟状，长 2.5 cm 以上，花冠深红色，无毛，管柔弱，上部稍膨大，冠檐开展，直径 1.7 ~ 2 cm，5 浅裂；雄蕊及花柱伸出；花丝基部具毛；子房无毛。蒴果卵形，长

7 ~ 8 mm，4 室，4 瓣裂，隔膜宿存，透明；种子 4，卵状长圆形，长 5 ~ 6 mm，黑褐色。

| 生境分布 | 湖北武汉、十堰有栽培。

| 采收加工 | **全草或根：**花盛开时，采集加工，洗净根上泥土，鲜用或干用。

| 功能主治 | 清热凉血，除湿解毒。用于肺热咯血，肺结核咯血，尿血，小儿惊风，破伤风，肾炎性水肿，风湿痹痛，跌打损伤。

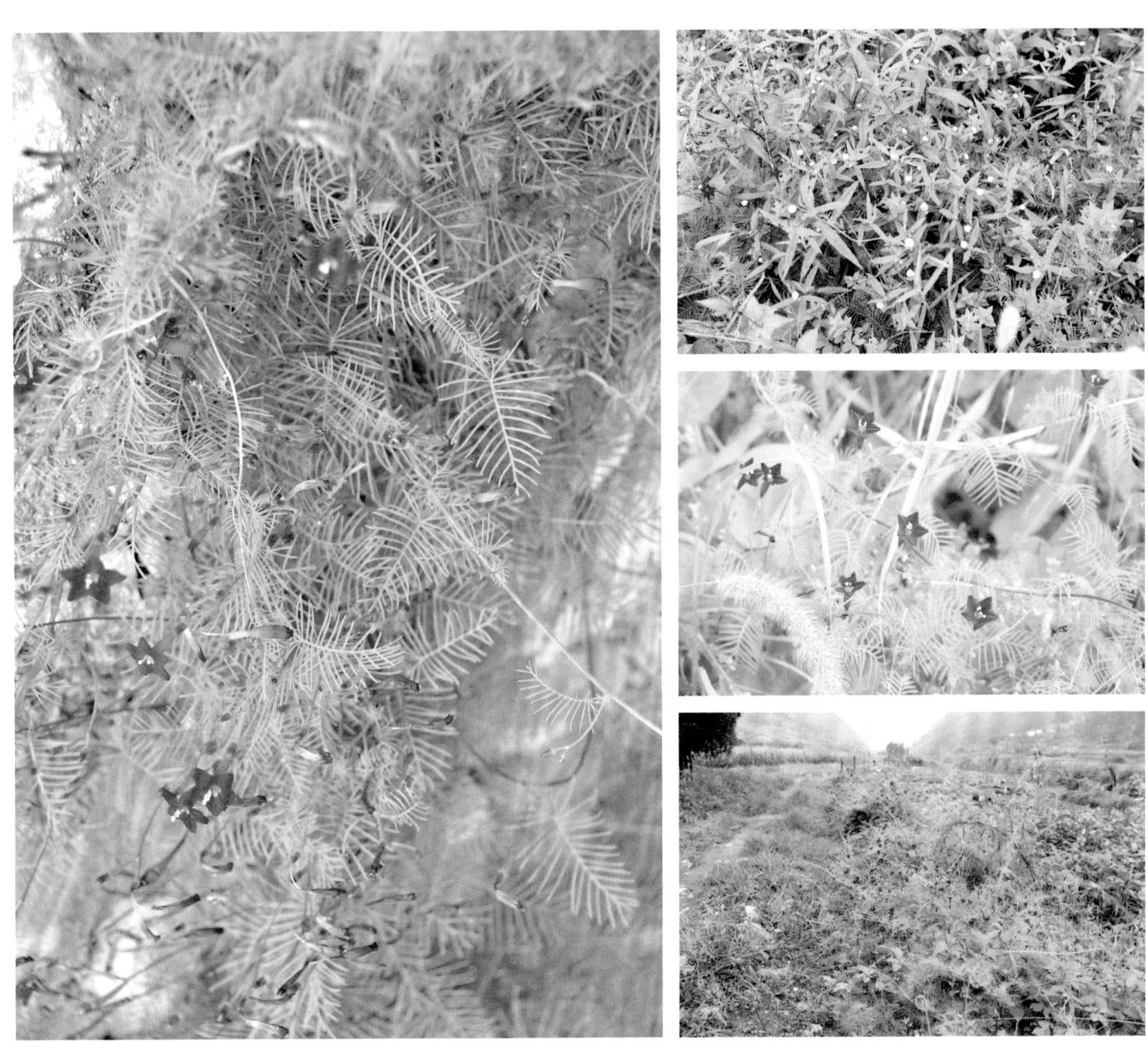

紫草科 Boraginaceae 斑种草属 *Bothriospermum*

斑种草 *Bothriospermum chinense* Bunge

| 药 材 名 | 斑种草。

| 形态特征 | 株高 20 ~ 30 cm，密生开展或向上的硬毛。根为直根，细长，不分枝。茎数条丛生，直立或斜升，中部以上分枝或不分枝。基生叶及茎下部叶具长柄，匙形或倒披针形，通常长 3 ~ 6 cm，稀达 12 cm，宽 1 ~ 1.5 cm，先端圆钝，基部渐狭成叶柄，边缘皱波状或近全缘，上下两面均被基部具基盘的长硬毛及伏毛；茎中部叶及茎上部叶无柄，长圆形或狭长圆形，长 1.5 ~ 2.5 cm，宽 0.5 ~ 1 cm，先端尖，基部楔形或宽楔形，上面被向上贴伏的硬毛，下面被硬毛及伏毛。花序长 5 ~ 15 cm，具苞片；苞片卵形或狭卵形。花梗短，花期长 2 ~ 3 mm，果期伸长；花萼长 2.5 ~ 4 mm，外面密生向上开展的

硬毛及短伏毛，裂片披针形，裂至近基部；花冠淡蓝色，长 3.5 ~ 4 mm，檐部直径 4 ~ 5 mm，裂片圆形，长、宽均约 1 mm，喉部有 5 先端 2 深裂的梯形附属物；花药卵圆形或长圆形，长约 0.7 mm，花丝极短，着生于花冠筒基部以上 1 mm 处；花柱短，长约为花萼的 1/2。小坚果肾形，长约 2.5 mm，有网状折皱及稠密的粒状突起，腹面有椭圆形的横凹陷。

| 生境分布 | 生于荒地、路边、丘陵草坡、田边、向阳草甸。分布于湖北神农架。

| 采收加工 | **全草**：夏季旺盛时采收，晒干。

| 功能主治 | 解毒消肿，利湿止痒。用于痔疮，肛门肿痛，湿疹。

紫草科 Boraginaceae 斑种草属 *Bothriospermum*

柔弱斑种草 *Bothriospermum tenellum* (Hornem.) Fisch. et Mey.

| 药 材 名 | 斑种草。

| 形态特征 | 一年生草本，高 15 ~ 30 cm。茎细弱，丛生，直立或平卧，多分枝，被向上贴伏的糙伏毛。叶椭圆形或狭椭圆形，长 1 ~ 2.5 cm，宽 0.5 ~ 1 cm，先端钝，具小尖，基部宽楔形，上下两面被向上贴伏的糙伏毛或短硬毛。花序柔弱，细长，长 10 ~ 20 cm；苞片椭圆形或狭卵形，长 0.5 ~ 1 cm，宽 3 ~ 8 mm，被伏毛或硬毛；花梗短，长 1 ~ 2 mm，果期不增长或稍增长；花萼长 1 ~ 1.5 mm，果期增大，长约 3 mm，外面密生向上的伏毛，内面无毛或中部以上散生伏毛，裂片披针形或卵状披针形，裂至近基部；花冠蓝色或淡蓝色，长 1.5 ~ 1.8 mm，基部直径 1 mm，檐部直径 2.5 ~ 3 mm，裂片圆形，

长、宽均约 1 mm，喉部有 5 梯形的附属物，附属物高约 0.2 mm；花柱圆柱形，极短，长约 0.5 mm，约为花萼的 1/3 或不及。小坚果肾形，长 1 ～ 1.2 mm，腹面具纵椭圆形的环状凹陷。花果期 2 ～ 10 月。

| 生境分布 | 生于海拔 300 ～ 1 900 m 的田间草丛、山坡草地、山坡路边或溪边阴湿处。分布于湖北武昌、兴山、保康、京山、巴东、宣恩。

| 采收加工 | **全草：**夏季旺盛时采收，晒干。

| 功能主治 | 止咳。

紫草科 Boraginaceae 琉璃草属 *Cynoglossum*

小花琉璃草 *Cynoglossum lanceolatum* Forsk.

| 药 材 名 |

小花琉璃草。

| 形态特征 |

多年生草本，高 20 ~ 90 cm。茎直立，中部或下部分枝，分枝开展，密生基部具基盘的硬毛。基生叶及茎下部叶具柄，长圆状披针形，长 8 ~ 14 cm，宽约 3 cm，先端尖，基部渐狭，上面被具基盘的硬毛及稠密的伏毛，下面密生短柔毛；茎中部叶无柄或具短柄，披针形，长 4 ~ 7 cm，宽约 1 cm；茎上部叶极小。花序顶生及腋生，分枝钝角叉状分开，无苞片，果期延长成总状；花梗长 1 ~ 1.5 mm，果期几不增长；花萼长 1 ~ 1.5 mm，裂片卵形，先端钝，外面密生短伏毛，内面无毛，果期稍增大；花冠淡蓝色，钟状，长 1.5 ~ 2.5 mm，檐部直径 2 ~ 2.5 mm，喉部有 5 半月形附属物；花药卵圆形，长 0.5 mm；花柱肥厚，四棱形，果期长约 1 mm，较花萼短。小坚果卵球形，长 2 ~ 2.5 mm，背面凸，密生长短不等的锚状刺，边缘锚状刺基部不连合。花果期 4 ~ 9 月。

| 生境分布 | 生于海拔 300 ~ 2 800 m 的丘陵、山坡草地及路边。分布于湖北郧西、竹溪、房县、兴山、秭归、长阳、保康、恩施、利川、巴东、宣恩、咸丰、来凤、鹤峰、神农架，以及十堰、宜昌。

| 资源情况 | 野生资源一般。

| 采收加工 | 夏季采收全草，春、秋季采挖根，洗净，晒干。

| 功能主治 | **全草：**清热解毒，利尿消肿，活血。用于急性肾炎，月经不调；外用于痈肿疮毒，毒蛇咬伤。

紫草科 Boraginaceae 琉璃草属 *Cynoglossum*

琉璃草 *Cynoglossum zeylanicum* (Vahl) Thunb. ex Lehm.

| 药 材 名 |

琉璃草。

| 形态特征 |

直立草本，高 40 ~ 60 cm，稀达 80 cm。茎单一或数条丛生，密被黄褐色糙伏毛。基生叶及茎下部叶具柄，长圆形或长圆状披针形，（包括叶柄）长 12 ~ 20 cm，宽 3 ~ 5 cm，先端钝，基部渐狭，上下两面密生贴伏的伏毛；茎上部叶无柄，狭小，被密伏的伏毛。花序顶生及腋生，分枝钝角叉状分开，无苞片，果期延长成总状；花梗长 1 ~ 2 mm，果期较花萼短，密生贴伏的糙伏毛；花萼长 1.5 ~ 2 mm，果期稍增大，长约 3 mm，裂片卵形或卵状长圆形，外面密伏短糙毛；花冠蓝色，漏斗状，长 3.5 ~ 4.5 mm，檐部直径 5 ~ 7 mm，裂片长圆形，先端圆钝，喉部有 5 梯形附属物，附属物长约 1 mm，先端微凹，边缘密生白柔毛；花药长圆形，长约 1 mm，宽 0.5 mm，花丝基部扩张，着生于花冠筒上 1/3 处；花柱肥厚，略四棱形，长约 1 mm，果期长达 2.5 mm，较花萼稍短。小坚果卵球形，长 2 ~ 3 mm，直径 1.5 ~ 2.5 mm，背面凸，密生锚状刺，边缘无翅边或稀中部以下具翅边。花果期 5 ~ 10 月。

| 生境分布 | 生于海拔 300 ~ 3 040 m 的林间草地、向阳山坡及路边。分布于湖北兴山、秭归、五峰、南漳、保康、通山、恩施、利川、建始、巴东、宣恩、咸丰、来凤、鹤峰、神农架，以及武汉、宜昌。

| 采收加工 | 翌年 7 ~ 8 月生长正旺时采收，除留种外，把全草连根挖起，除去泥土，晒干。

| 功能主治 | 清热解毒，利尿消肿，活血调经。用于急性肾炎，牙周炎，肝炎，月经不调，带下，水肿，下颌急性淋巴结炎，心绞痛；外用于疔疮疖痈肿，毒蛇咬伤，跌打损伤。

紫草科 Boraginaceae 厚壳树属 *Ehretia*

粗糠树 *Ehretia macrophylla* Wall.

| 药 材 名 | 粗糠树。

| 形态特征 | 落叶乔木，高约 15 m，胸高直径 20 cm。树皮灰褐色，纵裂。枝条褐色，小枝淡褐色，均被柔毛。叶宽椭圆形、椭圆形、卵形或倒卵形，长 8 ～ 25 cm，宽 5 ～ 15 cm，先端尖，基部宽楔形或近圆形，边缘具开展的锯齿，上面密生具基盘的短硬毛，极粗糙，下面密生短柔毛；叶柄长 1 ～ 4 cm，被柔毛。聚伞花序顶生，呈伞房状或圆锥状，宽 6 ～ 9 cm，具苞片或无；花无梗或近无梗；苞片线形，长约 5 mm，被柔毛；花萼长 3.5 ～ 4.5 mm，裂至近中部，裂片卵形或长圆形，具柔毛；花冠筒状钟形，白色至淡黄色，芳香，长 8 ～ 10 mm，基部直径 2 mm，喉部直径 6 ～ 7 mm，裂片长圆形，长 3 ～ 4 mm，

比筒部短；雄蕊伸出花冠外，花药长 1.5 ~ 2 mm，花丝长 3 ~ 4.5 mm，着生于花冠筒基部以上 3.5 ~ 5.5 mm 处；花柱长 6 ~ 9 mm，无毛或稀具伏毛，分枝长 1 ~ 1.5 mm。核果黄色，近球形，直径 10 ~ 15 mm，内果皮成熟时分裂为 2 具 2 种子的分核。花期 3 ~ 5 月，果期 6 ~ 7 月。

| 生境分布 | 生于海拔 125 ~ 2 300 m 的山坡疏林及土质肥沃的山脚阴湿处。分布于湖北房县、兴山、罗田、利川、巴东、宣恩、来凤。

| 采收加工 | **树皮：**夏季砍割枝条，趁鲜剥皮，晒干。

| 功能主治 | 散瘀消肿。用于跌打损伤。

紫草科 Boraginaceae 厚壳树属 *Ehretia*

厚壳树 *Ehretia thyrsiflora* (Sieb. et Zucc.) Nakai

| 药 材 名 | 厚壳树。

| 形态特征 | 落叶乔木，高达 15 m，具条裂的黑灰色树皮。枝淡褐色，平滑，小枝褐色，无毛，有明显的皮孔；腋芽椭圆形，扁平，通常单一。叶椭圆形、倒卵形或长圆状倒卵形，长 5 ~ 13 cm，宽 4 ~ 5 cm，先端尖，基部宽楔形，稀圆形，边缘有整齐的锯齿，齿端向上而内弯，无毛或被稀疏柔毛；叶柄长 1.5 ~ 2.5 cm，无毛。聚伞花序圆锥状，长 8 ~ 15 cm，宽 5 ~ 8 cm，被短毛或近无毛；花多数，密集，小形，芳香；花萼长 1.5 ~ 2 mm，裂片卵形，具缘毛；花冠钟状，白色，长 3 ~ 4 mm，裂片长圆形，开展，长 2 ~ 2.5 mm，较筒部长；雄蕊伸出花冠外，花药卵形，长约 1 mm，花丝长 2 ~ 3 mm，着生

于花冠筒基部以上 0.5 ~ 1 mm 处；花柱长 1.5 ~ 2.5 mm，分枝长约 0.5 mm。核果黄色或橘黄色，直径 3 ~ 4 mm；核具折皱，成熟时分裂为 2 具 2 种子的分核。

| 生境分布 | 生于海拔 100 ~ 1 700 m 的丘陵、平原疏林、山坡灌丛及山谷密林。分布于湖北竹溪、秭归、长阳、罗田、利川，以及宜昌。

| 采收加工 | **叶**：夏末秋初采摘，晒干。

心材：全年均可采收，晒干。

树枝：全年均可采收，晒干。

| 功能主治 | **叶**：清热解暑，去腐生肌。用于感冒，偏头痛。

心材：破瘀生新，止痛生肌。用于跌打损伤肿痛，骨折，痈疮红肿。

树枝：收敛止血。用于肠炎腹泻。

紫草科 Boraginaceae 紫草属 *Lithospermum*

田紫草 *Lithospermum arvense* L.

| 药材名 |

田紫草。

| 形态特征 |

一年生草本。根稍含紫色物质。茎通常单一，高 15 ~ 35 cm，自基部或仅上部分枝有短糙伏毛。叶无柄，倒披针形至线形，长 2 ~ 4 cm，宽 3 ~ 7 mm，先端急尖，两面均有短糙伏毛。聚伞花序生枝上部，长可达 10 cm，苞片与叶同形但较小；花序排列稀疏，有短花梗；花萼裂片线形，长 4 ~ 5.5 mm，通常直立，两面均有短伏毛，果期长可达 11 mm，且基部稍硬化；花冠高脚碟状，白色，有时蓝色或淡蓝色，筒部长约 4 mm，外面稍有毛，檐部长约为筒部的一半，裂片卵形或长圆形，直立或稍开展，长约 1.5 mm，稍不等大，喉部无附属物，但有 5 延伸到筒部的毛带；雄蕊着生于花冠筒下部，花药长约 1 mm；花柱长 1.5 ~ 2 mm，柱头头状。小坚果三角状卵球形，长约 3 mm，灰褐色，有疣状突起。花果期 4 ~ 8 月。

| 生境分布 |

生于低山丘陵坡地、灌丛中、平原荒地、田边、路旁、河湖滩地、沙滩、石砾质山坡、

岗地等。分布于湖北郧西、巴东、神农架，以及荆门。

| 功能主治 | 温中行气，消肿止痛。用于胃寒胀痛，吐酸，跌打肿痛，骨折。

紫草科 Boraginaceae 紫草属 *Lithospermum*

紫草 *Lithospermum erythrorhizon* Sieb. et Zucc.

| 药材名 | 紫草。

| 形态特征 | 多年生草本，根富含紫色物质。茎通常 1 ~ 3，直立，高 40 ~ 90 cm，有贴伏和开展的短糙伏毛，上部有分枝，枝斜升并常稍弯曲。叶无柄，卵状披针形至宽披针形，长 3 ~ 8 cm，宽 7 ~ 17 mm，先端渐尖，基部渐狭，两面均有短糙伏毛，脉在叶下面凸起，沿脉有较密的糙伏毛。花序生茎和枝上部，长 2 ~ 6 cm，果期延长；苞片与叶同形但较小；花萼裂片线形，长约 4 mm，果期可达 9 mm，背面有短糙伏毛；花冠白色，长 7 ~ 9 mm，外面稍有毛，筒部长约 4 mm，檐部与筒部近等长，裂片宽卵形，长 2.5 ~ 3 mm，开展，全缘或微波状，先端有时微凹，喉部附属物半球形，无毛；雄蕊着

生于花冠筒中部稍上，花丝长约 0.4 mm，花药长 1 ~ 1.2 mm；花柱长 2.2 ~ 2.5 mm，柱头头状。小坚果卵球形，乳白色或带淡黄褐色，长约 3.5 mm，平滑，有光泽，腹面中线凹陷呈纵沟。花果期 6 ~ 9 月。

| 生境分布 | 生于海拔 2 500 ~ 3 100 m 的砾石山坡、向阳山坡草地、灌丛或林缘、荒漠草原、戈壁、湖滨沙地。分布于湖北兴山、秭归、南漳、保康、京山、通城、通山、利川、宣恩、鹤峰，以及武汉、宜昌。

| 采收加工 | **根：**春、秋季采挖，除去泥沙，干燥。

| 功能主治 | 用于血热毒盛，斑疹紫黑，麻疹不透，湿疹，疮疡，烫火伤。

紫草科 Boraginaceae 紫草属 *Lithospermum*

梓木草 *Lithospermum zollingeri* DC.

|药材名| 梓木草。

|形态特征| 多年生匍匐草本。根褐色，稍含紫色物质。匍匐茎长可达 30 cm，有开展的糙伏毛。茎直立，高 5 ~ 25 cm。基生叶有短柄，叶片倒披针形或匙形，长 3 ~ 6 cm，宽 8 ~ 18 mm，两面都有短糙伏毛但下面毛较密；茎生叶与基生叶同形但较小，先端急尖或钝，基部渐狭，近无柄。花序长 2 ~ 5 cm，有花 1 至数朵，苞片叶状；花有短花梗；花萼长约 6.5 mm，裂片线状披针形，两面都有毛；花冠蓝色或蓝紫色，长 1.5 ~ 1.8 cm，外面稍有毛，筒部与檐部无明显界限，檐部直径约 1 cm，裂片宽倒卵形，近等大，长 5 ~ 6 mm，全缘，无脉，喉部有 5 向筒部延伸的纵褶，纵褶长约 4 mm，稍肥厚并有乳

头；雄蕊着生于纵褶之下，花药长 1.5 ~ 2 mm；花柱长约 4 mm，柱头头状。小坚果斜卵球形，长 3 ~ 3.5 mm，乳白色而稍带淡黄褐色，平滑，有光泽，腹面中线凹陷呈纵沟。花果期 5 ~ 8 月。

| **生境分布** | 生于丘陵、低山草坡或灌丛下。湖北有分布。

| **资源情况** | 野生资源一般。

| **采收加工** | **果实**：秋季果实成熟时采摘，晒干。

| **功能主治** | 消肿，止痛。用于疔疮，支气管炎，消化不良等。

紫草科 Boraginaceae 车前紫草属 *Sinojohnstonia*

短蕊车前紫草 *Sinojohnstonia moupinensis* (Franch.) W. T. Wang

| 药 材 名 | 短蕊车前紫草。

| 形态特征 | 须根，无根茎。茎数条，细弱，平卧或斜升，长 8 ~ 35 cm，有疏短伏毛。基生叶数个，卵状心形，长 4 ~ 10 cm，宽 2.5 ~ 6 cm，两面有糙伏毛和短伏毛，先端短渐尖，叶柄长 4 ~ 7 cm；茎生叶等距排列，较小，长 1 ~ 2 cm，排列稀疏。花序短，长 1 ~ 1.5 cm，含少数花，密生短伏毛；花萼 5 裂至基部，长 2.5 ~ 3 mm，裂片披针形，背面有密短伏毛，腹面稍有毛；花冠白色或带紫色，筒部比花萼短，檐部比筒部长 1 倍，裂片倒卵形；雄蕊 5，着生于花冠筒中部稍上，内藏，花丝很短，花药长圆形，长约 0.6 mm，喉部附属物半圆形，有乳头；子房 4 裂，花柱长约 1.5 mm，柱头微小，头状。小坚果长

约 2.5 mm，腹面有短毛，黑褐色，碗状突起的边缘淡红褐色，无毛，口部收缩，高约 1.5 mm。花果期 4 ～ 7 月。

| **生境分布** | 生于海拔 1 000 ～ 1 800 m 的林下阴湿处或荒地上。湖北有分布。

| **功能主治** | 清热利湿，散瘀止血。

紫草科 Boraginaceae 车前紫草属 *Sinojohnstonia*

车前紫草 *Sinojohnstonia plantaginea* Hu

| 药材名 | 车前紫草。

| 形态特征 | 多年生草本。根茎横走，粗约 6 mm。茎数条，高 15 ~ 20 cm，有短伏毛。基生叶数个，叶片心状卵形，长 6 ~ 13 cm，宽 3 ~ 10 cm，先端短渐尖，两面疏生短伏毛；叶柄长 7 ~ 20 cm，茎生叶生于茎上部，较小，长 1.5 ~ 3.5 cm。花序长达 5 cm，含多数花，无苞片，密生短伏毛；花萼长约 3.5 mm，5 裂至基部 1/4，裂片卵状披针形，背面有密短伏毛；花冠钟状，白色，稍长于萼（长约 4 mm），筒部长约 2.2 mm，檐部全裂，裂片狭三角形，比花冠筒稍短，喉部附属物高约 4 mm；雄蕊 5，着生于附属物之间，伸出花冠外，花丝丝形，长约 4 mm，花药长圆形，钝，长约 0.8 mm；子房 4 裂，花柱长约

6 mm，外伸，柱头微小，头状。小坚果长约 2.5 mm，无毛，有光泽，碗状突起淡黄褐色，高约 1 mm。花果期 3 ~ 9 月。

| 生境分布 | 生于林下、沟边等。分布于湖北通城。

| 采收加工 | **全草：**夏季采收，除去泥沙，晒干。

| 功能主治 | 清热利湿，散瘀止血。

紫草科 Boraginaceae 聚合草属 *Symphytum*

聚合草 *Symphytum officinale* L.

| 药 材 名 | 聚合草。

| 形态特征 | 丛生型多年生草本，高 30 ~ 90 cm，全株被向下稍弧曲的硬毛和短伏毛。根发达，主根粗壮，淡紫褐色。茎数条，直立或斜升，有分枝。基生叶通常 50 ~ 80，最多可达 200，具长柄，叶片带状披针形、卵状披针形至卵形，长 30 ~ 60 cm，宽 10 ~ 20 cm，稍肉质，先端渐尖；茎中部叶和茎上部叶较小，无柄，基部下延。花序含多数花；花萼裂至近基部，裂片披针形，先端渐尖；花冠长 14 ~ 15 mm，淡紫色、紫红色至黄白色，裂片三角形，先端外卷，喉部附属物披针形，长约 4 mm，不伸出花冠檐；花药长约 3.5 mm，先端有稍突出的药隔，花丝长约 3 mm，下部与花药近等宽；子房通常不育，个别

花内有成熟 1 小坚果。小坚果歪卵形，长 3 ~ 4 mm，黑色，平滑，有光泽。花期 5 ~ 10 月。

| 生境分布 | 生于山林地带。分布于湖北红安等。

| 采收加工 | **全草**：株高 50 cm 左右时刈割，留茬 5 ~ 6 cm，每隔 35 ~ 40 天割 1 次，晒干。

| 功能主治 | 抗过敏，强身，健胃，预防贫血，消除疲劳，促进伤口、骨折、关节炎痊愈。

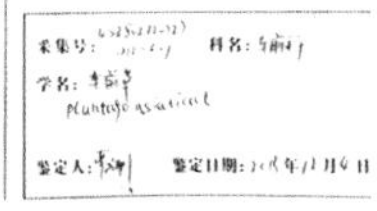

紫草科 Boraginaceae 盾果草属 *Thyrocarpus*

弯齿盾果草 *Thyrocarpus glochidiatus* Maxim.

| 药 材 名 |

弯齿盾果草。

| 形态特征 |

茎 1 至数条，细弱，斜升或外倾，高 10 ~ 30 cm，常自下部分枝，有伸展的长硬毛和短糙毛。基生叶有短柄，匙形或狭倒披针形，长 1.5 ~ 6.5 cm，宽 3 ~ 14 mm，两面都有具基盘的硬毛；茎生叶较小，无柄，卵形至狭椭圆形。花序长可达 15 cm；苞片卵形至披针形，长 0.5 ~ 3 cm，花生苞腋或腋外；花梗长 1.5 ~ 4 mm；花萼长约 3 mm，裂片狭椭圆形至卵状披针形，先端钝，两面均有毛；花冠淡蓝色或白色，与花萼几等长，筒部比檐部短 1.5 倍，檐部直径约 2 mm，裂片倒卵形至近圆形，稍开展，喉部附属物线形，长约 1 mm，先端截形或微凹；雄蕊 5，着生花冠筒中部，内藏，花丝很短，花药宽卵形，长约 0.4 mm。小坚果 4，长约 2.5 mm，黑褐色，外层突起色较淡，齿长约与碗高相等，齿的先端明显膨大并向内弯曲，内层碗状突起显著向里收缩。花果期 4 ~ 6 月。

| 生境分布 | 生于山坡草地、田埂、路旁等处。湖北有分布。

| 功能主治 | 清热解毒。用于肠炎，细菌性痢疾，痈疖疔疮。

紫草科 Boraginaceae 盾果草属 *Thyrocarpus*

盾果草 *Thyrocarpus sampsonii* Hance

| 药材名 | 盾果草。

| 形态特征 | 茎 1 至数条，直立或斜升，高 20 ~ 45 cm，常自下部分枝，有开展的长硬毛和短糙毛。基生叶丛生，有短柄，匙形，长 3.5 ~ 19 cm，宽 1 ~ 5 cm，全缘或有疏细锯齿，两面都有具基盘的长硬毛和短糙毛；茎生叶较小，无柄，狭长圆形或倒披针形。花序长 7 ~ 20 cm；苞片狭卵形至披针形，花生苞腋或腋外；花梗长 1.5 ~ 3 mm；花萼长约 3 mm，裂片狭椭圆形，背面和边缘有开展的长硬毛，腹面稍有短伏毛；花冠淡蓝色或白色，显著比花萼长，筒部比檐部短 2.5 倍，檐部直径 5 ~ 6 mm，裂片近圆形，开展，喉部附属物线形，长约 0.7 mm，肥厚，有乳头状突起，先端微缺；雄蕊 5，着生花冠筒中部，

花丝长约 0.3 mm，花药卵状长圆形，长约 0.5 mm。小坚果 4，长约 2 mm，黑褐色，碗状突起的外层边缘色较淡，齿长约为碗高的一半，伸直，先端不膨大，内层碗状突起不向里收缩。花果期 5 ~ 7 月。

| 生境分布 | 生于山坡草地、路旁、石砾堆、灌丛中。湖北有分布。

| 资源情况 | 野生资源一般。

| 采收加工 | **全草：**4 ~ 6 月采收，鲜用或晒干。

| 功能主治 | 痈肿，疔疮，咽喉疼痛，泄泻，痢疾。

紫草科 Boraginaceae 附地菜属 *Trigonotis*

钝萼附地菜 *Trigonotis amblyosepala* Nakai et Kitag.

| 药 材 名 | 钝萼附地菜。

| 形态特征 | 一年生草本。高 10 ~ 80 cm。茎由基部多分枝，分枝斜生，有糙伏毛。茎下部叶有短柄，上部叶几无柄；叶片椭圆形、椭圆状倒卵形或匙形，长 1 ~ 2.5 cm，宽 5 ~ 10 mm，基部楔形，先端稍钝，有糙伏

毛。总状花序生于枝端，果期伸长，无叶或只在花序基部有 1 ~ 2 叶；花梗纤细，在花萼下明显变粗，长 3 ~ 5 mm，花后伸长；花萼长约 1.5 mm，5 深裂，裂片倒卵状长圆形，先端钝或圆形；花冠蓝色，直径 3 ~ 3.5 mm，喉部黄色，附属物 5；雄蕊 5，内藏；子房 4。小坚果 4，四面体形，较狭，长 1 ~ 1.2 mm，有短毛，腹面近基部处有短柄。花果期 5 ~ 7 月。

| 生境分布 | 生于林缘或路旁草地。湖北有分布。

| 功能主治 | 祛风活络，行气止痛，止痒。用于遗尿，赤白痢，发背，热肿，痢疾，淋证，手脚麻木。

紫草科 Boraginaceae 附地菜属 *Trigonotis*

附地菜 *Trigonotis peduncularis* (Trev.) Benth. ex Baker et Moore

| 药 材 名 |

附地菜。

| 形态特征 |

一年生或二年生草本。茎通常多条丛生，稀单一，密集，铺散，高 5 ～ 30 cm，基部多分枝，被短糙伏毛。基生叶呈莲座状，有叶柄，叶片匙形，长 2 ～ 5 cm，先端圆钝，基部楔形或渐狭，两面被糙伏毛；茎上部叶长圆形或椭圆形，无叶柄或具短柄。花序生茎顶，幼时卷曲，后渐次伸长，长 5 ～ 20 cm，通常占全茎的 1/2 ～ 4/5，只在基部具 2 ～ 3 叶状苞片，其余部分无苞片；花梗短，花后伸长，长 3 ～ 5 mm，先端与花萼连接部分变粗呈棒状；花萼裂片卵形，长 1 ～ 3 mm，先端急尖；花冠淡蓝色或粉色，筒部甚短，檐部直径 1.5 ～ 2.5 mm，裂片平展，倒卵形，先端圆钝，喉部附属 5，白色或带黄色；花药卵形，长 0.3 mm，先端具短尖。小坚果 4，斜三棱锥状四面体形，长 0.8 ～ 1 mm，有短毛或平滑无毛，背面三角状卵形，具 3 锐棱，腹面的 2 侧面近等大而基底面略小，凸起，具短柄，柄长约 1 mm，向一侧弯曲。

| 生境分布 | 生于田野、路旁、荒草地或丘陵林缘、灌木林间。分布于湖北汉阳、竹溪、房县、丹江口、兴山、保康、麻城、巴东、宣恩、神农架。

| 采收加工 | **全草：**夏、秋季采收，除去杂质，晒干。

| 功能主治 | 用于痰喘。

| 附　　注 | 民间用附地菜和酒服。

马鞭草科 Verbenaceae 紫珠属 *Callicarpa*

紫珠 *Callicarpa bodinieri* H. Lév.

| 药 材 名 | 紫珠。

| 形态特征 | 灌木，高约 2 m。小枝、叶柄和花序均被粗糠状星状毛。叶片卵状长椭圆形至椭圆形，长 7 ~ 18 cm，宽 4 ~ 7 cm，先端长渐尖至短尖，基部楔形，边缘有细锯齿，表面干后暗棕褐色，有短柔毛，背面灰棕色，密被星状柔毛，两面密生暗红色或红色细粒状腺点；叶柄长 0.5 ~ 1 cm。聚伞花序宽 3 ~ 4.5 cm，4 ~ 5 次分歧，花序梗长不超过 1 cm；苞片细小，线形；花梗长约 1 mm；花萼长约 1 mm，外面被星状毛和暗红色腺点，萼齿钝三角形；花冠紫色，长约 3 mm，被星状柔毛和暗红色腺点；雄蕊长约 6 mm，花药椭圆形，细小，长约 1 mm，药隔有暗红色腺点，药室纵裂；子房有毛。果实球形，熟时

紫色，无毛，直径约 2 mm。花期 6 ~ 7 月，果期 8 ~ 11 月。

| **生境分布** | 生于海拔 200 ~ 2 300 m 的林中、林缘及灌丛中。湖北有分布。

| **功能主治** | **全株或根**：通经和血。用于月经不调，虚劳，带下，产后血气痛，感冒风寒，外用于缠蛇丹毒。

马鞭草科 Verbenaceae 紫珠属 *Callicarpa*

华紫珠 *Callicarpa cathayana* H. T. Chang

| 药 材 名 | 华紫珠。

| 形态特征 | 灌木，高 1.5 ~ 3 m。小枝纤细，幼嫩稍有星状毛，老后脱落。叶片椭圆形或卵形，长 4 ~ 8 cm，宽 1.5 ~ 3 cm，先端渐尖，基部楔形，两面近无毛，有显著的红色腺点，侧脉 5 ~ 7 对，在两面均稍隆起，细脉和网脉下陷，边缘密生细锯齿；叶柄长 4 ~ 8 mm。聚伞花序细弱，宽约 1.5 cm，3 ~ 4 次分歧，略有星状毛，花序梗长 4 ~ 7 mm，苞片细小；花萼杯状，具星状毛和红色腺点，萼齿不明显或呈钝三角形；花冠紫色，疏生星状毛，有红色腺点，花丝等于或稍长于花冠，花药长圆形，长约 1.2 mm，药室孔裂；子房无毛，花柱略长于雄蕊。果实球形，紫色，直径约 2 mm。花期 5 ~ 7 月，果期 8 ~ 11 月。

| 生境分布 | 生于海拔 1 200 m 以下的山坡、谷地的丛林中。湖北有分布。

| 功能主治 | 用于疮伤出血，咯血，吐血，跌打损伤，风湿痹痛等。

马鞭草科 Verbenaceae 紫珠属 *Callicarpa*

白棠子树 *Callicarpa dichotoma* (Lour.) K. Koch

|药 材 名| 白棠子树。

|形态特征| 多分枝的小灌木，高 1 ~ 3 m。小枝纤细，幼嫩部分有星状毛。叶倒卵形或披针形，长 2 ~ 6 cm，宽 1 ~ 3 cm，先端急尖或尾状尖，基部楔形，边缘仅上半部具数个粗锯齿，表面稍粗糙，背面无毛，密生细小黄色腺点；侧脉 5 ~ 6 对；叶柄长不超过 5 mm。聚伞花序在叶腋的上方着生，细弱，宽 1 ~ 2.5 cm，2 ~ 3 次分歧，花序梗长约 1 cm，略有星状毛，结果时无毛；苞片线形；花萼杯状，无毛，先端有不明显的 4 齿或近截头状；花冠紫色，长 1.5 ~ 2 mm，无毛；花丝长约为花冠的 2 倍，花药卵形，细小，药室纵裂；子房无毛，具黄色腺点。果实球形，紫色，直径约 2 mm。花期 5 ~ 6 月，果期

7 ~ 11 月。

| 生境分布 | 生于海拔 600 m 以下的低山丘陵灌丛中。湖北有分布。

| 功能主治 | **全株：**用于感冒，跌打损伤，气血瘀滞，闭经，外伤肿痛。

马鞭草科 Verbenaceae 紫珠属 *Callicarpa*

杜虹花 *Callicarpa formosana* Rolfe

| 药 材 名 | 杜虹花。

| 形态特征 | 灌木。高 1 ~ 3 m；小枝、叶柄和花序均密被灰黄色星状毛和分枝毛。叶片卵状椭圆形或椭圆形，长 6 ~ 15 cm，宽 3 ~ 8 cm，先端通常渐尖，基部钝或浑圆，边缘有细锯齿，表面被短硬毛，稍粗糙，背面被灰黄色星状毛和细小黄色腺点，侧脉 8 ~ 12 对，主脉、侧脉和网脉在背面隆起；叶柄粗壮，长 1 ~ 2.5 cm。聚伞花序宽 3 ~ 4 cm，通常 4 ~ 5 次分歧，花序梗长 1.5 ~ 2.5 cm；苞片细小；花萼杯状，被灰黄色星状毛，萼齿钝三角形；花冠紫色或淡紫色，无毛，长约 2.5 mm，裂片钝圆，长约 1 mm；雄蕊长约 5 mm，花药椭圆形，药室纵裂；子房无毛。果实近球形，紫色，直径约 2 mm。花期 5 ~ 7 月，果期

8 ~ 11 月。

| **生境分布** | 生于海拔 1 590 m 以下的平地、山坡、溪边的林中或灌丛中。湖北有分布。

| **功能主治** | 清热解毒，补肾清血，散瘀消肿。用于风湿，神经痛，喉痛等。

马鞭草科 Verbenaceae 紫珠属 *Callicarpa*

老鸦糊 *Callicarpa giraldii* Hesse ex Rehder

| 药 材 名 | 老鸦糊。

| 形态特征 | 灌木，高 1 ~ 3（~ 5）m。小枝圆柱形，灰黄色，被星状毛。叶片纸质，宽椭圆形至披针状长圆形，长 5 ~ 15 cm，宽 2 ~ 7 cm，先端渐尖，基部楔形或下延成狭楔形，边缘有锯齿，表面黄绿色，稍有微毛，背面淡绿色，疏被星状毛和细小黄色腺点，侧脉 8 ~ 10 对，主脉、侧脉和细脉在叶背隆起，细脉近平行；叶柄长 1 ~ 2 cm。聚伞花序宽 2 ~ 3 cm，4 ~ 5 次分歧，被毛与小枝同；花萼钟状，疏被星状毛，老后常脱落，具黄色腺点，长约 1.5 mm，萼齿钝三角形；花冠紫色，稍有毛，具黄色腺点，长约 3 mm；雄蕊长约 6 mm，花药卵圆形，药室纵裂，药隔具黄色腺点；子房被毛。果实球形，初

时疏被星状毛，熟时无毛，紫色，直径 2.5 ~ 4 mm。花期 5 ~ 6 月，果期 7 ~ 11 月。

| 生境分布 | 生于海拔 200 ~ 3 100 m 的疏林和灌丛中。湖北有分布。

| 功能主治 | **全株：**清热，和血，解毒。用于裤带疮，崩漏。

马鞭草科 Verbenaceae 紫珠属 *Callicarpa*

湖北紫珠 *Callicarpa gracilipes* Rehd.

| 药 材 名 | 湖北紫珠。

| 形态特征 | 灌木，高 2 ~ 3.5 m。小枝圆柱形，与叶柄、花序均被灰褐色星状茸毛。叶片卵形或卵状椭圆形，长 3 ~ 6 cm，宽 2 ~ 3 cm，先端渐尖或短尖，基部宽楔形，表面绿色，干后变黑褐色，几无毛，背面密生厚灰色星状茸毛，毛下隐藏细小黄色腺点，侧脉 5 ~ 8 对，在表面下陷，边缘疏生小齿或近全缘；叶柄长 5 ~ 10 mm。聚伞花序 2 ~ 3 次分歧，宽 1 ~ 1.5 cm，花序梗等于或稍长于叶柄；苞片线形；花萼杯状，具星状毛，长约 1 mm，萼齿钝或近截头状；花未见。果实长圆形，淡紫红色，直径约 2 mm，被微毛和黄色腺点。果期 8 ~ 10 月。

| 生境分布 | 生于海拔 195 ～ 1 500 m 的山坡灌丛中。湖北西部有分布。

| 功能主治 | 活血调经，止血。

马鞭草科 Verbenaceae 紫珠属 *Callicarpa*

窄叶紫珠 *Callicarpa japonica* Thunb. var. *angustata* Rehder

| 药 材 名 | 窄叶紫珠。

| 形态特征 | 叶片质地较薄，倒披针形或披针形，绿色或略带紫色，长 6 ~ 10 cm，

宽 2 ～ 3（～ 4）cm，两面常无毛，有不明显的腺点，侧脉 6 ～ 8 对，边缘中部以上有锯齿；叶柄长不超过 0.5 cm。聚伞花序宽约 1.5 cm，花序梗长约 6 mm；萼齿不显著，花冠长约 3.5 mm，花丝与花冠约等长，花药长圆形，药室孔裂。果实直径约 3 mm。花期 5 ～ 6 月，果期 7 ～ 10 月。

| 生境分布 | 生于海拔 1 300 m 以下的山坡、溪旁林中或灌丛中。分布于湖北兴山、巴东等。

| 功能主治 | 散瘀止血，祛风止痛。用于吐血，衄血，咯血，尿血，便血，崩漏，创伤出血，痈疽肿毒，喉痹。

马鞭草科 Verbenaceae 紫珠属 *Callicarpa*

红紫珠 *Callicarpa rubella* Lindl.

| 药材名 | 红紫珠。

| 形态特征 | 灌木，高约 2 m。小枝被黄褐色星状毛并杂有多细胞的腺毛。叶片倒卵形或倒卵状椭圆形，长 10 ~ 14（~ 21）cm，宽 4 ~ 8（~ 10）cm，先端尾尖或渐尖，基部心形，有时偏斜，边缘具细锯齿或不整齐的粗齿，表面稍被多细胞的单毛，背面被星状毛并杂有单毛和腺毛，有黄色腺点，侧脉 6 ~ 10 对，主脉、侧脉和细脉在两面稍隆起；叶柄极短或近无柄。聚伞花序宽 2 ~ 4 cm，被毛与小枝同；花序梗长 1.5 ~ 3 cm，苞片细小；花萼被星状毛或腺毛，具黄色腺点，萼齿钝三角形或不明显；花冠紫红色、黄绿色或白色，长约 3 mm，外面被细毛和黄色腺点；雄蕊长为花冠的 2 倍，药室纵

裂；子房有毛。果实紫红色，直径约 2 mm。花期 5 ~ 7 月，果期 7 ~ 11 月。

| 生境分布 | 生于海拔 300 ~ 1 900 m 的山坡、河谷的林中或灌丛中。分布于湖北利川、宣恩。

| 功能主治 | 通经止血，续筋接骨，用于带下，跌打损伤。

马鞭草科 Verbenaceae 莸属 *Caryopteris*

灰毛莸 *Caryopteris forrestii* Diels

| 药 材 名 | 灰毛莸。

| 形态特征 | 落叶小灌木。高 0.3 ~ 1.2 m；小枝圆柱形，嫩枝密生灰棕色绒毛，老枝近无毛，灰棕色。叶片坚纸质，狭椭圆形或卵状披针形，长 2 ~ 6 cm，宽 0.5 ~ 2.5 cm，全缘，先端钝，基部楔形，表面绿色，疏被柔毛，背面密被灰白色绒毛；叶柄长 0.2 ~ 1 cm。伞房状聚伞花序腋生或顶生，无苞片和小苞片。花序梗密被灰白色绒毛；花萼钟状，长 2 ~ 4 mm，果时长达 5 ~ 7 mm，外面被灰白色绒毛，先端 5 裂，裂片披针形；花冠黄绿色或绿白色，长约 5 mm，外面被柔毛，内面毛较少，花冠筒长约 2 mm，喉部具一圈柔毛，先端 5 裂，下唇中裂片较大，先端齿状分裂；雄蕊 4，几等长，与花柱均伸出

花冠筒外；子房疏生细毛，顶部有腺点。蒴果直径约 2 mm，通常包藏在花萼内，4 瓣裂，瓣缘稍具翅。花果期 6 ~ 10 月。

| 生境分布 | 生于海拔 1 700 ~ 3 000 m 的向阳灌丛、山坡、路旁及荒地上。湖北有分布。

| 功能主治 | 行气活血，化痰开窍，消食导滞。用于胸痹，心悸，暑湿眩晕，咳嗽痰多，饮食积滞。

马鞭草科 Verbenaceae 莸属 *Caryopteris*

兰香草 *Caryopteris incana* (Thunb.) Miq.

| 药 材 名 | 兰香草。

| 形态特征 | 小灌木，高 26 ~ 60 cm。嫩枝圆柱形，略带紫色，被灰白色柔毛，老枝毛渐脱落。叶片厚纸质，披针形、卵形或长圆形，长 1.5 ~ 9 cm，宽 0.8 ~ 4 cm，先端钝或尖，基部楔形或近圆形至平截，边缘有粗齿，很少近全缘，被短柔毛，表面色较淡，两面有黄色腺点，背脉明显；叶柄被柔毛，长 0.3 ~ 1.7 cm。聚伞花序紧密，腋生和顶生，无苞片和小苞片；花萼杯状，开花时长约 2 mm，果萼长 4 ~ 5 mm，外面密被短柔毛；花冠淡紫色或淡蓝色，二唇形，外面具短柔毛，花冠管长约 3.5 mm，喉部有毛环，花冠 5 裂，下唇中裂片较大，边缘流苏状；雄蕊 4，开花时与花柱均伸出花冠管外；子房先端被短毛，

柱头 2 裂。蒴果倒卵状球形，被粗毛，直径约 2.5 mm，果瓣有宽翅。花果期 6 ~ 10 月。

| 生境分布 | 生于较干旱的山坡、路旁或林边。湖北有分布。

| 功能主治 | **全草**：疏风解表，祛痰止咳，散瘀止痛。外用于毒蛇咬伤，疮肿，湿疹等。
根：用于崩漏，带下，月经不调。

马鞭草科 Verbenaceae 莸属 *Caryopteris*

三花莸 *Caryopteris terniflora* Maxim.

| 药材名 | 三花莸。

| 形态特征 | 直立亚灌木，常自基部分枝，高 15 ~ 60 cm。茎方形，密生灰白色向下弯曲柔毛。叶片纸质，卵圆形至长卵形，长 1.5 ~ 4 cm，宽 1 ~ 3 cm，先端尖，基部阔楔形至圆形，两面具柔毛和腺点，以背面较密，边缘具规则的钝齿，侧脉 3 ~ 6 对；叶柄长 0.2 ~ 1.5 cm，被柔毛。聚伞花序腋生，花序梗长 1 ~ 3 cm，通常 3 花，偶有 1 或 5 花，花梗长 3 ~ 6 mm；苞片细小，锥形；花萼钟状，长 8 ~ 9 mm，两面有柔毛和腺点，5 裂，裂片披针形；花冠紫红色或淡红色，长 1.1 ~ 1.8 cm，外面疏被柔毛和腺点，先端 5 裂，二唇形，裂片全缘，下唇中裂片较大，圆形；雄蕊 4，与花柱均伸出花冠管外；子房先

端被柔毛，花柱长于雄蕊。蒴果成熟后4瓣裂，果瓣倒卵状舟形，无翅，表面明显凹凸成网纹，密被糙毛。花果期6 ~ 9月。

| 生境分布 | 生于海拔550 ~ 2 600 m的山坡、平地或水沟河边。湖北有分布。

| 功能主治 | **全草：**解表散寒，宣肺。用于外感头痛，咳嗽，外障目翳，烫伤等。

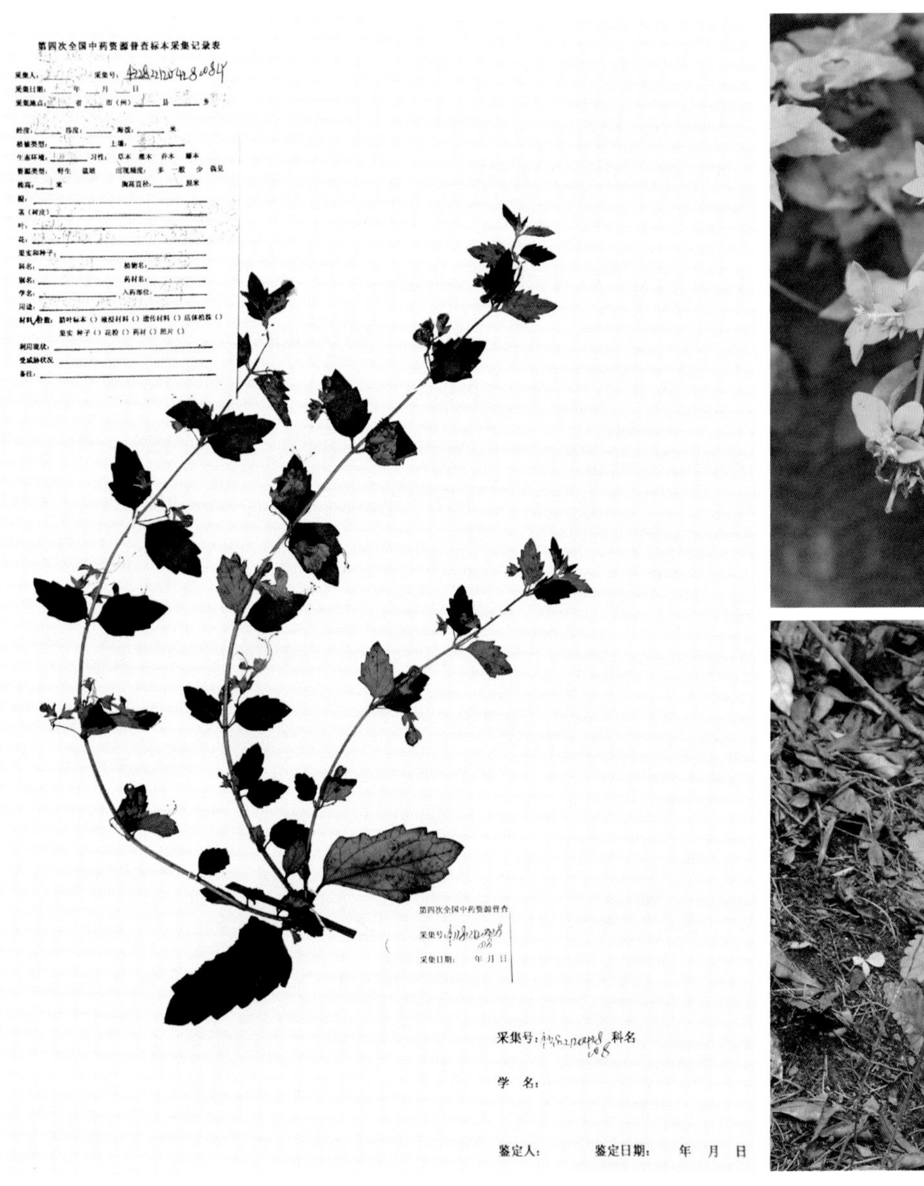

马鞭草科 Verbenaceae 大青属 *Clerodendrum*

臭牡丹 *Clerodendrum bungei* Steud.

|药材名|

臭牡丹。

|形态特征|

灌木，高 1 ~ 2 m，植株有臭味。花序轴、叶柄密被褐色、黄褐色或紫色脱落性的柔毛。小枝近圆形，皮孔显著。叶片纸质，宽卵形或卵形，长 8 ~ 20 cm，宽 5 ~ 15 cm，先端尖或渐尖，基部宽楔形、截形或心形，边缘具粗或细锯齿，侧脉 4 ~ 6 对，表面散生短柔毛，背面疏生短柔毛和散生腺点或无毛，基部脉腋有数个盘状腺体；叶柄长 4 ~ 17 cm。伞房状聚伞花序顶生，密集；苞片叶状，披针形或卵状披针形，长约 3 cm，早落或花时不落，早落后在花序梗上残留凸起的痕迹，小苞片披针形，长约 1.8 cm；花萼钟状，长 2 ~ 6 mm，被短柔毛及少数盘状腺体，萼齿三角形或狭三角形，长 1 ~ 3 mm；花冠淡红色、红色或紫红色，花冠管长 2 ~ 3 cm，裂片倒卵形，长 5 ~ 8 mm；雄蕊及花柱均凸出花冠外；花柱短于、等于或稍长于雄蕊；柱头 2 裂，子房 4 室。核果近球形，直径 0.6 ~ 1.2 cm，成熟时蓝黑色。花果期 5 ~ 11 月。

| 生境分布 | 生于海拔 2 500 m 以下的山坡、林缘、沟谷、路旁、灌丛润湿处。湖北有分布。

| 功能主治 | **根、茎、叶：**祛风解毒，消肿止痛。用于子宫脱垂。

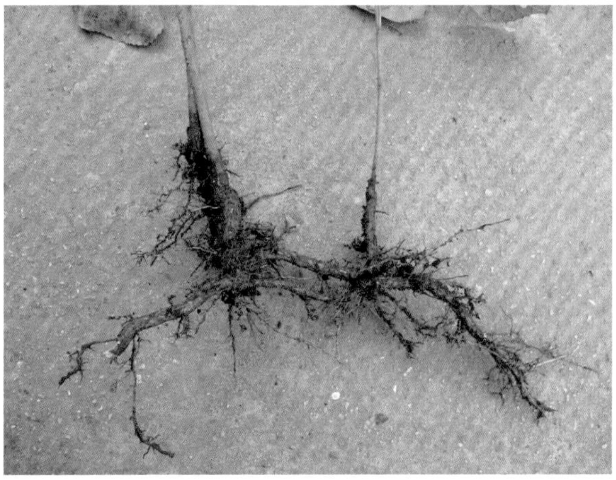

马鞭草科 Verbenaceae 大青属 *Clerodendrum*

大青 *Clerodendrum cyrtophyllum* Turcz.

|药材名|

大青。

|形态特征|

灌木或小乔木，高 1 ~ 10 m。幼枝被短柔毛，枝黄褐色，髓坚实；冬芽圆锥状，芽鳞褐色，被毛。叶片纸质，椭圆形、卵状椭圆形、长圆形或长圆状披针形，长 6 ~ 20 cm，宽 3 ~ 9 cm，先端渐尖或急尖，基部圆形或宽楔形，通常全缘，两面无毛或沿脉疏生短柔毛，背面常有腺点，侧脉 6 ~ 10 对；叶柄长 1 ~ 8 cm。伞房状聚伞花序，生于枝顶或叶腋，长 10 ~ 16 cm，宽 20 ~ 25 cm；苞片线形，长 3 ~ 7 mm；花小，有橘香味；花萼杯状，外面被黄褐色短绒毛和不明显的腺点，长 3 ~ 4 mm，先端 5 裂，裂片三角状卵形，长约 1 mm；花冠白色，外面疏生细毛和腺点，花冠管细长，长约 1 cm，先端 5 裂，裂片卵形，长约 5 mm；雄蕊 4，花丝长约 1.6 cm，与花柱同伸出花冠外；子房 4 室，每室 1 胚珠，常不完全发育；柱头 2 浅裂。果实球形或倒卵形，直径 5 ~ 10 mm，绿色，成熟时蓝紫色，被红色的宿萼所托。花果期 6 月至翌年 2 月。

| 生境分布 | 生于海拔 1 700 m 以下的平原、丘陵、山地林下或溪谷旁。分布于湖北阳新、丹江口、兴山、罗田、英山、崇阳、通山、赤壁，以及武汉。

| 功能主治 | **根、叶：**清热，泻火，利尿，凉血，解毒。

马鞭草科 Verbenaceae 大青属 *Clerodendrum*

海州常山 *Clerodendrum trichotomum* Thunb.

| 药 材 名 |

海州常山。

| 形态特征 |

灌木或小乔木，高 1.5 ~ 10 m。幼枝、叶柄、花序轴等多少被黄褐色柔毛或近无毛，老枝灰白色，具皮孔，髓白色，有淡黄色薄片状横隔。叶片纸质，卵形、卵状椭圆形或三角状卵形，长 5 ~ 16 cm，宽 2 ~ 13 cm，先端渐尖，基部宽楔形至截形，偶有心形，表面深绿色，背面淡绿色，两面幼时被白色短柔毛，老时表面光滑无毛，背面仍被短柔毛或无毛，或沿脉毛较密，侧脉 3 ~ 5 对，全缘或有时边缘具波状齿；叶柄长 2 ~ 8 cm。伞房状聚伞花序顶生或腋生，通常二叉分枝，疏散，末次分枝着花 3，花序长 8 ~ 18 cm，花序梗长 3 ~ 6 cm，多少被黄褐色柔毛或无毛；苞片叶状，椭圆形，早落；花萼蕾时绿白色，后紫红色，基部合生，中部略膨大，有 5 棱脊，先端 5 深裂，裂片三角状披针形或卵形，先端尖；花香，花冠白色或带粉红色，花冠管细，长约 2 cm，先端 5 裂，裂片长椭圆形，长 5 ~ 10 mm，宽 3 ~ 5 mm；雄蕊 4，花丝与花柱同伸出花冠外；花柱较雄蕊短，柱头 2 裂。核果近球形，直径 6 ~

8 mm，包藏于增大的宿萼内，成熟时外果皮蓝紫色。花果期 6 ~ 11 月。

| 生境分布 | 生于海拔 2 400 m 以下的山坡灌丛中。分布于湖北房县、兴山、秭归、五峰、罗田、通山、利川、建始、巴东、宣恩、咸丰、鹤峰、神农架，以及武汉。

| 功能主治 | 用于风湿痹痛，半身不遂，高血压，偏头痛，疟疾，痢疾，痔疮，痈疽疮疥。

马鞭草科 Verbenaceae 马缨丹属 *Lantana*

马缨丹 *Lantana camara* L.

|药材名|

马缨丹。

|形态特征|

直立或蔓性灌木。高 1 ～ 2 m，有时藤状，长达 4 m；茎枝均呈四方形，有短柔毛，通常有短而倒钩状的刺。单叶对生，揉烂后有强烈的气味，叶片卵形至卵状长圆形，长 3 ～ 8.5 cm，宽 1.5 ～ 5 cm，先端急尖或渐尖，基部心形或楔形，边缘有钝齿，表面有粗糙的皱纹和短柔毛，背面有小刚毛，侧脉约 5 对；叶柄长约 1 cm。花序直径 1.5 ～ 2.5 cm；花序梗粗壮，长于叶柄；苞片披针形，长为花萼的 1 ～ 3 倍，外部有粗毛；花萼管状，膜质，长约 1.5 mm，先端有极短的齿；花冠黄色或橙黄色，开花后不久转为深红色，花冠筒长约 1 cm，两面有细短毛，直径 4 ～ 6 mm；子房无毛。果实圆球形，直径约 4 mm，成熟时紫黑色。全年开花。

|生境分布|

生于海拔 80 ～ 1 500 m 的海边沙滩和空旷地区。湖北各地均有分布。

| 功能主治 | **根、叶、花：**清热解毒，散结止痛，祛风止痒。用于疟疾，肺结核，颈淋巴结结核，腮腺炎，胃痛，风湿骨痛等。

马鞭草科 Verbenaceae 过江藤属 *Phyla*

过江藤 *Phyla nodiflora* (L.) Greene

| 药 材 名 | 过江藤。

| 形态特征 | 多年生草本，有木质宿根，多分枝，全体有紧贴“丁”字状短毛。叶近无柄，匙形、倒卵形至倒披针形，长 1 ~ 3 cm，宽 0.5 ~ 1.5 cm，先端钝或近圆形，基部狭楔形，中部以上的边缘有锐锯齿；穗状花序腋生，卵形或圆柱形，长 0.5 ~ 3 cm，宽约 0.6 cm，有长 1 ~ 7 cm 的花序梗；苞片宽倒卵形，宽约 3 mm；花萼膜质，长约 2 mm；花冠白色、粉红色至紫红色，内外无毛；雄蕊短小，不伸出花冠外；子房无毛。果实淡黄色，长约 1.5 mm，内藏于膜质的花萼内。花果期 6 ~ 10 月。

| 生境分布 | 生于海拔 300 ~ 2 300 m 的山坡、平地、河滩等湿润地方。湖北有分布。

| 功能主治 | **全草**：破瘀生新，通利小便。用于咳嗽，吐血，淋证，痢疾，牙痛，疖毒，带状疱疹，跌打损伤等。

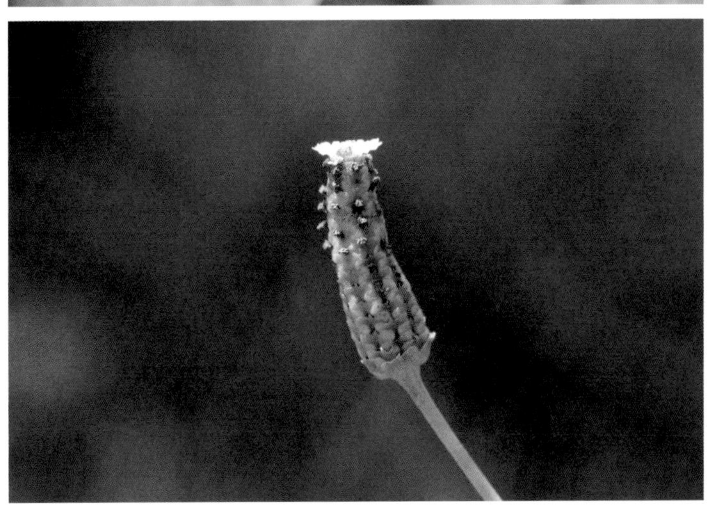

马鞭草科 Verbenaceae 豆腐柴属 *Premna*

臭黄荆 *Premna ligustroides* Hemsl.

| 药 材 名 | 臭黄荆。

| 形态特征 | 灌木，高 1 ～ 3 m。多分枝，枝条细弱，幼枝有短柔毛。叶片卵状披针形至披针形，长 1.5 ～ 8 cm，宽 1 ～ 3 cm，全缘或中部有 3 ～ 5 钝齿，先端渐尖或急尖，基部楔形，两面疏生有毛，背面有紫红色腺点；有短柄或近无柄。聚伞花序组成顶生圆锥花序，被柔毛，长 3.5 ～ 6 cm，宽 2 ～ 3 cm，最下分枝长 0.5 ～ 1 cm；花萼杯状，长约 2 mm，外面有毛和腺点，内面疏生腺点，先端稍不规则 5 裂，裂片圆形或钝三角形，长不逾 1 mm；花冠黄色，长 3 ～ 5 mm，两面有茸毛和黄色腺点，先端 4 裂略成二唇形，上唇 1 裂片宽，先端平截或微凹，下唇 3 裂片稍不相等，中间 1 裂片较长；雄蕊 4，其中

2 雄蕊稍长；子房无毛，上部有黄色腺点；花柱长约 4 mm。核果倒卵球形，长 2.5 ～ 5 mm，宽 2.5 ～ 4 mm，先端有黄色腺点。花果期 5 ～ 7 月。

| 生境分布 | 生于海拔 500 ～ 1 000 m 的山坡林中或林缘。湖北有分布。

| 功能主治 | **根、叶、种子：**除风湿，清邪热。用于痢疾，痔疮，脱肛，牙痛等。

马鞭草科 Verbenaceae 豆腐柴属 *Premna*

豆腐柴 *Premna microphylla* Turcz.

| 药 材 名 | 豆腐柴。

| 形态特征 | 直立灌木。幼枝有柔毛，老枝变无毛。叶揉之有臭味，卵状披针形、椭圆形、卵形或倒卵形，长 3 ~ 13 cm，宽 1.5 ~ 6 cm，先端急尖至长渐尖，基部渐狭窄下延至叶柄两侧，全缘至有不规则粗齿，无毛至有短柔毛；叶柄长 0.5 ~ 2 cm。聚伞花序组成顶生塔形的圆锥花序；花萼杯状，绿色，有时带紫色，密被毛至几无毛，但边缘常有睫毛，近整齐的 5 浅裂；花冠淡黄色，外有柔毛和腺点，花冠内部有柔毛，以喉部较密。核果紫色，球形至倒卵形。花果期 5 ~ 10 月。

| 生境分布 | 生于山坡林下或林缘。分布于湖北阳新、罗田、通山、赤壁、恩施、

利川、巴东、宣恩、来凤，以及武汉。

| 功能主治 | **根、茎、叶：**清热解毒，消肿止血。用于毒蛇咬伤，无名肿毒，创伤出血。

马鞭草科 Verbenaceae 豆腐柴属 *Premna*

狐臭柴 *Premna puberula* Pamp.

| 药 材 名 | 狐臭柴。

| 形态特征 | 直立或攀缘灌木至小乔木，高 1 ~ 3.5 m。小枝近直角伸出，幼枝绿色，常疏被柔毛，老枝变无毛，黄褐色至紫褐色。叶片纸质至坚纸质，卵状椭圆形、卵形或长圆状椭圆形，通常全缘或上半部有波状深齿、锯齿或深裂，长 2.5 ~ 11 cm，宽 1.5 ~ 5.5 cm，先端急尖至尾状尖，基部楔形、阔楔形或近圆形，很少微呈心形，绿色，干时带褐色，两面近无毛至疏生短柔毛，无腺点，侧脉在叶背面较叶表面显著隆起，细脉极细，在叶表面有时下陷，微显现，在叶背面极清晰可见；叶柄腹平背凸，长（0.5 ~ ）1 ~ 2（ ~ 3.5） cm，通常无毛。聚伞花序组成塔形圆锥花序，生于小枝先端，长 4 ~ 14 cm，宽 2 ~ 9 cm，

无毛至疏被柔毛；苞片披针形或线形；花有长 1 ~ 1.2（~ 3）mm 的柄；花萼杯状，长 1.5 ~ 2.5 mm，外面被短柔毛和黄色腺点，先端 5 浅裂，裂齿三角形，齿缘有纤毛；花冠淡黄色，有紫色或褐色条纹，长 5 ~ 7 mm，4 裂成二唇形，下唇 3 裂，上唇圆形，先端微缺，外面密被腺点，喉部有数行较长的毛，花冠管长约 4 mm；二强雄蕊，着生于花冠管中部以下，伸出花冠外，花丝无毛；子房圆形，无毛，先端有腺点，花柱短于雄蕊，无毛，柱头 2 浅裂。核果紫色至黑色，倒卵形，有瘤突，果萼长为核果的 1/3。花果期 5 ~ 8 月。

| 生境分布 | 生于海拔 700 ~ 1 800 m 的山坡路边丛林中。湖北有分布。

| 功能主治 | 清湿热，解毒，用于月经不调，牙痛。

马鞭草科 Verbenaceae 马鞭草属 *Verbena*

马鞭草 *Verbena officinalis* L.

| **药 材 名** | 马鞭草。

| **形态特征** | 多年生草本，高 30 ~ 120 cm。茎四方形，近基部可为圆形，节和棱上有硬毛。叶片卵圆形至倒卵形或长圆状披针形，长 2 ~ 8 cm，宽 1 ~ 5 cm，基生叶的边缘通常有粗锯齿和缺刻，茎生叶多数 3 深裂，裂片边缘有不整齐锯齿，两面均有硬毛，背面脉上尤多。穗状花序顶生和腋生，细弱，结果时长达 25 cm，花小，无柄，最初密集，结果时疏离；苞片稍短于花萼，具硬毛；花萼长约 2 mm，有硬毛，有 5 脉，脉间凹穴处质薄而色淡；花冠淡紫色至蓝色，长 4 ~ 8 mm，外面有微毛，裂片 5；雄蕊 4，着生于花冠管的中部，花丝短；子房无毛。果实长圆形，长约 2 mm，外果皮薄，成熟时 4 瓣裂。花期

6 ~ 8 月，果期 7 ~ 10 月。

| **生境分布** | 生于路边、山坡、溪边或林旁。湖北有分布。

| **功能主治** | **全草**：凉血，散瘀，通经，清热，解毒，止痒，驱虫，消胀。

马鞭草科 Verbenaceae 牡荆属 *Vitex*

黄荆 *Vitex negundo* L.

| 药 材 名 | 黄荆。

| 形态特征 | 灌木或小乔木。小枝四棱形，密生灰白色绒毛。掌状复叶，小叶 5，少有 3；小叶片长圆状披针形至披针形，先端渐尖，基部楔形，全缘或每边有少数粗锯齿，表面绿色，背面密生灰白色绒毛；中间小叶长 4 ~ 13 cm，宽 1 ~ 4 cm，两侧小叶依次渐小，若具 5 小叶时，中间 3 小叶有柄，最外侧的 2 小叶无柄或近无柄。聚伞花序排成圆锥花序，顶生，长 10 ~ 27 cm，花序梗密生灰白色绒毛；花萼钟状，先端有 5 裂齿，外面有灰白色绒毛；花冠淡紫色，外面有微柔毛，先端 5 裂，二唇形；雄蕊伸出花冠管外；子房近无毛。核果近球形，直径约 2 mm；宿萼接近果实的长度。花期 4 ~ 6 月，果期 7 ~ 10 月。

| 生境分布 | 生于山坡路旁或灌丛中。分布于湖北汉阳、武昌、阳新、竹溪、房县、兴山、秭归、五峰、京山、江陵、罗田、通城、崇阳、利川、建始、巴东、咸丰、鹤峰、神农架。

| 功能主治 | **茎叶：**用于久痢。

种子：镇静，镇痛。

根：驱蛲虫。

马鞭草科 Verbenaceae 牡荆属 *Vitex*

牡荆 *Vitex negundo* L. var. *cannabifolia* (Siebold & Zucc.) Hand.-Mazz.

| 药 材 名 | 牡荆。

| 形态特征 | 落叶灌木或小乔木。小枝四棱形。叶对生，掌状复叶，小叶 5，少有 3；小叶片披针形或椭圆状披针形，先端渐尖，基部楔形，边缘有粗锯齿，表面绿色，背面淡绿色，通常被柔毛。圆锥花序顶生，长 10 ～ 20 cm；花冠淡紫色。果实近球形，黑色。花期 6 ～ 7 月，果期 8 ～ 11 月。

| 生境分布 | 生于山坡路边灌丛中。湖北有分布。

| 功能主治 | **茎叶**：用于久痢。
种子：镇静，镇痛。
根：驱蛲虫。

马鞭草科 Verbenaceae 牡荆属 *Vitex*

单叶蔓荆 *Vitex trifolia* L. var. *simplicifolia* Cham.

| 药 材 名 | 单叶蔓荆。

| 形态特征 | 茎匍匐，节处常生不定根。单叶对生，叶片倒卵形或近圆形，先端通常钝圆或有短尖头，基部楔形，全缘，长 2.5 ~ 5 cm，宽 1.5 ~ 3 cm。圆锥花序顶生，长 3 ~ 15 cm，花序梗密被灰白色绒毛；花萼钟形，先端 5 浅裂，外面有绒毛；花冠淡紫色或蓝紫色，长 6 ~ 10 mm，外面及喉部有毛，花冠筒内有较密的长柔毛，先端 5 裂，二唇形，下唇中间裂片较大；雄蕊 4，伸出花冠外；子房无毛，密生腺点；花柱无毛，柱头 2 裂。核果近圆形，直径约 5 mm，成熟时黑色；果萼宿存，外被灰白色绒毛。花期 7 ~ 8 月，果期 8 ~ 10 月。

| 生境分布 | 生于山坡、旷野、河边沙地及灌丛中。湖北有分布。

| 功能主治 | **干燥成熟果实：**疏散风热。用于头痛，眩晕，目痛，湿痹拘挛。